बात पैसे की

मेहनत की कमाई से करायें मेहनत

प्राक्कथन: नंदन नीलेकणि

बात पैसे की

मेहनत की कमाई से करायें मेहनत

मोनिका हालन

अनुवाद

मृदुला हालन

हार्पर
हिन्दी

प्रथम प्रकाशन 2020
हार्पर हिन्दी
(हार्परकॉलिंस पब्लिशर्स इंडिया) द्वारा प्रकाशित 2023
बिल्डिंग नं. 10, टावर A, 4th फ्लोर,
डीएलएफ साइबर सिटी, फेज II, गुरुग्राम 122002, भारत
www.harpercollins.co.in

ISBN: 978-93-5489-870-9

टाइपसेटिंग : निओ साफ्टवेयर कन्सलटैंट्स, प्रयागराज (इलाहाबाद)
मुद्रक: थॉमसन प्रेस (इंडिया) लिमिटेड

सभी टैक्सपेअर्स को अर्पित।
आप देते हैं कर तो चलता है देश।

प्राक्कथन

आप पैसे को लेकर परेशान रहे हैं, शायद अभी भी हैं। सम्भवतः इसीलिए यह किताब पढ़ रहे हैं। पता नहीं क्यों, अपने पैसे की बात करने से लोग इतना कतराते क्यों हैं। हम कितना बचाते हैं और कितना ख़र्च करते हैं, इस विषय पर हम कभी भी पूरी ईमानदारी से बात नहीं करते।

हमने निवेश कहाँ किया है, किस शेयर से आशातीत लाभ हुआ है, इसकी बात ख़ूब बढ़–चढ़ कर भले ही कर लें, पर अनर्गल और ग़ैर–ज़रूरी ख़र्चों की आदत...जैसे, दिन में दो दफ़ा हम महँगी कॉफ़ी क्यों पीते हैं, उनका ज़िक्र तक करना हमें गवारा नहीं। अपने निवेश को लेकर हमारी चिन्ता वैसी ही है, जैसी अपने बढ़ते हुए वजन की। हम इस बात पर तो ध्यान नहीं देते कि सन्तुलित भोजन और निवेश हमारी रोज़मर्रा की आदत में शुमार हो जाये; पर जब हमारा वजन बहुत बढ़ जाता है या बैंक में हमारा पैसा बहुत कम रह जाता है, तब हम इन पर सोचना शुरू करते हैं।

समस्त वित्त व्यवस्था 'कमीशन' पर आधारित है। यह कमीशन वाला पहलू आम आदमी के (स्वतन्त्र रूप से) सोचने और फ़ैसला करने के मार्ग को धुँधला कर देता है। इतने अनाप–शनाप नियमों में से सही रास्ता ढूँढ़ना ठीक वैसा ही दुश्वार है जैसे घनी झाड़ियों को मक्खन लगाने वाली छुरी से काटना। अन्ततः कुछ समझ न पाने की हालत में हम भी शुतुर्मुर्ग की तरह समस्या से आँखें बन्द कर लेते हैं...सोचकर कि समस्या शायद है ही नहीं। इसी कारण मैं मोनिका की नयी पुस्तक की प्रशंसा करता हूँ। यह पुस्तक हमें पैसे के विषय में पूरी ईमानदारी से बात करने के लिए प्रेरित करती है। इससे यह प्रमाणित हो जाता है कि अभी तक हम जो भी बहाने बना रहे थे, वे बस बहाने ही थे। अपने पैसे का सुचारू ढंग से विनियोजन करना सिर्फ़ अमीरों की ही बपौती नहीं है। यह सभी के (धनरूपी) स्वास्थ्य को स्वस्थ रखने का तरीक़ा है।

मैं मोनिका को *मिंट* की सलाहकार–सम्पादक (कंसल्टिंग एडिटर) के रूप में जानता हूँ। आपसी बातचीत में मैंने हमेशा यह महसूस किया कि उनका पूरा ध्यान उपभोक्ता के हित पर रहता है। आर्थिक मामलों से जुड़े जटिल से जटिल सवालों की जड़ तक जाकर वह नियमों को आसान भाषा में अपने पाठकों/श्रोताओं को समझा देती हैं। पुस्तक के छठे चैप्टर में आपको इन बातों का जवाब मिलेगा।

मोनिका कोई असाधारण आर्थिक प्रतिभाशाली व्यक्ति नहीं है, जो सोलह साल की उम्र से ही ऊँचा लाभ देने वाले निवेश करती रही हैं। पैसे के बारे में पूरी ईमानदारी से बात करने की अपनी सलाह के अनुरूप वह स्वीकार करती हैं कि उन्होंने ज़िन्दगी में निवेश करना बहुत देर से शुरू किया और शुरुआती वर्षों में अपने बचत लक्ष्य को पूरा करना बहुत मुश्किल हो जाता था। उनका सलाह देने का अन्दाज़ निराला है। पैसे की कमी से जूझते लोगों को हीन भावना से भरने की जगह वह उनको यह गुरुमन्त्र देती हैं कि अगर वह ऐसा कर सकी हैं, तो वे लोग भी कर राकते हैं।

अतः सीधी–सी बात है कि 'बात पैसे की' एकदम अमीर होने की कोई स्कीम नहीं बताती। न ही यह पुस्तक आपको कोई ख़ास उत्पाद ख़रीदने पर ज़ोर देती है। किसी भी स्कीम की पैरवी करने वाले लोग बात इस तरह पेश करते हैं कि उनकी सलाह लेना अनिवार्य हो जाये। पर, मोनिका का अन्दाज़ एकदम अलग है: जब तक आप पुस्तक पढ़ रहे हैं, वह आपके साथ है। आपने पुस्तक पढ़ ली, मोनिका का काम ख़त्म। अपने सुझावों के लिए मोनिका सैद्धान्तिक तर्क मात्र नहीं देती...आप अपने पैसे की व्यवस्था उनके तरीक़ों से क्यों करें, इसके अनुरूप उदाहरण भी देती हैं। इक्विटी चैप्टर में इस तथ्य से जुड़े अनेक उदाहरणों से अपना पोर्टफोलियो बनाने जैसा कठिन काम बेहद आसान हो जाता है। ये उदाहरण मनोरंजक होने के साथ–साथ वास्तविकता को भी बता देते हैं।

पुस्तक का महत्त्व तकनीक के विस्तृत विवरण के कारण ही नहीं है। प्रत्येक चैप्टर के अन्त में मोनिका ने आधे पृष्ठ के संक्षिप्त विवरण से उसे आसान बना दिया है। मोनिका ने अपने और अपनी मित्रों के प्यारे उदाहरणों से इन धारणाओं को आसानी से समझा दिया है; अब अगर कोई फ़िक्सड इनकम उत्पाद या इक्विटी से जुड़ी बचत योजनाओं के

बारे में अपना ज्ञान बघारता है, तो आप उसके जाल में नहीं फँसेंगे। 'बात पैसे की' को लेकर मेरा उत्साह इस पुस्तक के बाज़ार में आने के समय के कारण भी है।

अगर आप निवेश करना चाह रहे हैं...आप किसी भी उम्र के हों...तो (निवेश से पहले) इस पुस्तक को पढ़ने का यही सबसे अच्छा वक़्त है। इस समय भारत में डिजिटल परिवर्तन हो रहा है। 2015 में मैंने कहा था कि हम बैंकिंग व्यवस्था को व्हाट्सएप माध्यम में बदल रहे हैं। इसका क्या मतलब?

आज, आप एक मिनट में बैंक खाता खोल सकते हैं। एक ई.के.वाई.सी. की मदद से सिर्फ अति आधुनिक सुविधाओं वाले बैंक ही नहीं बल्कि आपके जाने–पहचाने राष्ट्रीयकृत बैंकों में भी आप मिनटों में खाता खोल सकते हैं। मोनिका ने अलग–अलग तीन बैंक खातों की पैरवी की है; आय, इसे ख़र्च करो और निवेश–खाता।

जिस काम के लिए आपको बैंक के तीन चक्कर लगाने पड़ते थे, आज, बस तीन मिनट में आपका काम हो जाता है। पहले आपको खाता खोलने के लिए अपने 'पते' की तीन प्रतियाँ, अपना पहचान–पत्र (आई. डी. प्रूफ़) और अपने तीन हस्ताक्षर की ज़रूरत पड़ती थी; आज बस एक ओ.टी.पी. (वन–टाइम पासवर्ड) से आपका खाता खुल जाता है। इतना ही नहीं अपने सभी खातों की पूरी जानकारी एक यू.पी.आई. (यूनीफ़ाइड, पेमेंट इंटरफेस) एप की मदद से कर सकते हैं। तीन खातों की तीन पासबुक्स को हर महीने नया कराने का झंझट ही ख़त्म।

अब ज़रूरी नहीं कि आप अपने बैंक का 'एप' ही इस्तेमाल करें, का मतलब यही है कि आप सुविधा अनुसार कोई भी एप चुन सकते हैं। एक वक़्त था, जब, मयुचुअल फंड्स को सिर्फ धनाढ्यों के निवेश के लिए जाना जाता था, आज पाँच सौ रुपये महीने से भी इसमें निवेश किया जा सकता है। आज तो सोना भी डिजिटली बेचा जा सकता है।

इंडिया स्टैक जैसी तकनीक ने आपके सोचने और काम हो जाने के बीच की दूरी को ख़त्म ही कर दिया। इस तकनीक ने कमीशन लेने वाले मध्यस्थों (बिचौलियों) की ज़रूरत भी ख़त्म कर दी। इस पुस्तक में सुझाये गये सिद्धान्तों के अनुसार एक दफ़ा अपनी व्यवस्था स्थापित कर लें। दोबारा उसकी देखभाल की ज़रूरत ही नहीं पड़ेगी। तकनीक आज

हमें उस मोड़ पर ले आयी है जहाँ बिना लिखत–पढ़त, बिना कहीं आये जाये, बिना कैश हस्तान्तरण के आप निवेश कर सकते हैं।

'सोचने और काम पूरा हो जाने की दूरी को कम करना' निवेश के लिए आपको उकसाना भी है। इसके साथ ही यह तकनीक आप के ख़र्च करने की आदत को भी प्रभावित करती है। ऐसे एप्स भी हैं जो आपको ग़ैर–ज़रूरी चीज़ों की ई–कॉमर्स ख़रीदारी करने को कहते हैं।

इसके अतिरिक्त नयी प्रक्रिया जैसे हाल ही में शुरू हुआ सामूहिक खातों का ब्योरा आपको अपने पैसे की सम्पूर्ण जानकारी एक साथ दे देगा। इससे आपको सुविधा रहेगी कि अपने पैसे की स्थिति जानकर, उसका विश्लेषण करके फ़ैसला कर सकें कि मोनिका द्वारा सुझायी योजना के अनुसार आप कैसे योजना पर अमल कर सकते हैं। एक पीढ़ी पहले तक भी डिजिटल नेटिव निवेशक को ये आसान–सी सुविधाएँ उपलब्ध नहीं थीं।

मैं आशा करता हूँ कि आप पुस्तक को रुचिपूर्वक पढ़कर पैसे के विषय में ईमानदारी और पूरे आत्मविश्वास के साथ बात कर सकेंगे। यह पुस्तक पढ़ना शुरू करके आप उस दिशा में पहला क़दम तो उठा ही चुके हैं। अब मेरा, आप और आप के पैसे के बीच क्या काम?

–नंदन नीलेकणि

अनुक्रम

चिन्ता छोड़ो, योजना जोड़ो

आर्थिक सुरक्षा के लिए हम इस चिन्ता में लगे रहते हैं कि कहाँ निवेश करने से सबसे अधिक लाभ मिलेगा। परन्तु सच यह है कि इसके लिए निवेश ही एकमात्र समाधान नहीं है। आवश्यकता है एक व्यवस्था बनाने की।

वास्तव में हम जीवन–भर यही सोचते रहते हैं कि हमने अपने पैसे का ठीक से निवेश नहीं किया। यही अपराध–बोध हमें यह सोचने पर मजबूर करता रहता है कि शायद हम अपनी बचत को ठीक से निवेश नहीं कर रहे हैं। जब हम अकेले में सोचते हैं तो एक अजीब–सा भय मन में पैदा हो जाता है। यह भय लगातार हमें सताता रहता है। हम यह सोचने लगते हैं कि हम सब कुछ ठीक नहीं कर रहे हैं या हमारे फ़ैसले बिना सोचे–समझे किये गये हैं, या जब हम अपने निवेश पर अधिक लाभ कमा सकते थे, हम सोचते ही रह गये, या हम अपने और अपने बच्चों के लिए पर्याप्त धन नहीं जुटा सके।

अक्सर हमें एक और भी चिन्ता सताती है कि अपने बूढ़े होते माता–पिता की देखभाल के लिए हमारे पास काफ़ी पैसा होगा या नहीं? इसके अलावा एक और भय हमें घेरे रहता है कि किसी भी तरह की आपात् स्थिति से निपटने के लिए हम क्या करेंगे? यही सोच–सोच कर हम अधिक नक़दी घर में रखते रहते हैं। यह नक़द पूँजी बढ़ती रहती है। हमारी यह स्थिति भाँप कर, अचानक, एक खिलाड़ी आकर हमारे सामने अधिक से अधिक लाभ कमाने की योजनाएँ आकर्षक ढंग से रख देता है। ध्यान रहे, वह आपकी चिन्ताओं और अपराध–बोध को अच्छी तरह जानता है। आपकी इस मनःस्थिति का फ़ायदा उठाकर वह ऐसी–ऐसी लाभकारी योजनाएँ आपके सामने परोसता है कि आप उसके जाल में फँसते जाते हैं। आपके पैसे को वह अपने (फ़ायदे के) हिसाब से कुछ योजनाओं में लगवा लेता है।

फिर होता क्या है? अन्ततः आपको पता लगता है कि या तो आपका पूरा पैसा मारा गया या उस किये गये निवेश से मिलने वाला लाभ बैंक के फ़िक्स–डिपोज़िट से मिलने वाले लाभ से भी कम होता है।

इस पुस्तक में हम आपके पैसे के बारे में ही बात करेंगे। इसे पढ़ने के बाद आप अपने धन का निवेश इस तरह कर सकेंगे कि ज़िन्दगी की समस्त विषमताओं के साथ आप तसल्ली से जी सकेंगे; 'सही' जगह निवेश कैसे करें, की चिन्ता स्वतः दूर हो जायेगी। कोई एक फ़ार्मूला आपको बताने की जगह हम आपको एक मज़बूत व्यवस्था बनाकर देंगे।

आप अपने धन से जुड़े हर पक्ष को एक मनी–बॉक्स के रूप में देखिए। आप जीवन भर जो कमाते हैं, आपके मनी–बॉक्स में भरता रहता है। एक सुखी शहरी जीवन जीने की अपनी इच्छा को आप इसी पैसे से पूरा करते हैं; जैसे रोज़मर्रा के ख़र्चे, बच्चों की फ़ीस, मकान का किराया, ई.एम.आई. (विभिन्न ऋणों पर दिये जाने वाली महीने की क़िस्त) टैक्स, बीमे का प्रीमियम, छुट्टियों में कहीं बाहर जाने का ख़र्च और इसी तरह के तमाम ख़र्च। फिर भी महीने के अन्त में मनी–बॉक्स में, कुछ–न–कुछ बचा रह ही जाता है। इसी को आप बचत कहते हैं। भविष्य की ज़रूरतों के लिए आप इसी बचत को विनियोजित करते हैं।

गुज़रते वक़्त के साथ नये ख़र्च आते रहते हैं; जैसे बच्चों की उच्च शिक्षा, उनका विवाह। वे ख़र्चे भी इसी मनी–बॉक्स से पूरे होते हैं। फिर एक समय ऐसा आता है जब आप वृद्धावस्था में प्रवेश करते हैं और रिटायर हो जाते हैं। (प्रत्येक प्राणी इस दौर से गुज़रता है...आपके माता–पिता, उनके माता–पिता)। अब आपकी मासिक आय का स्रोत, अर्थात् आपका वेतन ख़त्म हो जाता है। तब आपकी पेंशन शुरू हो जाती है। अब तक किये गये निवेशों से आय, ब्याज और लाभांश मिलने लगते हैं। और यह मनी–बॉक्स फिर से भरने लगता है। ज़्यादातर लोग एक ग़लती करते हैं कि इस मनी–बॉक्स को निवेश से प्राप्त होने वाले धन को रखने का एक बॉक्स मात्र समझ लेते हैं।

अब हम सोचना शुरू करते हैं कि इस धन को कहाँ लगाया जाये? ज़मीन ख़रीदें, शेयर ख़रीद लें या पेंशन योजना में पैसा लगा दें? कुछ ऐसा हो जो हमारी पैसे की चिन्ता को ख़त्म कर दे। यहाँ हम एक और ग़लती करते हैं। हमें सबसे पहले यह नहीं सोचना चाहिए कि 'पैसा कहाँ लगायें?' पर हम यही ग़लती करते हैं। शायद ऐसा इसलिए भी कर बैठते हैं

क्योंकि नित्य नयी आकर्षक निवेश योजनाएँ हमें ललचाती रहती हैं। जैसे–बीमा कमीशन योजना या म्युचुअल फंड आदि।

अगला फ़ैसला करने से पहले यह सोचना ज़रूरी है कि हमारा मनी–बॉक्स कैसा हो? एक अच्छा मनी–बॉक्स वह है जो आपके कैश–प्रवाह को नियमित करने के साथ–साथ आपकी बचत को भी सुरक्षित रख सके और आप आकस्मिक आयी कठिन परिस्थितियों का सामना बिना चिन्ता के कर सकें। घर में अचानक कोई बीमार हो जाये, आपकी नौकरी चली जाये या कमाने वाले सदस्य की मृत्यु हो जाये। अचानक विपत्ति किसी भी रूप में आ सकती है।

मनी–बॉक्स में बीमे का एक महत्व है। पहले यह समझना ज़रूरी है कि यह महत्व क्या है? इसका उद्देश्य धन सर्जन नहीं है। अगर आप यह समझ लें कि बीमा आपके लिए ज़रूरी क्यों है तो आपके लिए उपयुक्त बीमा योजना चुनना आसान हो जायेगा। अन्त में हम निवेश की बात करेंगे कि आपके लिए क्या अच्छा है; आप अपने पोर्टफ़ोलियो में क्या शामिल करें?

इस पुस्तक में हम आपको यह बतायेंगे कि अपनी ज़रूरतों और परिस्थितियों के अनुसार आप अपना मनी–बॉक्स कैसे बनायें। यह किताब जल्दी अमीर बनने के नुस्खे नहीं सिखाती। इसका उद्देश्य आपको एक ऐसी व्यवस्था के विषय में बताना है कि आप अपने जीवन–भर की कमाई के बारे में ऐसा निर्णय लें कि पूरे साल आप चिन्ता मुक्त रहें; अपना मनी–बॉक्स साल–भर में दो से ज़्यादा दफ़ा खोलने की ज़रूरत भी न पड़े।

इस सारी प्रक्रिया का नतीजा यह होगा कि आप अपनी सभी ज़रूरतें पूरी करने के साथ–साथ अपनी महत्त्वाकांक्षी योजनाओं के लिए भी पैसा बचा सकेंगे। यह कोई आसान काम नहीं है। यह अनोखा मनी–बॉक्स बनाने में कम–से–कम छह महीने तो लगेंगे ही। एक दफ़ा यह बन जाये तो ऐसी व्यवस्था बन जायेगी जो अपने आप चलने लगेगी। हो सकता है कि कभी–कभार इसमें थोड़ा बहुत फेरबदल करना पड़े।

इस पुस्तक में मैंने अनेक लोगों की समस्याओं के बारे में लिखा है। पिछले दस सालों में मैंने अनेक टी.वी. कार्यक्रम किये। उन कार्यक्रमों में इन समस्याओं के बारे में अनेक लोगों ने मुझे लिखा। '*मिंट*' में लिखे मेरे कॉलम पर सैकड़ों लोगों ने अपनी प्रतिक्रियाएँ भेजीं। मैंने उनमें से अनेक लोगों की समस्याओं और प्रतिक्रियाओं को इस पुस्तक में पिरोकर एक विशाल परिदृश्य के माध्यम से यह बताने का प्रयास किया है कि जो

बाज़ार उत्पाद पुराने पड़ चुके हैं, हमारे सामने वे ही क्यों परोसे जाते हैं? आप यह भी समझ जायेंगे कि सरकार अपना घाटा पूरा करने के लिए आपके सामने हानिकारक विनियोजन का रास्ता ही क्यों खुला रखती है।

अरे हाँ! इसमें एक सूत्र और भी जुड़ा हुआ है। आप समझ जायेंगे कि वैश्विक वित्तीय क्षेत्र आपको बेवकूफ़ क्यों बनाना चाहता है? आप अच्छी तरह जान जायेंगे कि धूर्त्त लोगों से भरे इस बाज़ार में आप अपनी सामर्थ्य के अनुरूप कितने अच्छे ढंग से काम कर रहे हैं। आप देखेंगे कि पैसे के मामले में आप बेवकूफ़ नहीं है।

ज़रा सोचिए, जो इन्सान पैसे की क़ीमत जानता है, सोच–समझ कर ख़र्च करता है, निवेश के मामले में बेवकूफ़ क्यों बन जाता है?

आजकल 'ख़रीदारों सावधान रहो' का नारा बुलन्द है। आप सही जगह निवेश कर रहे हैं या नहीं, इसकी पूरी ज़िम्मेदारी भी आप पर डाली जा रही है। बाज़ार का नियन्त्रण करने वाले आप पर यह बोझ डालते हैं। यह कितना हास्यास्पद है, इसको एक उदाहरण से जाना जा सकता है। आप कार ख़रीदने जायें। यह पूछने पर कि कार पूरी तरह सुरक्षित तो है न? कार बेचने वाला कार का बोनट उठाकर कहे कि लो, देखकर तसल्ली कर लो कि यह सुरक्षित है।

किसी उत्पाद का आज का भाव, भविष्य का भाव या उसका वास्तविक भाव क्या है–यह उम्मीद करना कि एक आम आदमी इस धारणा को समझ सकता है, ठीक वैसा ही है कि कार ख़रीदने वाले को बोनट उठाकर कहें कि लो, तसल्ली कर लो कि कार सुरक्षित है। इस उदाहरण से आपको समझ आ जायेगा कि नियन्त्रण व्यवस्था में हो रहे परिवर्तन आपके भविष्य के लिए महत्त्वपूर्ण क्यों हैं?

इस पुस्तक में पहले से तैयार कोई फ़ार्मूला नहीं है। इसमें कुछ सुझाव हैं कि किस तरह आप अपनी वित्तीय ज़िन्दगी को समझकर, नियमों को अपनी स्थिति के अनुसार सुधार सकते हैं। बस, यह उसी का एक रास्ता भर है।

आपका मनी–बॉक्स हमेशा अच्छी चीज़ों से भरा रहे।

नोट-नोट का कुशल प्रयोग

अधिकांश वित्तीय योजनाएँ असफल रह जाती हैं, क्योंकि, हमारे पास नक़द राशि के आवागमन को जानने का कोई उचित सिस्टम ही नहीं है। अपने पैसे के आवागमन (in flow/out flow) को अपने आप किस तरह सँभाला जाये, यह चैप्टर आपको यही बतायेगा।

अनुपमा गजवानी एक आम भारतीय नारी की तरह नहीं है। उसका बचपन ऐसे घर में बीता जहाँ उसके कलाकार पिता की बनायी पेंटिंग्स और तारपीन के तेल की गन्ध चारों ओर फैली रहती। मेरे बचपन की सहेली और मैं एक–दूसरे से एकदम भिन्न हैं। मेरी पूर्ण व्यवस्थित, उबाऊ (उसके लिए) दुनिया और उसकी–'बस्स अभी के अभी यह खाना है' वाली आदत। एकल माँ अनु एक फ्री–लान्स डिज़ाइनर है, जो एक के बाद एक जो भी प्रोजेक्ट मिला, उसी पर जीती है। जब जी चाहा टोरंटो में अपने बेटे से मिलने उड़ जाती है...बिना यह सोचे कि उसका बैंक एकाउंट ख़ाली हो रहा है।

मैंने उसके साथ कभी भी पैसे की बात नहीं की क्योंकि योजना बनाना उसकी फ़ितरत नहीं है। वैसे भी उसके चटपटे क़िस्सों के सामने 'पैसा बचाओ' की बात एकदम बोरिंग लगती है। पर एक दिन कुछ ऐसा हुआ कि उसकी सोच एक़दम बदल गयी। शायद उम्र का तकाज़ा था या कोई परिस्थिति या फिर आसमान से गिरी कोई उल्का। कुछ तो था क्योंकि, पिछले साल जनवरी में जब हम अपने रविवारीय लंच पर मिलें तो उसको एक ही धुन सवार थी कि उसे अपना पैसा व्यवस्थित करना है।

'हे...सुनो...तुम्हें मेरी मदद करनी होगी। जो तुम कहोगी, मैं करूँगी... बस्स अभी और अभी। मुझे नहीं पता मेरा पैसा जाता कहाँ है? पैसा जब बैंक में आता है....वह मुझे पता लगता है। उसके बाद...सब–धुँधला धुँधला।'

'मुझे नहीं पता, मेरा पैसा कहाँ जाता है', यह समस्या किसी ख़ास वर्ग

के लोगों की नहीं है। ज़रा सोचो। तुम्हें याद होगा जब तुम कहा करती थीं, मुझे पता ही नहीं, मेरा पैसा जाता कहाँ है? या 'मेरे पास बचत के लिए कुछ बचा ही नहीं है...' या, इससे भी तीखा 'विनियोजन का सोचूँ भी कैसे...पैसा कहाँ है?'

इस तरह के जुमले बोलने का मुख्य कारण है कि हमारे पास नक़दी के आवागमन को जानने का कोई बढ़िया कारगर सिस्टम नहीं है। हर किसी के पास बचत के लिए पैसा होता है–सड़क पर बैठी जो औरत आपको सब्ज़ी बेचती है, से लेकर महँगी से महँगी गाड़ी में बैठकर जाता पूँजीपति...बस, हमें यह पता नहीं लगता कि कैसे करें?

बचत के लिए पूँजी कहाँ से आयेगी और कहाँ निवेश करें–सवाल का जवाब है–नक़द–प्रवाह का उचित सिस्टम। सुनने में तो यह ऐसा लगता है कि ऐसा तो कम्पनियाँ या किराना स्टोर के मालिक लोगों की ज़रूरत है, मासिक तनख़्वाह पर काम करने वाले व्यवसायी की नहीं। ठीक है न।

नक़द आवागमन सिस्टम (Cash Flow System) आपके व्यय और बचत की अलग–अलग सीमाएँ निर्धारित करने का एक तरीक़ा भर है। सम्भावना यह है कि आपने एक सिस्टम बनाया हुआ तो है, पर वह ठीक से परिभाषित नहीं है और ऊबड़–खाबड़ है। वैसे, आपका सिस्टम भी आय और व्यय को एक–दूसरे से अलग–अलग ही रखता है, बस, वह निश्चित परिभाषा में बँधा हुआ नहीं है।

पैसा हर माह आता है और तुरन्त महीने का ख़र्च शुरू हो जाता है। किराया या ई.एम.आई. का पैसा निकाल लिया, घरेलू सहायक को वेतन दे दिया, प्रतिदिन आने जाने का ख़र्च चलता रहता है; उसी तरह आपकी जीवन शैली के हिसाब से भी ख़र्च होता रहता है, जैसे ख़रीदारी, गैजेट, बाहर खाना, फ़िल्म देखना आदि। बाक़ी पैसा क्रैडिट कार्ड का बिल चुकाने में चला गया, क्योंकि पिछले माह हुई महीने की विशिष्ट सेल का आकर्षण बहुत बड़ा था।

मैं जानती हूँ कि पैसे की बातचीत में दक्ष बजट बनाने पर जोर दिया जाता है। ख़र्च के एक–एक पैसे का हिसाब रखो, यही तो कहा जाता है कि पूरी तरह सतर्क रहो। मैं इससे ऊब जाती हूँ।

दूध 100 रुपये

अण्डे 100 रुपये

पेट्रोल 2500 रुपये

कॉफ़ी 100 रुपये

लंच 600 रुपये

कल फिर यही सब लिखो। अगले दिन फिर वही। अगर आप पूरी सतर्कता से हिसाब लिखेंगे तो दो बातें होंगी। पहली, इस पूरे क्रियाकलाप से ऊबकर आप एक सप्ताह में ही हिसाब लिखना छोड़ देंगे। दूसरा, आप पैसे के मोह में इतना उलझ जायेंगे कि कॉफ़ी पीने या खाना खाते समय उसका आनन्द उठाने की जगह आप इसी गिनती में उलझे रहेंगे कि इन पर कितना पैसा ख़र्च कर दिया।

अगर आपके पास बजट का अच्छा तरीक़ा तो है, पर आपका उस पर अनुशासन नहीं है, तो आपका पैसा कहाँ और कैसे ख़र्च हो रहा है, यह जानने के लिए किसी एप (App) को माध्यम बनायें। अगर यह काम आपको मुश्किल लगता है तो बस, अपने कैश–फ्लो सिस्टम के अनुसार काम करें।

कैश–फ्लो सिस्टम का लक्ष्य यही है कि आपके मनी–बॉक्स में कितना पैसा आता है कितना निकलता है, यह जानने का कोई आसान तरीक़ा खोजें। यह काम इस तरीक़े से करें कि स्वतः ही व्यय और बचत को अलग–अलग कर दे।

मैं नहीं जानती आपका अनुभव क्या है, पर मेरे साथ तो ऐसा अनेक बार हुआ है–मेरे पर्स में या घर की पैसे की सन्दूक़ची में जितना भी पैसा हो, सारा ख़र्च हो जाता है। जो पैसा उसमें बचा भी हुआ है, आप उसमें से काफ़ी बड़ी रक़म को ख़र्च कर देने के लिए लालायित रहती हैं, किसी को उधार दे देती हैं या आवेश में किसी ऐसी चीज़ पर ख़र्च कर देती हैं, जिसके लिए आपको बाद में पछतावा होता रहता है।

मुझे याद है एक दफ़ा मेरी एक सहेली ने (अब वह सहेली नहीं है) मुझे फुसलाकर एक बड़ी राशि उधार ले ली। अपने ख़र्चों पर उसका नियन्त्रण नहीं था। उसे मदद चाहिए थी। वैसे, कोई आपात्–स्थिति नहीं थी। उसकी करुण कहानी के बहकावे में आकर मैंने उसे पैसा दे दिया। जब मुझे अक्ल आयी, पैसा जा चुका था। दो साल तक मैं उसके पीछे पड़ी रही, तब जाकर मुझे पैसा वापिस मिला। यह बहुत अशोभनीय स्थिति होती है : तुम्हारा पैसा गया, दूसरे इन्सान की इज़्ज़त ख़त्म हो गयी और कहीं–न–कहीं आप अपने से भी शर्मिन्दा होती हैं कि आपने ऐसा किया क्यों? यह क़िस्सा मुझे बहुत कुछ सिखा गया। मैंने पैसे को प्रलोभन के

रास्ते से ही हटा दिया। ऐसा करने के लिए मैंने एक बहुत नायाब तरीक़ा ढूँढ़ निकाला।

महीने में मेरे पास कितना पैसा आया कितना ख़र्च हुआ, इसे जानने का एक आसान तरीक़ा जो मैं अपनाती हूँ, आपको उसके बारे में बताती हूँ। इसे कैसे कारगर किया जाये, यह भी बताऊँगी। अपने पैसे को हमें उसके फ़ंक्शन या उसके स्वरूप के अनुसार विभाजित करना है। हम यह अलग–अलग कर लें तो शान्ति से जी सकेंगे, यही हमारा लक्ष्य होना चाहिए। ये फ़ंक्शन या स्वरूप तीन क़िस्म के होते हैं। मैं तीन डब्बों का इस्तेमाल करती हूँ। ये तीन मद हैं–आय, व्यय और बचत। हम अगर पैसे को इन तीन डब्बों में ज़रूरत के हिसाब से, हर महीने अलग–अलग कर लें, तो अपनी व्यय और बचत पर हमारा नियन्त्रण रहेगा।

आप इसे जितना आसान समझते हैं यह उतना आसान है नहीं। मैंने इन तीन मदों के लिए तीन बैंक एकाउंट खोल रखे हैं। तीनों को मैंने नाम भी दिये हैं। नाम रखना बहुत ज़रूरी है। क्यों?... वो लोग जो मांसाहारी हैं, ज़रा सोचिए, अगर मुर्गी का कोई नाम हो, तो क्या वे उसे खा सकेंगे?

कल्पना करें कि हमारी 'चीकू' नाम की मुर्गी है, हमारे सामने वह लॉन में मस्ती से उछलकूद रही है, क्या हम उसे खायेंगे, मुझे तो नहीं लगता। वास्तव में नाम से किसी की भी पहचान बन जाती है। उस पहचान को हम तोड़ना नहीं चाहेंगे। बस, इसीलिए मैंने तीनों एकाउंट्स को तीन नाम दे दिये हैं। जिस एकाउंट में मेरा वेतन जाता है, मैंने उसको 'आय खाता' नाम दिया है। दूसरा खाता है 'ख़र्च करो'। तीसरा खाता 'निवेश करो' है।

जैसे ही आपका वेतन 'आय खाते' में पहुँचता है, तीस मिनट के अन्दर–अन्दर (अच्छा–चलो एक दिन ले लो....पर कर डालो) अपने महीने के ख़र्च की राशि 'ख़र्च खाते' में डाल दो। जो बचा, उसे 'निवेश खाते' में डालो। बैंक खाता खोलते समय कुछ अग्रिम राशि खाते में डालनी होती है। आप उसे नहीं निकाल सकते। पर वेतन जिस खाते में डालते हो, उसमें अग्रिम राशि, बैलेंस के रूप में छोड़ने की बाध्यता नहीं है। अतः आप वेतन का सारा पैसा भी निकाल सकते हैं। पर, अगर आप कभी कुछ अतिरिक्त ख़र्च करना चाहते हैं तो कुछ हज़ार रुपये आय खाते में रख लें। मैं ऐसा ही करती हूँ।

मुझे याद है मेरे आय खाते के सम्पर्क मैनेजर ने बहुत परेशान होकर मुझे फ़ोन करके पूछा था कि मेरे खाते से पैसा इतनी जल्दी क्यों निकल

जाता है? वह क्यों परेशान था? प्रत्येक बैंक अधिकारी को एक निश्चित राशि बैंक में जमा कराने का लक्ष्य मिला होता है। खाते में पैसा जितनी देर जमा रहेगा उसको अपना लक्ष्य पूरा करने में सहायक होगा।

बैंक में ज़्यादा पैसा जमा हो, बैंक ऐसा क्यों चाहते हैं? क्योंकि आपका जमा पैसा वह औरों को उधार देता है। ऋण दिये पैसे पर बैंक दस से अठारह प्रतिशत का ब्याज कमाता है, और आपको बैंक मात्र चार प्रतिशत ब्याज देता है। बैंक ने जितना आपको दिया और जो उसने कमाया, ख़र्चे निकालकर वह सारा लाभ बैंक को मिलता है।

चलो, फिर से अपने खातों की तरफ़ चलें। आपको जहाँ से भी, जिस रूप में भी, जो पैसा मिलता है, उसे अपने आय खाते में डालते रहिए। आप तुरन्त कहेंगे, 'ओह! मुझे तो सिर्फ़ वेतन मिलता है।' ध्यान दें...हर किसी को, वेतन के अलावा इधर–उधर से छुटपुट नक़द मिलता रहता है। कभी माता–पिता, कभी रिश्तेदार उपहार में आपको नक़द दे देते हैं, कभी बोनस मिला या काम का पैसा वापिस मिला, परिपक्व बीमा पॉलिसी, आपकी किसी जायदाद से आया किराया, म्युचुअल फंड या शेयर से प्राप्त लाभांश, उधार दिया पैसा वापिस आया...। बाक़ी दो खातों से अर्जित ब्याज के अतिरिक्त और किसी भी क़िस्म से आपको मिलने वाला पैसा आपके 'आय खाते' में जायेगा।

अगला क़दम...पूरे महीने के ख़र्च का पैसा आय खाते से निकाल लें। हम सब जानते हैं, हमारा महीने में कितना ख़र्च होता है। हमारी जीवन–शैली के अनुरूप पच्चीस या चालीस हज़ार से लेकर कई लाख तक महीने का ख़र्च। इस सिस्टम को शुरू करने के बाद कुछ महीने ख़र्च के लिए कुछ ज़्यादा रख लें। अपने ख़र्च खाते में अनुमान से दस–पन्द्रह प्रतिशत अधिक धनराशि डाल दें। इस महीने का पूरा ख़र्च इसी में से होना है....किराया, ई.एम.आई., खाना, कामगारों को दिया जाने वाला वेतन, ईंधन, क्रेडिट–कार्ड बिल, ज़रूरत की चीज़ें, जेब ख़र्च, दवाइयाँ आदि।

अगर अगले महीने कोई प्रीमियम देय है...चिकित्सा, घर, कार या अवधि योजना (टर्म–प्लान), तो एक तो उतना पैसा खाते में डाल दें और दूसरा सावधानी के लिए कैलेंडर पर निशान बना दें।

अब आपके आय खाते में जितना पैसा बचा है, उसे अगले तीस सेकेंड में ज़्यादा से ज़्यादा तीस मिनट में निवेश खाते में स्थानान्तरित कर दें। इस सिस्टम की सफलता के लिए ज़रूरी है कि आप ऑनलाइन बैंकिंग और ऑनलाइन निवेश विधि का इस्तेमाल करें। पैसा ऑनलाइन हो

तो आप नक़द लेने–देने से मुक्त हो जायेंगे। ज़िन्दगी के सब काम ऑनलाइन होने लगें, इसके लिए इस सिस्टम को सुचारु रूप में ढालने के लिए थोड़ी कोशिश करें।

याद रखें, हमारा लक्ष्य नक़द लेन–देन से मुक्त होना है। अभी हमारा प्रयास एक ऐसे सिस्टम को सुचारू रूप में ढालना है, जो ठीक से काम करने लगे तो आप महीने का सारा लेन–देन तीस सेकेंड में पूरा कर सकेंगे।

जब मैंने इस सिस्टम को शक्ल देना शुरू किया, तो मुझे बहुत वक़्त लगा यह समझने और करने में कि कैसे मेरा पैसा तीनों डब्बों में सुचारु रूप से पहुँच सके।

परिवार के कई सदस्यों के साथ हमारा संयुक्त खाता होता है। प्रत्येक व्यक्ति आपके सिस्टम से सहमत हो, इसे पूरा करना बहुत मुश्किल प्रक्रिया है। आप अपने से शुरू करें। अगर आपका साझीदार नहीं मान रहा है तो अपना अलग सिस्टम बना लें। आपका और आपके जीवनसाथी का आय खाता अलग–अलग होगा। ख़र्च खाता संयुक्त खाता होगा। महीने के ख़र्च के लिए दोनों बराबर धनराशि उस खाते में डालते होंगे।

प्रत्येक साझीदार का निवेश खाता अलग–अलग बैंकों में होगा। यह संयुक्त खाता भी हो सकता है। लेकिन उचित यही होगा कि जिसके नाम पर निवेश है, मुख्य खाताधारी वही व्यक्ति हो। बस, इसके अलावा अभी अपने पैसे के साथ और कुछ न करें। निवेश करने के बारे में तो अभी सोचें भी नहीं। अभी सिर्फ़ ये तीन खाते सक्रिय करें। एक दफ़ा ये तीनों खाते सक्रिय हो जायें तो वेतन मिलते ही पैसा तीनों खातों में स्थानान्तरित करना शुरू कर दें।

याद रखें, अभी हम निवेश नहीं कर रहे हैं। निवेश खाते में आपका पैसा चुपचाप पड़ा है। कोई बात नहीं। हमें तो अब अगले पचास से अस्सी साल तक के लिए योजना बनानी है।

इस प्रक्रिया की सफलता के लिए ज़रूरी है कि आप पहले तीन महीने धैर्य रखें। तीन महीनों में आप देख–समझ लेंगे कि महीने में आपका ख़र्च कितना होता है? आपने ख़र्च का जो अनुमान लगाया था, क्या उतनी राशि पर्याप्त रही? कम पड़ गयी? बहुत ज़्यादा थी। महीने के शुरू में ख़र्च खाते में आपने जितना पैसा स्थानान्तरित किया, महीने के ख़र्च के लिए आपको कितना पैसा चाहिए? पहले तीन महीनों में मैं अपने आय खाते में थोड़ा ज़्यादा पैसा डाल रही थी, ताकि मुझे पता लग जाये कि ख़र्च खाते में, मुझे,

वास्तव में कितने धन की ज़रूरत होती है। अगर पैसा कम पड़ता है तो आय खाते से ख़र्च खाते में ज़रूरत के हिसाब से ज़्यादा पैसा डालें। निवेश खाते से निकालकर पैसा ख़र्च खाते में डालने की इजाज़त इस पुस्तक में दी ही नहीं गयी है।

तीन महीनों में आप अपने पैसे की वस्तुस्थिति को पूरी तरह समझ जायेंगी। अगर आपका निवेश खाता ख़ाली का ख़ाली है, तो समझ लें, आप ज़रूरत से ज़्यादा ख़र्च कर रहे हो...मतलब...बेकार का ख़र्च। हर महीने जितने पैसे आपको मिलते हैं, उसमें से कम–से–कम दस प्रतिशत पैसा आपने बचत खाते में डालना ही है–चाहे किराया देना है, ई.एम.आई. का भुगतान करना है या और कोई अनिवार्यता है। हर उम्र और हर पड़ाव के लिए आपको कितनी धनराशि की ज़रूरत पड़ेगी–अगर आप इसे जानने के लिए उतावली हैं, तो रिटायरमेन्ट चैप्टर पर एक नज़र डाल लें।

मैंने जब इस सिस्टम के अनुसार काम करना शुरू किया तो दो बातों की तरफ़ मेरा ध्यान गया। पहला, मैं कितना और क्यों ख़र्च कर रही हूँ–मैंने अपने से यह सवाल किया। जब आपको यह पता लग जाये कि आपके ख़र्च खाते में कितना पैसा डाला जा रहा है, तो आप अपने (व्यर्थ के) ख़र्चों को अपने आप से छिपा नहीं सकतीं। दूसरा–एक दफ़ा आपका निवेश खाता भरना शुरू हो जाये तो आपको अन्दाज़ा हो जायेगा कि आप कितनी बचत कर सकती हैं।

मेरी मित्रों ने मुझे सन्देश भेजे 'छह महीनों में ही मैंने जितनी बचत कर ली, मैंने कभी सोचा तक नहीं था कि मैं बचत भी कर सकता हूँ। अब देखो, मेरे खाते में कितनी बचत आ गयी है।' एक खाते को निवेश खाता नाम दे दें तो अधिकांश लोग उड़ाने के लिए उस खाते से पैसा नहीं निकाल पाते।

आप सोच सकते हैं कि ख़र्च के लिए निवेश खाते से पैसा निकालने से आपको कौन रोकेगा? इसका जवाब आपके व्यवहारगत अर्थशास्त्र में छिपा है। जब आप पैसे को किसी ख़ास ख़र्च के लिए अलग रखकर उसका नाम रख देते हैं, तो वह 'नाम' इस पैसे को किसी और ख़र्चे के लिए निकालने से रोकता है। इसे मानसिक हिसाब–किताब कहते हैं, अर्थात् हम अपने पैसे को अलग–अलग क़िस्म के ख़र्चों के लिए अलग–अलग खातों में रखना पसन्द करते हैं, और उसके अलावा किसी और चीज़ के लिए उसमें से पैसा निकालना पसन्द नहीं करते।

हम जब अनजाने में मानसिक हिसाब–किताब करते हैं, तो हम ग़लती

कर बैठते हैं। क्रेडिट कार्ड की ख़र्च सीमा से बहुत ज़्यादा ख़र्च पर हमें एक साल में छत्तीस प्रतिशत ब्याज चुकाना पड़ता है। उधर आवर्ती जमा (रिकरिंग डिपॉज़िट) में मासिक भुगतान करें तो सिर्फ़ सात प्रतिशत ब्याज मिलता है।

सबसे अच्छा क़दम तो यह होगा कि ख़र्च करने से पहले बड़ी रक़म के उधार को चुका दिया जाये। पर मानसिक हिसाब–किताब हमें पैसे के इन दोनों रूपों को देखने नहीं देता। कितना पैसा आया कितना पैसा गया। हम जब इसका मानसिक हिसाब करते हैं, तो हम मानसिक हिसाब सिद्धान्त का प्रयोग करते हैं। जब से खाते को 'निवेश खाता' नाम दे देते हैं तो अपने रोज़मर्रा के ख़र्चों के लिए इसमें से पैसा निकालने की सोच भी नहीं सकते। अपनी इस चाल से हम दिमाग़ को सही दिशा में मोड़ देते हैं।

इतना सब करने के बाद पैसा कितना आया, कितना गया, यह जानने का अचूक सिस्टम बन गया है। हमारे पैसे की सन्दूक़ची नक़द लेन–देन के झंझट से दूर हो गयी। बस, यही तर्क अनु को समझ आ गया। अब वह इसी तरह अपना पैसा सँभालती है और एक सुव्यवस्थित पैसे की सन्दूक़ची की तरफ़ चल पडी है।

बजट बनाना बहुत उबाऊ काम है। अगर आप कुछ व्यावहारिक नियमों का ध्यान रखें तो छोटे–छोटे ख़र्चों का हिसाब रखने से बच जायेंगे। अगर आप लगातार अपनी व्यय सीमा से ज़्यादा ख़र्च कर रहे हैं, तो बहुत ज़रूरी है कि आप इसकी पड़ताल करें कि आपका पैसा जा कहाँ रहा है? बजट बर्बादी के ये कुछ ख़र्चे हैं– बाहर खाना, सिनेमा, यात्राएँ और घरेलू उपकरण। ख़र्चे की लगाम बहुत अधिक न कसें; ख़र्च सन्तुलित रखें। अधिक कसाव सफल नहीं होता।

आप निम्न बातों का ध्यान रख रहे हैं, तो आप सुरक्षित हैं–

1. आय, व्यय और निवेश के अलग–अलग तीन खाते हैं।
2. महीने की जितनी पगार आपके हाथ में आती है, उसका चालीस–पचास प्रतिशत से ज़्यादा रोज़मर्रा की जिन्दग़ी में आप ख़र्च नहीं करते।
3. ई.एम.आई. का भुगतान वेतन के 25–30 प्रतिशत से ज़्यादा नहीं है।
4. वेतन का 15–20 प्रतिशत आपकी बचत है।

आपात्-स्थिति कवच निधि

आपात्–स्थिति में हाथ में पैसा होना बहुत ज़रूरी है। पैसा हो तो ज़रूरत के वक़्त आपको चिन्ता नहीं रहेगी। साथ ही दीर्घकालीन निवेश के लिए भी आप समर्थ होंगे।

मेरी बेटी ने पाँच साल की उम्र में कार सीट बेल्ट का महत्त्व समझ लिया था। मैं कार से उसे स्कूल छोड़ने और लेने जाते वक़्त इस बात पर ज़ोर देती थी कि वह पीछे बैठे या आगे–सीट बेल्ट ज़रूर बाँधे। पाँच साल की उम्र में बच्चा हर बात में 'क्यों' और 'मैं नहीं करता' के पासे फेंकता है। घुटने तक आता कमज़ोर–सा शेर बच्चा भी अपनी मर्ज़ी से फ़ैसला करने के अपने हक़ पर ज़ोर देता है। मुझे इस बात में तर्क करना मंज़ूर ही नहीं था, अतः मेरी बात मानी जाती। मैं तुमसे बड़ी और ज़्यादा अक्लमन्द हूँ... तुम अभी बच्ची हो, माता–पिता अक्सर यह दलील देते हैं, मैं इस दलील से परे ही रहती हूँ, पर यह एक बात ऐसी थी कि मैं यही कहकर उसे बेल्ट बाँधने को राज़ी करती थी।

होता क्या है कि बच्चा बुरा मुँह बना कर बात मान लेता है, कुछ दिन खीझता, रूठता रहता है, फिर उसे आदत पड़ जाती है। एक दोपहर हम स्कूल से लौट रहे थे; आगे चल रही बी.एम.डब्ल्यू. कार के अहं से भरे चालक ने बेहद ज़ोर से ब्रेक लगाया, जैसे किसी विज्ञापन के लिए यह दिखा रहा हो कि उसकी कार के ब्रेक कितने शक्तिशाली हैं। मैंने एकदम पूरी ताक़त से ब्रेक लगाया। हम दोनों माँ–बेटी पूरी ताक़त से आगे जा भिड़े। सीट बेल्ट न बाँधी होती तो हम दोनों के सिर आगे विंडशील्ड से टकरा गये होते। मैंने लम्बी साँस ली, मन–ही–मन कारचालक को भद्दी गालियाँ दीं...ज़ोर से नहीं....बच्चे को यह पता न लगे कि माँ को गालियाँ भी आती हैं....फिर मैं भी आगे बढ़ गयी।

दो मिनट बाद बेटी की धीमी–सी आवाज़ आयी, 'बेल्ट ने बचा लिया।' अब बच्चे को भी समझ आ गया कि कार सीट पर सुरक्षित बैठने के लिए सीट बेल्ट अनिवार्य है। बेल्ट लगी हो तो बच्चा पूरे आराम से दोनों हाथों से भुट्टा खा सकता है या जो चाहे कर सकता है।

सोचिए, दो मिनट सोचकर मुझे बताइए– आपको दीर्घकालीन निवेश से डर क्यों लगता है? मैंने टी.वी. पर अनेक कार्यक्रम किये हैं। सैकड़ों लोगों ने मुझसे सवाल पूछे। मेरे यह पूछने पर कि आप दीर्घकालीन निवेश क्यों करना नहीं चाहते? जवाब सबका लगभग यही था, 'अगर कोई आपात स्थिति आ जाये तो हम क्या करेंगे? मेरा पैसा किसी दीर्घकालीन निवेश में फँसा होगा, तो उस वक़्त मैं अपना ही पैसा इस्तेमाल नहीं कर सकूँगा।

कोई जोखिम उठाने से डर इसलिए लगता है कि ज़रूरत के वक़्त पैसा हाथ में नहीं होगा। इसीलिए लोग पैसा बैंक या ऐसे उत्पाद में रखना पसन्द करते हैं, जहाँ, से ज़रूरत के वक़्त आसानी से नक़द लिया जा सके।

यह वाजिब डर है। हम सभी के सामने ऐसी परिस्थितियाँ आ जाती हैं, जब हमें अचानक पैसे की ज़रूरत हो। परिस्थिति कुछ भी हो सकती है चिकित्सीय संकट, नौकरी चली जाना, स्वास्थ्य से जुड़ी कोई परेशानी या ऐसी बीमारी, जिसमें नौकरी करना या पैसा कमाना सम्भव न हो। ऐसी आकस्मिक आपदा के लिए पैसा बचाकर रखना सम्भव है; साथ ही अपनी आय को भविष्य के लिए बचाकर भी रख सकते हैं।

यहाँ यह समझ लेना ज़रूरी है कि अलग से आपात्कालीन पैसा रखने के पीछे तर्क क्या है? दो तरह की परिस्थितियों में आपको अचानक पैसे की ज़रूरत पड़ सकती है–ऐसी घटनाएँ, जिनकी योजना पहले से बनायी जा सकती है और ऐसी घटनाएँ जो आकस्मिक होती हैं। आपके पास कार है। आपको पता है कि अगले महीने उसकी सर्विसिंग होनी है, आपको उसके लिए पैसे की ज़रूरत पड़ेगी सात–आठ साल बाद कार की मरम्मत होगी, या शायद नयी कार ख़रीदना चाहें। इन ज़रूरतों के लिए हम पहले से योजना बना सकते हैं। ज़िन्दगी में बहुत से ऐसे ख़र्च हैं, जिनकी योजना हम पहले से बना सकते हैं, जैसे–नयी कार ख़रीदना, घर ख़रीदने के लिए पेशगी देना, बच्चे को बिज़नेस स्कूल भेजना, विदेश यात्रा, कमर दर्द के इलाज़ के लिए पन्द्रह दिन जिन्दल फार्महाउस में रहना, भाई को नशा मुक्ति के लिए आनन्दा भेजना–इन सब ख़र्चों के लिए आप पहले से तैयार रह सकते हैं। इस तरह की घटनाओं के लिए

योजना कैसे बनायें, इसकी बात हम चैप्टर दस में करेंगे। हम यह भी बतायेंगे कि किस परिस्थिति के लिए कौन–सा निवेश फ़ायदेमन्द होगा।

अब सोचना यह है कि अचानक आये ऐसे ख़र्च, जिनको पहले से सोचा नहीं जा सकता, उनके लिए हम क्या करें? जैसे–घर के बाहर खड़ी आपकी कार में कोई टक्कर मार गया। कार का बड़ा हिस्सा क्षतिग्रस्त हो गया। उसे ठीक कराना ही है। अगर आपने कार का व्यापक–बीमा नहीं करा रखा है तो उसको ठीक कराने में आपका पूरा बजट बिगड़ जायेगा। आज की शहरों की समृद्ध ज़िन्दगी में ऐसी अनेक अघोषित आपात्–स्थितियाँ आ सकती हैं–बीमारी में अचानक अस्पताल जाना, अस्पताल का बड़ा बिल, अचानक नौकरी छूट गयी, सारी आय बन्द हो गयी, चेन्नई जैसी बाढ़, बेसमेंट का सारा फ़र्नीचर बर्बाद हो गया...नया लेना ही पड़ेगा। इस तरह की आपात् स्थितियों के लिए ही हम आपात्–बीमा करवाते हैं।

बहुत–सी घटनाओं में हम ख़ुद को बीमा द्वारा सुरक्षित कर लेते हैं। पर बहुत–सी घटनाएँ बिना दरवाज़ा खटखटाये आ जाती हैं...जैसे, नौकरी छूट जाना। हमें ऐसी स्थिति के लिए भी तैयार रहना है। आपात्–निधि की ज़रूरत सबको है। इस निधि का इस्तेमाल आपको सिर्फ़ आपात्–स्थिति में ही करना है। आप अपने दिमाग़ में एक इबारत लिख लें...यह आपात्कालीन निधि है। किसी और ज़रूरत के लिए हम इसे छू भी नहीं सकते। घर की पेशगी देनी हो, तो भी नहीं। यह एक ऐसी गुल्लक है जिसे सिर्फ़ अघोषित आपात् स्थिति में ही तोड़ा जा सकता है।

मेरी एक मित्र और उनके पति विज्ञापन क्षेत्र में बहुत ऊँची तनख़्वाह ले रहे थे। ऊँचा वेतन पाने वाले ख़र्च भी ऊँचा करते हैं। उन्होंने बैंक से लोन लेकर गुरुग्राम में एक घर ख़रीद लिया। पत्नी का पूरा वेतन ई.एम.आई. के लिए निकल जाता; पति के वेतन से घर का ख़र्च और बचत योजना चलती। तभी पत्नी गर्भवती हो गयी और उसमें कुछ पेचीदगी आ गयी। इस अवस्था में उसे नौकरी छोड़नी पड़ी। दस–बारह महीनों बाद ही वह नौकरी पर जा सकेगी। तो इस एक साल के लिए ई.एम.आई. के लिए पैसा नहीं था।

ज़िन्दगी तो ज़िन्दगी है। उसमें कई दफ़ा कुछ घटनाएँ बस हो जाती हैं, जैसे, गर्भधारण करना। मेरी मित्र को नौकरी तो छोड़नी ही पड़ी। उन्होंने अपनी समस्त जमा पूँजी निकाली, परिवार के लोगों से उधार लिया और लोन का बड़ा हिस्सा इस तरह चुकाया कि बचे लोन की क़िश्त पति के वेतन से दी जा सके। कुछ वर्षों तक रोज़मर्रा के ख़र्चों पर लगाम

कसे रखी। वक़्त आने पर शिशु जन्म हुआ। यह सचमुच ख़ुशी का मौक़ा था। दो साल बाद मेरी मित्र फिर से काम पर जाने लगी। पर, ये दो वर्ष भयानक दुःस्वप्न की तरह गुज़रे।

आपात्–निधि ऐसी स्थितियों में ही आपके काम आती है। आपात्–निधि के होते हुए आप सोच–समझ कर ही फ़ैसला लेते हैं; जल्दीबाज़ी में कुछ नहीं करते। एक दफ़ा मेरी मित्र ने भी सोचा कि इस घर को बेचकर कम क़ीमत वाला घर ले लें। पर काम चल गया। ख़ुद मैंने अपनी आपात्–निधि में से दो दफ़ा पैसे निकाले। चलो, इस स्थिति को ऐसे समझ लिया जाये कि एक उम्र के बाद जब आप वापस मुड़कर गुज़रे वक़्त को देखते हैं तो छोटी उम्र में किये गये फ़ैसलों पर आप सचमुच शुक्रगुज़ार होते हैं।

आपात्-निधि के लिए कितना बचायें?

एक साधारण से नियम के अनुसार छह महीने के घर के ख़र्च जितनी राशि इस निधि में रहनी चाहिए। घर–ख़र्च का मतलब, सब कुछ...किराया, ई.एम.आई., स्कूल फ़ीस, रोज़मर्रा की उपयोगी वस्तुएँ, प्रीमियम, क्रेडिट कार्ड का ख़र्च, किसी क्लब की सदस्यता...आदि सब ख़र्च। हमने पहले एक सिस्टम बनाया था–हमारी सम्पूर्ण आय कितनी है? उस आधार पर हम महीने के ख़र्च के लिए पैसा व्यय–निधि में रखते हैं। बस, उसका छह गुना अलग कर लें।

याद रखें, यह औसत अनुमान राशि है। आप अपनी व्यक्तिगत स्थिति के अनुसार राशि घटा, बढ़ा सकते हैं। मान लें, दोनों पति–पत्नी कमाते हैं। दोनों की नौकरी एक साथ जाये, ऐसी सम्भावना कम है। इसके साथ ही आप पर कोई निर्भर भी नहीं है, घर में बच्चे भी नहीं हैं।

इस तरह के घर में जोखिम का ख़तरा कम होता है, तो छह महीने की जगह तीन महीने का ख़र्च आपात्–निधि में डाला जा सकता है। पर, अगर एक पूरा वेतन ई.एम.आई. में जा रहा है तो आपात्–निधि में छह महीने के ख़र्च से कुछ ज़्यादा रखना अक्लमन्दी होगी।

इसके विपरीत घर में आप अकेले कमाने वाले हैं, और घर में पत्नी, बच्चे, माता–पिता होने के साथ आप ई.एम.आई. भी दे रहे हैं तो आपात्–निधि में कम–से–कम एक साल के ख़र्च जितनी राशि ज़रूर रखें। सीधी–सी बात है घर चलाने के ख़र्च में जोखिम की सम्भावना कम है तो आपात्–निधि में कम महीनों के ख़र्च जितना पैसा रखें, जोखिम ज़्यादा है तो ज़्यादा महीनों के ख़र्च का पैसा रखें।

मैं अपनी आपात्–निधि को लेकर कोई जोखिम नहीं उठाना चाहती। अपनी आपात्–निधि में मैं एक साल तक के ख़र्च के बराबर पैसा रखती ही हूँ। इसी भरोसे मैं बचत–निधि में ज़्यादा पैसा डालने का जोखिम उठा सकती हूँ, वरना ऐसा करना सम्भव न होता। यह करना कैसे है, इसका विवरण चैप्टर आठ में मिलेगा।

यह पैसा कहाँ रखें?

आप चाहते हैं कि पैसा ऐसी जगह हो कि ज़रूरत के वक़्त आसानी से, बिना किसी नुक़सान के आपको मिल सके। इस नीयत से अगर आप अपना पैसा सेविंग्स एकाउंट में रखते हैं, तो यह आपका बहुत ग़लत निर्णय होगा। इस किताब के लिखे जाने वाले वक़्त में स्टेट बैंक ऑफ़ इंडिया सेविंग्स जमा पर 3.5 प्रतिशत ब्याज दे रहा था। बस, आप पैसा ऐसी जगह रखें जहाँ आप इतनी आसानी से निकाल न सकें लेकिन ज़रूरत के समय निकाला जा सके और सेविंग्स जमा से ज़्यादा ब्याज आपको मिले।

इस दृष्टि से फ़िक्स डिपॉज़िट (एफ.डी.) सबसे आसान और भरोसेमन्द स्कीम है। हम सबने बड़े होते हुए देखा है कि समय–समय पर हमारे पिता पैसा 'फ़िक्स' करने जाते थे। अब तो नयी बैंकिंग तकनीक से बिना बैंक जाये और फॉर्म भरे बिना हम फ़िक्स डिपॉज़िट से पैसा निकाल सकते हैं।

अपनी आपात्कालीन धनराशि को फ़िक्स डिपॉजिट में रखना आपकी बचत योजना की ओर बढ़ता पहला क़दम है। अगर किसी बैंक में यह प्रावधान है कि ज़रूरत के समय आपको जितने पैसे की ज़रूरत है बिना एफ.डी. तुड़वाये, आप उतना पैसा निकाल सकते हैं, तो निस्सन्देह आप उसी बैंक में एफ.डी. करायें। दूसरा रास्ता यह है कि आप छोटी राशि की कई एफ.डी. करा लें। ज़रूरत के वक़्त एक या दो एफ.डी. तुड़वा लें। बड़ी एफ.डी. के तुड़वाने पर आपको ब्याज का नुक़सान होता, वह नहीं होगा।

जो लोग म्युचुअल फंड से परिचित हैं, वे आपात्–निधि सुरक्षित रखने के लिए छोटी अवधि की या डेब्ट फंड योजना अपना सकते हैं। हम म्युचुअल फंड की विस्तृत जानकारी नौवें चैप्टर में देंगे। इस मुक़ाम पर तो आप बस यह समझ लें कि म्युचुअल फंड में ऐसी कई योजनाएँ हैं जो आपात्–निधि जैसी आपकी ज़रूरतों पर खरी उतरती हैं। अगर म्युचुअल फंड के बारे में आपको कोई जानकारी नहीं है, तो आप एफ.डी. ही करायें।

आपात्–निधि को म्युचुअल फंड की इस योजना में डालने से पहले

डेब्ट फंड उत्पादों के विषय में अच्छी तरह जानकारी ले लेना ज़रूरी है। इस उत्पाद के कई फ़ायदे हैं। इसमें आपको ज़्यादा फ़ायदा मिलता है; एफ.डी. से ज़्यादा आसानी से पैसा निकाला जा सकता है। अगर आप इसको सही तरीक़े से इस्तेमाल करें तो एफ.डी. के मुक़ाबले कर कटौती भी कम होगी। टैक्स चुकाने के बाद आपकी बचत इतनी अधिक होगी कि आपात्–निधि के लिए आप एफ.डी. की जगह इसे ही पसन्द करेंगे। मैं ऐसे कई लोगों को जानती हूँ, जिन्होंने म्युचुअल फंड को अच्छी तरह समझ लेने के बाद आपात्–निधि की ज़रूरत के लिए बैलेंस फंड जिसमें 25% इक्विटी होता है, उसे चुना है। इसके बारे में बाद में बात करेंगे।

जिस व्यक्ति का मासिक ख़र्च 50,000 रुपये है, उसके लिए छह लाख एक बड़ी रक़म है, पर आपका पहला निवेश इतनी राशि से ही होता है। आपात्–निधि के लिए आप एक मासिक क़िश्त तय कर लें। हर माह उसमें क़िश्त का पैसा जमा करते रहें। जब आपका लक्ष्य पूरा हो जाये तो उसमें पैसा डालना बन्द कर दें। अब हम ज़्यादा लम्बी समयावधि के लिए निवेश करने के लिए तैयार हैं। यह क़दम उठाने से पहले हमें एक काम और करना होगा–देखें कि आपकी सब बीमा योजनाएँ सही हैं।

आपात्–निधि ही आपके काम आयेगी...

आप जब घोर विपत्ति का सामना कर रहे हों–आपकी नौकरी छूट गयी या मृत्यु हो गयी। ठीक है आपने जीवन बीमा कराया हुआ है, पर वहाँ से पैसा मिलने में समय लगता है। रोज़मर्रा के ख़र्च भला कहाँ रुकते हैं। आपात्–निधि के महत्त्व पर मैं और ज़ोर नहीं दे सकती। यह आपके ऊपर है...आप घोर विपत्ति के अँधेरों में उलझकर रह जायें या सहज ही उन अँधेरों को दूर भगा दें।

आप ठीक दिशा में जा रहे हैं अगर...

1. आपकी आपात्–निधि में छह माह के ख़र्च लायक पैसा है।
2. पति पत्नी दोनों की नौकरी है। माता–पिता आप पर आश्रित नहीं हैं और तीन माह के ख़र्च का पैसा आपके पास है।
3. एक अकेला वेतन, आश्रित माता–पिता, आपात्–निधि में एक साल के ख़र्च का प्रयोजन है।
4. आपकी आपात्–निधि फ़िक्स डिपोज़िट या अल्ट्रा शॉर्ट टर्म डेब्ट फंड या आपका निवेश यथेष्ट हाइब्रिड म्युचुअल फंड में है।

स्वास्थ्य ख़र्च का सुरक्षा चक्र

आप ऐसा नहीं चाहेंगे कि अस्पताल पहुँचकर आपको पता लगे कि आपने ग़लत बीमा कराया हुआ है। स्वास्थ्य बीमा ख़रीदने से पहले उसकी भली–भाँति जाँच–पड़ताल करना बहुत मुश्किल काम है; पर आपके पैसों की सन्दूक़ची की रक्षा के लिए यह बीमा बहुत ज़रूरी है।

मुझे याद है कुछ साल पहले मेरा एक सहकर्मी एक सप्ताह के बाद काम पर आया। 'छुट्टियाँ ख़ूब मज़े की गुज़री' मेरे पूछने में थोड़ा ईर्ष्या का पुट था। 'अरे नहीं...माँ को दिल का दौरा पड़ा था' कहते–कहते वह जैसे टूट गया...जितने दिन अस्पताल में रहा, मैं हर वक़्त यही सोचता रहा, जो तुम हमेशा मुझसे कहा करती थीं...'तुम स्वास्थ्य बीमा ज़रूर और जल्द करा लो।'

उसने बताया कि चाहते हुए भी बस आज–कल, आज–कल करते टलता गया। वैसे उसे भरोसा यह भी था कि उसके ऑफ़िस ने जो बीमा कराया है उसमें उसके परिवार के साथ उस पर आश्रित लोग भी शामिल हैं। अस्पताल में सामने आयी परेशानियों में उसे पता लगा कि ख़र्च कम करने के लिए ऑफ़िस के ग्रुप–बीमा में से आश्रितों को निकाल दिया गया है।

अपनी बचत में से उसने अस्पताल का काम चलाया। अगर उसने बीमा कराया होता तो अस्पताल का लाखों का ख़र्च बीमा रक़म से निकल आता... यह सोचकर वह छटपटा रहा था। वह बोला, 'यह तो ठीक वैसा हुआ कि आप सप्ताह की छुट्टी पर जाने के लिए हवाई जहाज़ के अन्दर पहुँचे कि आपको याद आया, ओह! मैं अपना मोबाइल चार्जर तो घर पर ही भूल आया।'

ऐसा नहीं है कि पत्रकार ही बीमा कराने में टालमटोल करते हैं। वित्त विभाग के प्रमुख अधिकारी (सी.ई.ओ.) समूह ने भी माना कि उन्होंने बीमा नहीं कराया है। *मिंट* वार्षिक म्युचुअल फंड कार्यक्रम का अवसर था। लोगों के आने के इन्तज़ार में हम बाहर एक कमरे में बैठे थे।

म्युचुअल फंड के प्रमुख अधिकारी (सी.ई.ओ.) और (सी.आई.ओ.) के अलावा कुछ वित्त विशेषज्ञ भी थे। बातें करते–करते स्वास्थ्य बीमा की बात शुरू हुई। मैंने उपस्थित प्रत्येक महानुभाव से पूछा कि कम्पनी के ग्रुप बीमा के अलावा किस–किस ने व्यक्तिगत स्वास्थ्य बीमा भी करवाया हुआ है? शर्मिन्दा होते हुए सभी ने स्वीकारा कि करायेंगे–करायेंगे सोचते हुए ही टलता रहा। ठीक है, इन लोगों के पास इतना पैसा था कि उन्हें चिन्ता नहीं थी। फिर भी उन्होंने स्वीकारा कि स्वास्थ्य बीमा उनकी अनिवार्यताओं में था, पर बस, टलता ही रहा।

स्वास्थ्य बीमा क्या है?

हमें बुख़ार आया। डॉक्टर के पास गये। उस वक़्त हम यह नहीं सोचते कि डॉक्टर कितना पैसा लेगा। उसकी फ़ीस देने की क्षमता हम में है। वैसे भी, हम जाते भी उसी डॉक्टर के पास हैं, जिसकी फ़ीस हम दे सकते हैं। वह जो दवाइयाँ लिखकर देता है, उससे हमारा मासिक बजट बिगड़ता नहीं है, पर ज़्यादा गम्भीर बीमारी जैसे–कोई ऑपरेशन, दिल का दौरा या आँतों की बीमारी तो बिल बड़ा बनेगा।

इस बिल का भुगतान हम अपनी बचत से करते हैं। हम बैंक में पैसा जमा करते ही रहते हैं। अगर हम थोड़ी–सी फ़ीस देकर यह जोखिम किसी और को दे दें तो हमें अपनी बचत से पैसा नहीं निकालना पड़ेगा। स्वास्थ्य बीमा ख़रीदकर हम यह जोखिम बीमा कम्पनी पर डाल सकते हैं। सालाना प्रीमियम देकर हम जो बीमा ख़रीदेंगे उसमें ऐसी किसी भी गम्भीर बीमारी के इलाज़ के लिए भुगतान क्षमता होती है। बीमे की राशि में से भुगतान उतना ही होगा जो आपने ख़र्च किया है। बाक़ी पैसा बीमे के रूप में सुरक्षित रहता है। मान लो, आपने पाँच लाख का बीमा कराया। आपने दो लाख ख़र्च किये। बीमे में से दो लाख ही निकलेंगे, बाक़ी वहाँ सुरक्षित हैं।

स्वास्थ्य बीमा जीवन बीमा से ज़्यादा महत्त्वपूर्ण है। सम्भावना इस बात की ज़्यादा है कि किसी बीमारी या दुर्घटना के कारण आपको अस्पताल जाना पड़ सकता है। मृत्यु की सम्भावना उतनी नहीं है।

पर एक अच्छे बीमा उत्पाद को खोजना बहुत मुश्किल है।

इसे ऐसे समझें–तेईस कम्पनियाँ ऐसी हैं जो स्वास्थ्य बीमा बेच रही हैं। हर कम्पनी दस तरह की अलग–अलग बीमा योजनाएँ आपके सामने रखती हैं। इन दस योजनाओं में भी अनेक विकल्प मौजूद हैं। आप इन

सब योजनाओं और विकल्पों को पढ़ने बैठें तो बस पढ़ते ही जायेंगे। इतना वक़्त लगेगा इसमें, सोचकर ही हमारा हौसला पस्त हो जाता है। पर याद रखें–समस्या बड़ी है, आप बेवकूफ़ नहीं हैं।

ऑफ़िस से मुझे स्वास्थ्य बीमा मिला हुआ है। फिर मुझे व्यक्तिगत बीमा क्यों चाहिए?

'आपको इसकी बहुत ज़रूरत है' मैंने हमेशा इस पर ज़ोर दिया है। अगर ऑफ़िस से आपको स्वास्थ्य बीमा मिला हुआ है, तो हम सोचते हैं–यह तो काफ़ी है। अनमोल और ऋचा ने भी यही सोचा था। कुल मिलाकर दोनों का बीमा कवर पन्द्रह लाख रुपये से ज़्यादा ही था। 'हमारे लिए यह बहुत है' उन्होंने सोचा था।

फिर एक दिन अचानक सब कुछ उलट–पलट हो गया। ऋचा ने शिशु को जन्म दिया। उसने नौकरी छोड़ दी। नन्हा विनायक एक साल का हुआ तो अचानक अनमोल की नौकरी चली गयी। भाग्य अच्छा था कि बिना नौकरी के दिनों में घर में कोई बड़ी बीमारी नहीं आयी। उनकी कहानी सुखान्त रही। व्यक्तिगत बीमा की ज़रूरत तब महसूस होती है जब अचानक हालात बदल जाते हैं। अन्यथा इस ज़रूरत को आप अपनी रिटायरमेंट के वक़्त महसूस करते हैं। विदाई समारोह के साथ–साथ ऑफ़िस बीमा लाभ भी आपसे विदा ले लेता है। साठ साल की उम्र में स्वास्थ्य बीमा मिलना मुश्किल है। अब तक उम्रगत कई बीमारियाँ–जैसे मधुमेह या रक्तचाप, शायद आपको जकड़ चुकी होंगी। ऐसे में लाभकारी स्वास्थ्य बीमा मिलना और मुश्किल हो जाता है।

कम्पनियाँ बड़ी उम्र के लोगों का बीमा करने से हिचकिचाती हैं। ऐसे में अगर पहले से ही कोई बीमारी चल रही है, तो हिचकिचाहट और भी बढ़ जाती है। अधिकांश बीमा कम्पनियाँ पहले से चली आ रही बीमारी को बीमा में शामिल नहीं करतीं, और उस पर होने वाले ख़र्च को ज़्यादा से ज़्यादा चार साल के लिए टाल देती हैं।

मान लें कि बीमा कराते समय आपकी किडनी में पथरी है। बीमा कराने के छह माह बाद ही पथरी निकालने के लिए आप ऑपरेशन कराते हैं। ऐसे में ऑपरेशन का ख़र्च बीमा से नहीं मिलेगा।

याद रखें फ़ौज और सरकारी मुलाज़िमों को सेवानिवृत्ति के बाद भी स्वास्थ्य बीमा लाभ मिलता रहता है। ऐसे में व्यक्तिगत बीमा कराने की ज़रूरत नहीं रहती।

बीमा कितने रुपये का कराया जाये

कुछ समय पहले मेरी बातचीत एक ऐसे व्यक्ति से हुई जो अस्पताल व्यवसाय में शेयर के रूप में निवेश करता था। उसे उत्तर भारत और दक्षिण भारत के अस्पतालों की अन्दरूनी बातों की कई मज़ेदार जानकारियाँ थीं। उसने बताया उसे उत्तरी भारत के अस्पतालों में पैसा लगाना पसन्द नहीं है। यहाँ के बड़े अस्पताल इसी बहस में उलझे रहते हैं कि मरीज़ को जो बीमारी नहीं है वह बताकर लम्बा–चौड़ा लाभ कमाया जाये जैसे महँगे और अनावश्यक टैस्ट करवाना, पेट में गैस की शिकायत वाले मरीज़ को दिल की बीमारी का डर दिखाकर स्टंट डलवा देना आदि या मरीज़ का पर्याप्त और ज़्यादा ख़र्चीला न हो, ऐसा इलाज़ किया जाये?

उसने बताया कि उसने दक्षिण भारत के कुछ अस्पतालों में निवेश किया है। वहाँ की कहानी एक़दम अलग है। वे अस्पताल भी लाभ कमा रहे हैं, पर फ़र्क़ यह है कि उनका उद्देश्य सिर्फ़ लाभ कमाना ही नहीं है। उदाहरण के लिए, आप हवाई जहाज़ से दिल्ली से त्रिची जायें। ऑपरेशन कराकर वापिस दिल्ली आ जायें, तो भी दिल्ली के बड़े अस्पताल में इलाज कराने से सस्ता रहेगा। यहाँ के पाँच सितारा अस्पतालों का ख़र्चा सोच की सीमा से भी ऊँचा है पर यहाँ के धनाढ्य लोग यहीं जाना पसन्द करते हैं।

आपका जो सवाल था, 'बीमा कितने का कराया जाये', का जवाब ऊपर बतायी कहानी से आपको मिल गया होगा। आपका फ़ैसला इस बात पर निर्भर करता है–आप कहाँ रहते हैं...किस तरह के अस्पताल में इलाज़ कराना चाहते हैं और कितनी व्यक्तिगत गोपनीयता आप चाहते हैं? जैसे–दिल्ली के एक उच्चस्तरीय अस्पताल में एकल डीलक्स कमरे का किराया प्रतिदिन दस हज़ार रुपये से ज़्यादा होगा। इससे कुछ नीचे स्तर के अस्पताल में इससे चौथाई किराये में कमरा मिल जायेगा।

पर अभी भी घबराने की कोई बात नहीं है। कुछ ऐसे नियम और तरीक़े हैं, जो हमारी मुश्किल आसान कर सकते हैं। छोटे शहरों और कम सुविधाओं के लिए तीन लाख की पॉलिसी लें। बड़े शहरों में सभी आधुनिक सुविधाएँ चाहिए, तो 15 लाख की पॉलिसी लें। एक उत्पाद है : 'फ़ैमिली फ्लोटर'। इसका लाभ यह है कि परिवार का कोई भी सदस्य बीमार पड़े

तो यह पॉलिसी बीमारी का ख़र्च वहन करती है। एक न्यूक्लियर परिवार के लिए यह लाभकारी है।

मान लें कि चार सदस्य का परिवार– माता, पिता और दो बच्चे– एक 15 लाख रुपये की फ़ैमिली फ़्लोटर पॉलिसी से कवर्ड हैं। एक साल में उनमें से कोई भी, या वह सब, इस रक़म तक क्लेम कर सकते हैं। जिस साल कोई क्लेम नहीं होता, तो यह प्रीमियम भारी लगता है, पर एक क्लेम जिस साल हुआ, तब इस पॉलिसी का महत्त्व पता चलता है।

कौन–सी पॉलिसी खरीदें?

यह एक सवाल ऐसा है जिसका जबाव सब चाहते हैं पर इसका सही जवाब ढूँढ़ना सबसे मुश्किल काम है। कोई आसान जवाब है ही नहीं। वित्त क्षेत्र मेरे लिए नया नहीं था फिर भी जब मुझे पॉलिसी खरीदनी थी, तो मुझे भी एक फाइनेंशल प्लानर की मदद लेनी पड़ी।

तरह तरह के उत्पाद, उनके जटिल फीचर्स और पॉलिसियों के फाइन प्रिन्ट इतने विस्तृत हैं कि एक आम आदमी के लिए उन्हें पढ़–समझकर पॉलिसी ख़रीदना असम्भव ही है। व्यक्तिगत वित्त के लिए उपलब्ध सलाह प्रायः यह कहती है, 'पॉलिसी ख़रीदने से पहले कम्पनी की पूरी छानबीन कर लें'...कम्पनी का प्रबन्धन, अस्पताल जाने की हालत में यह कितनी सुविधाजनक है, थर्ड पार्टी एजेंट (टी.पी.ए.) की सर्विस कैसी है, (इंश्योरेंस कम्पनियाँ क्लेम प्रबन्धन के लिए टी.पी.ए फर्मों को ही काम सौंपती हैं) क्लेम भुगतान कैसा है, आदि।

आप को यह जरूर पता होना चाहिए कि अगर आपने पॉलिसी ख़रीदते वक़्त को–पे (Co-pay) के लिए दस्तख़त कर दिये हैं, तो कुछ कम्पनियाँ पूरा भुगतान नहीं करती। यह तो मदद नहीं हुई। बहुत कम सलाह निर्देशिकाएँ आपको स्पष्ट रूप से बताती हैं कि कुछ पॉलिसी ऐसी हैं जिनके नियमों के मुताबिक़ आप अस्पताल की सभी सेवाओं का लाभ नहीं उठा सकते। आपके लिए यह जानना भी ज़रूरी है कि कम्पनी क्लेम–भुगतान कितनी सहजता से करती है, इसकी टी.पी.ए. सर्विस अच्छी है या नहीं। अस्पताल का नेटवर्क कितना बड़ा है?

वास्तविक यह है कि यह सम्भव ही नहीं है कि आप यह सब जानकारी इकट्ठा करें, फिर अपने ऑफिस का काम करें और घर जाकर रात का

खाना भी बनाये। समस्या बहुत बड़ी और गहरी है। इसी समस्या को आसान बनाने के लिए '*मिंट*' ने भारत की 'मोस्ट कॉम्परिहैंसिव मेडिकल इंश्योरेंस रेटिंग– '*मिंट* सिक्योर नाऊ मैडीकल रेटिंग' शुरू की। '*मिंट*' ने सिक्योर नाऊ इंश्योरेंस ब्रोकर्स प्राइवेट लिमिटेड से मिलकर एक प्रणाली बनाकर फिर रेटिंग की। आज इसे लाइवमिंट साइट (Livemint site) पर देख सकते हैं।

ऑनलाइन रेटिंग को देखते समय इस बात का ध्यान ज़रूर रखें कि ज़रूरी नहीं कि सबसे सस्ती पॉलिसी अच्छी भी हो। माना कि आप जब पॉलिसी चुनते हैं तो कम प्रीमियम वाला फैक्टर आपके लिए महत्त्वपूर्ण भी है और अच्छा भी है। पर, याद रखें, पॉलिसी का चुनाव सिर्फ़ इसी एक आधार पर न करें। पॉलिसी का निर्णय तीन बातों पर निर्भर करता है। एक–यह आपको कितना लाभ देती है? दो–कीमत का पैमाना क्या है? तीन–क्लेम भुगतान के पैमाने पर इसका स्थान कौन–सा है? हो सकता है आपकी पॉलिसी सबसे सस्ती और शानदार लाभ देने वाली हो, पर, अगर वह कम्पनी अधिकांश क्लेम्स को अस्वीकार कर देती है या यूँ कहें, क्लेम्स का भुगतान नहीं करती, तो वह पॉलिसी आप के किस काम की?

इसको थोड़ा स्पष्ट और करते हैं। यह मसला तकनीकी हो गया है। झुँझलाकर इसे बीच में ही न छोड़ दें। मेरे साथ बने रहिए। आपके हक़ में यही है कि बाद में बुड़बुड़ाने की जगह आप अभी थोड़ा वक़्त इसे समझने में लगा दें।

प्रीमियम

इसे ज़रूर जान लें...आप जब पॉलिसी ख़रीद रहे हैं उस वक़्त उसका प्रीमियम क्या है और भविष्य में क्या हो जायेगा? जीवन बीमा कराते वक़्त आपका पैसा निर्धारित समय अवधि के लिए फँस जाता है। उधर स्वास्थ्य बीमा का प्रीमियम हमारी बढ़ती उम्र के साथ बढ़ता रहता है। क़ीमत की गुणवत्ता दो तथ्यों पर आधारित है। बाक़ी कम्पनियों की तुलना में आज क़ीमत क्या है और गुज़रते सालों के बाद इसमें कितना अन्तर है? हो सकता है पॉलिसी ख़रीदते समय यह सबसे कम प्रीमियम की हो, पर जब आप साठ सत्तर की उम्र में पहुँचें तब यह सबसे महँगी पॉलिसी बन जाये।

एजेंट से बीमा ख़रीदने से पहले उससे यह ज्ञात कर लें कि जो क़ीमत आज है, दस साल का अन्तर हो तो क़ीमत क्या होगी? इसे ऐसे समझें– अगर आप चालीस साल की उम्र में पॉलिसी ख़रीद रहे हैं तो एजेंट से कहें कि यही पॉलिसी साठ–सत्तर की उम्र में कोई आज ख़रीद रहा हो तो उसकी क्या क़ीमत होगी? अगर वह टालमटोल करता है तो उस एजेंट से पॉलिसी न ख़रीदें। क्योंकि आप उससे जो पॉलिसी ख़रीद रहे हैं, उस पर उसे आज से लेकर हर साल कमीशन मिलता रहेगा। कमीशन के लालच में वह आपको आकर्षक क़ीमत बतायेगा। उसके बहकावे में मत फँसें। आप ऐसी पॉलिसी ख़रीदें जो आज भी सस्ती हो और आप जब बड़ी उम्र के हों, तब भी सस्ती रहे।

लाभ

हम स्वास्थ्य बीमा इसलिए ख़रीदते हैं कि अगर कभी अस्पताल में भर्ती होना पड़े तो अपनी बचत में से पैसा न निकालना पड़े। देखने में सौदा एकदम सीधा–सादा लगता है....आप वार्षिक प्रीमियम दे रहे हैं; कभी अस्पताल में रहना पड़े तो कम्पनी बिल चुका देगी। लेकिन सँभल जायें। बीमा जगत उलझनों से भरा सौदा है। बीमा कम्पनियाँ चालाकी से ऐसी इबारत लिखती हैं (फार्म में) कि आप समझ नहीं पाते। नुक़सान आपका होता है। बीमा उत्पाद की तकनीक इतनी दुखद है कि आप जो जानना चाहते हैं जान ही नहीं सकते।

आपको अपनी पॉलिसी से ये आठ लाभ तो मिलने ही चाहिए–

1. *जो पॉलिसी आप ख़रीद रहे हैं देख लें उसमें 'को–पे' (Co-Pay) जैसी धारा नहीं है।* को–पे का मतलब है कि पूरे बिल का कुछ प्रतिशत आपको देना होगा। 'यह तो ठीक नहीं है, आपका सोचना वाजिब है। हाँ, बड़ी उम्र के व्यक्ति को 'को–पे' में कुछ राहत मिल जाती है। कैसे? इसकी चर्चा बाद में। अभी तो 'को–पे' को समझ लें। आप दस प्रतिशत को–पे के लिए हाँ कर चुके हैं। आपका बिल दो लाख का बनता है, बीस हज़ार आपको देने होंगे। बीमा कम्पनी 1.8 लाख या नब्बे प्रतिशत देगी।

   पॉलिसी ऐसी ढूँढ़े जिसमें 'को–पे' धारा नहीं हो। अपने एजेंट से कहें वह बीमा के काग़ज़ात/दस्तावेज़ आपके पास भेज दें। अब आप नैट पर अच्छी तरह 'को–पे' शब्द का मतलब समझ लें।

यह भी देख लें कि जो पॉलिसी आपको बेची गयी उसमें में 'को–पे' धारा को लेकर कोई शिकायतें तो नहीं हैं। कम्पनी या एजेंट ने पॉलिसी बेचते समय आपसे झूठ तो नहीं बोला,...इसके साक्ष्य के तौर पर आपके पास उनका लिखा हुआ वायदा होना चाहिए। आप उनसे ई–मेल सम्बन्ध बनायें। आपके पास साक्ष्य आ जाता है। स्वास्थ्य संकट के समय जब आप पॉलिसी पर निर्भर थे, 'को–पे' धारा ने अनेक लोगों की उम्मीदों पर पानी फेर दिया है।

2. *'पॉलिसी ख़रीदने से पहले कोई बीमारी थी'* इस धारा को ज़रूर देखें। पॉलिसी ख़रीदते वक़्त अगर आपको कोई बीमारी है तो उसका ख़र्च बीमा कम्पनी नहीं देगी। ख़रीदते समय अगर आपको कोई बीमारी या बीमारी के लक्षण हैं, चोट लगी है तो बीमा नियमानुसार बीमा कम्पनी चार साल तक उसका भुगतान करने से मना कर सकती है।

   उदाहरण के तौर पर आपकी किडनी में कंकर पाये गये हैं। तभी आप पॉलिसी ख़रीदते हैं, चार साल के अन्दर अगर आपको ऑपरेशन कराना पड़ जाये तो कम्पनी ऑपरेशन का ख़र्च नहीं देगी। हाँ, कुछ ऐसी कम्पनियाँ हैं जो चार साल की अवधि को कम कर देती हैं और पैसा दे देती हैं। आप जो पॉलिसी ख़रीदना चाह रहे हैं, उसकी प्रतीक्षा अवधि कितनी है, इसकी जाँच अच्छी तरह कर लें। एक चेतावनी। अगर आपको कोई बीमारी है तो आपको स्वास्थ्य बीमा मिलना मुश्किल है। कुछ कम्पनियाँ इस धारा का इस्तेमाल असम्बन्धित और अनावश्यक कारणों के लिए भी करती हैं। यह आपके हक़ में होगा, अगर पॉलिसी ख़रीदते समय भूत और वर्तमान में जो भी बीमारी आपको रही है, आप उसे छिपायें नहीं; विस्तार से बता दें। वरना, पैसा न देना पड़े, इसके लिए कम्पनी इस धारा का बख़ूबी इस्तेमाल करती हैं।

   मिंट की एक पत्रकार एक ऐसा केस सामने लायी। एक गर्भवती महिला बुख़ार की हालत में अस्पताल में भर्ती हुई। वैसे तो बुख़ार में अस्पताल में कोई भर्ती नहीं होता, पर गर्भ के कारण वह भर्ती हुई। कम्पनी ने पैसा देने से इनकार कर दिया, क्योंकि गर्भ सम्बन्धित बीमारी पॉलिसी के अन्तर्गत नहीं आती।

3. *पॉलिसी ख़रीदते वक़्त देख लें कि उसमें बीमारी प्रतीक्षा अवधि धारा तो नहीं है।*

कुछ कम्पनियाँ तीस से नब्बे दिनों तक किसी बीमारी के लिए पैसा नहीं देतीं। हर्निया या आँख का मोतिया जैसी बीमारियों के लिए प्रतीक्षा–अवधि होती है। इस धारा के अन्तर्गत आने वाली सभी बीमारियों की लिस्ट अपने एजेंट से ले लें। पॉलिसी ऐसी लें जिसमें बीमारी और सम्बन्धित ख़र्च के लिए प्रतीक्षा अवधि न हो।

4. *आपकी पॉलिसी में 'सब–लिमिट' या अनु–सीमा धारा तो नहीं है,* उसकी पड़ताल ज़रूर करें। मेरी एक मित्र घुटने के ऑपरेशन के लिए दिल्ली के बहुत महँगे अस्पताल में भर्ती हुई। उसकी चार लाख की पॉलिसी थी। उसने सहज ही एकल डीलक्स कमरा ले लिया। एक दिन का किराया 8000 रुपये से ज़्यादा ही था। भुगतान के समय कम्पनी ने कमरे का किराया देने से मना कर दिया। उसकी पॉलिसी में एक प्रतिशत 'सब लिमिट' धारा थी। कमरे के किराये के लिए समूची बीमा राशि का एक प्रतिशत ही कम्पनी देगी। उसका बीमा चार लाख का था अतः कमरे का आठ हज़ार प्रतिदिन के हिसाब से पैसा कम्पनी ने नहीं दिया। इतना ही नहीं, बाक़ी बिल पर भी कमरे के किराये के हिसाब से काटकर पैसे कम दिये। कई अस्पताल कमरे के किराये के हिसाब से बिल बढ़ा देते हैं।

आपको बहुत गहराई से 'सब–लिमिट' धारा की पड़ताल करनी चाहिए। 'सब–लिमिट' धारा कम्पनी को यह अधिकार दे देती है कि किन्हीं खास ज़रूरतों के लिए वह कितना पैसा दे। हम अक्सर सब लिमिट को कमरे के किराये मात्र से जोड़ लेते हैं। कमरे के किराये पर भी दो तरह की सीमा है–कमरे का किराया या कमरे की श्रेणी। कमरे के किराये के रूप में कम्पनी दो हज़ार प्रतिदिन के हिसाब से पैसा देगी या फिर यह कि कम्पनी आपको दो लोगों के लिए वातानुकूलित कमरे का पैसा देगी। पाँच सितारा स्वास्थ्य दुकानों (इन्हें अस्पताल तो अब कहा नहीं जा सकता) में कमरे का किराया बहुत ज़्यादा होता है। इस बात का ख़्याल ज़रूर रखें कि अन्य सुविधाओं का भुगतान कमरे के किराये से जुड़ा होता है। अगर आप बहुत महँगा कमरा लेते हैं तो बीमा कम्पनी जो देगी, आपको उससे कहीं ज़्यादा ख़र्च करना पड़ सकता है।

पॉलिसी ऐसी ख़रीदें, जिसमें 'सब–लिमिट' धारा न हो।

5. *बहिष्कृत बीमारियों को जान लें।* पॉलिसी में लिखा होता है कि वह किन बीमारियों और सेवाओं का बीमा नहीं करती। दाँतों की चिकित्सा, गर्भ और कॉस्मिक ऑपरेशन बहिष्कृत हैं। आप जो बीमा ख़रीदने जा रहे हैं, अच्छा होगा कि ख़रीदने से पहले आप अच्छी तरह पता कर लें कि इसमें कौन–कौन सी बीमारियाँ बहिष्कृत हैं। परेशानी तब होती है जब कम्पनी बीमा ख़रीदने के बाद कभी भी सेवा को बहिष्कृत कर देती है। एक कम्पनी ने बीमा ख़रीदने के बाद किसी समय कैंसर के महँगे इंजेक्शन का बहिष्कार कर दिया और क्लेम के वक़्त पैसा नहीं दिया। स्वास्थ्य बीमा ख़रीदने वालों की राह में मुश्किलें ही मुश्किलें हैं।
6. *अस्पताल में भर्ती होने से पहले और बाद की किन–किन सेवाओं को बीमा कवर करता है?*
   अस्पताल में भर्ती होने से पहले डॉक्टर की फ़ीस, टैस्ट, दवाइयाँ और अस्पताल से आने के बाद तीन महीने की सेवाओं के लिए आप क्लेम कर सकते हैं। उदाहरण के लिए–घुटना बदलवाने के लिए सर्जरी से पहले एम.आर.आई. का ख़र्च और बाद में फिज़ियो थेरेपी के लिए आप क्लेम कर सकते हैं। पहले पता कर लें कि आपकी पॉलिसी इस ख़र्च को शामिल करती है या नहीं। अगर हाँ तो, यह भी पता करें कि वास्तविक राशि कितनी है और किस समय यह पैसा मिलेगा?
7. *कुछ बीमारियों में कुछ समय के बाद चौबीस घण्टे अस्पताल में रहने की ज़रूरत नहीं होती, बस, दिन में एक दफ़ा डॉक्टर को दिखाने या पट्टी कराने जाना होता है। ऐसी बीमारियों की लिस्ट ज़रूर ले लें।* जैसे मोतियाबिन्द का ऑपरेशन या स्नायु (लिगामेंट) का फट जाना। ऐसी 130 अवस्थाओं को कम्पनी कवर करती है। इनकी अच्छी तरह पड़ताल कर लें कि किन अवस्थाओं में कम्पनी कितना भुगतान करेगी और इसके लिए अस्पताल में कितने दिन रहना होगा।
8. *बीमा फार्म में एक 'नो–क्लेम–बोनस' की लिस्ट भी होती है। उसको ज़रूर परख लें।*
   अगर एक साल तक आप कम्पनी से कोई पैसा नहीं लेते तो बीमा कम्पनी आपको पुरस्कार देती है। इसे नो–क्लेम बोनस कहते हैं। प्रायः ऐसे में कम्पनी आपकी व्यय सीमा को उसी प्रीमियम के साथ दस

प्रतिशत बढ़ा देती है। मान लें, पच्चीस हज़ार प्रीमियम पर आपका पन्द्रह लाख का बीमा है। एक साल तक आप कोई क्लेम नहीं करते तो उसी प्रीमियम में आपका बीमा कवर साढ़े सोलह लाख का हो जायेगा।

क्लेम

एक अच्छी पॉलिसी की आपकी खोज तभी ख़त्म होगी जब आप यह समझ लेंगे कि अमुक कम्पनी क्लेम का भुगतान कितनी जल्दी और ईमानदारी से करती रही है। दूरसंचार कम्पनी से आप कुछ ख़रीदते हैं, ख़रीदते ही उसका इस्तेमाल शुरू करते हैं। तभी आप जान जाते हैं कि कम्पनी कैसी है। पर स्वास्थ्य पॉलिसी की सच्चाई तभी पता लगती है जब आप क्लेम पेश करते हैं। बीमा कम्पनी किस शीघ्रता से आपकी शिकायत दूर करती है, समय पर भुगतान करती है, पूरा करती है या काट–छाँट कर और यह सारी प्रक्रिया आसान है या मुश्किल?

पॉलिसी ख़रीदते समय इन सभी बातों को समझ लेना बहुत ज़रूरी है। दुर्भाग्यवश भारत में दावों की विस्तृत जानकारी का मानकीकरण नहीं है और जो जानकारी उपलब्ध है भी, आसानी से आपको मिलती नहीं। रेग्युलेटरी ने कभी इस पर ध्यान ही नहीं दिया कि आँकड़ों को पारदर्शी बना दें, ताकि उपभोक्ता को आसानी हो जाये। बीमा ख़रीदने से पहले एजेंट से निम्न सब सवालों के जवाब ज़रूर ले लें–

1. *कम्पनी पेश किये कितने दावों का सही भुगतान करती है?*

अगर कोई कम्पनी प्रस्तुत किये गये सौ दावों में से पिचानवे दावों से ज़्यादा का भुगतान नहीं करती, तो उस कम्पनी से बीमा न ख़रीदें। दावों का खेल बहुत जटिल है, क्योंकि कम्पनी अक्सर ग्रुप और एकल दावों को जोड़ देती है। ग्रुप दावों का भुगतान एकल दावे की तुलना में कहीं ज़्यादा होता है। अच्छा तो यह हो कि दावा उत्पाद–अनुरूप हो न कि दोनों को जोड़कर पेश किया जाये।

2. *कम्पनी के पास दावों से जुड़ी कितनी शिकायतें आयी हैं–इसका आँकड़ा खँगालें। ऐसी पॉलिसी ढूँढ़ें जिसकी दस हज़ार दावों में से तीस से कम शिकायतें मिली हों।*

जो कम्पनी दावों की शिकायत के जवाब में बेची गयी पॉलिसियों के प्रतिशत के आँकड़े थमा देती है, उससे सावधान रहें। होना तो यह चाहिए कि जानकारी यह मिले कि कितने लोगों ने पॉलिसी ख़रीदी,

कितनों ने दावे प्रस्तुत किये और कितने लोगों ने शिकायतें की। आप जो पॉलिसी ख़रीदने का मन बना रहे हैं, देख लें, उसमें शिकायतों की संख्या कम हो।

ओह! लगता है एक स्वास्थ्य बीमा ख़रीदने के लिए अर्थशास्त्र और क़ानून की डिग्री होने के साथ–साथ आप में ग़ज़ब का धैर्य भी होना चाहिए। यह सारी प्रक्रिया आपको हताश कर रही है तो आप *मिंट* की 'सिक्योर नाऊ मेडिकल रेटिंग्ज़' को एक दफ़ा देख लें। अपनी ज़रूरतों के अनुसार किस क़िस्म की पॉलिसी आप ख़रीदना चाहते हैं, इसकी बारीक़ जानकारी आपको शायद न मिले; पर आप पैरामीटर को देखेंगे तो आपको कम्पनी के आँकड़े मिल ही जायेंगे।

स्वास्थ्य बीमा ख़रीदना कोई आसान काम तो नहीं है।

पहले से चली आ रही बीमारी के कारण आपको बीमा कवर नहीं मिल रहा है तो आप क्या करें?

कुछ समय पहले एक सहकर्मी ने मुझे लिखा कि बारह साल की बीमारी मुक्त अवधि के बाद भी उसे बीमा नहीं मिल रहा है। बीमा कम्पनियों का रवैया ऐसा है कि सिर्फ़ उन्हीं स्त्री–पुरुषों का बीमा किया जाये जो पूर्ण स्वस्थ हैं और कभी भुगतान के लिए अपना दावा पेश न करें। कुछ कम्पनियाँ बीमारी ग्रस्त व्यक्ति का बीमा करने में तनिक भी रुचि नहीं रखतीं, इसीलिए बीच की समय सीमा को हास्यास्पद सीमा तक लम्बा खींच देती हैं। अगर आपकी भी यही समस्या है और बीमा नहीं मिल रहा है तो ठहरिए, निराश न हों। अभी भी आपके पास कुछ विकल्प मौजूद हैं।

आप सब लिमिट, को–पे और बीमारी के लिए एक बहिष्कृत अवधि के साथ पॉलिसी ख़रीद सकते हैं। आपको याद होगा सब–लिमिट में कम्पनी सिर्फ़ कुछ बीमारियों के लिए भुगतान करती है। कमरे का किराया और बीमारी से जुड़े अन्य ख़र्चे भी एक सीमा तक ही देती है। को–पे में आप ख़र्चे को कम्पनी के साथ बाँटना स्वीकार कर लेते हैं। बहिष्कृत अवधि वह समय है, जिसके इन्तजार के बाद ही कम्पनी आपके दावे का भुगतान करती है।

ये सभी तथ्य आपका मार्ग तो अवरुद्ध करते हैं, लेकिन सोचकर देखें, बीमा न होने से तो अच्छा ही है। यह भी सच है कि एक स्वस्थ व्यक्ति बीमा पॉलिसी पर जो ख़र्च करता है, आपको उससे ज़्यादा प्रीमियम राशि देनी होगी। पर, कुछ तो मिलेगा।

अपने सहकर्मी को मैंने यह सुझाव दिया–अगर आप किसी भी क़िस्म की पॉलिसी लेने में असमर्थ हैं तो किसी लम्बी अवधि के उत्पाद, जैसे म्युचुअल फंड में व्यवस्थित और नियमित रूप से पैसा लगायें (म्युचुअल फंड के बारे में नवें चैप्टर में हम विस्तार से बतायेंगे।) मन में यह बैठा लें कि यह आपकी सेहत पर ख़र्च करने का पैसा है। अगर आप पाँच लाख का बीमा ख़रीदने की सोच रहे थे तो अब आपका लक्ष्य दस लाख का होना चाहिए। सब कुछ ठीक रहा और आपको बीमारी पर बड़ा ख़र्च नहीं करना पड़ा तो यह पैसा बच्चों के नाम कर दें।

बड़ी उम्र के व्यक्ति क्या करें?

पैंसठ साल से बड़ी उम्र के अनेक लोगों ने एक से तीन लाख तक का बीमा करा रखा है। यह बीमा उन्होंने तब कराया था जब बीमारी का इलाज़ इतना महँगा नहीं था और न ही पाँच सितारा अस्पताल थे। आज की महँगाई में यह पैसा एकदम नाकाफ़ी है। हम जानते हैं बीमा कम्पनियाँ बड़ी उम्र के लोगों का बीमा करने से कतराती हैं। वे क्या करें? एक 'टॉप–अप' योजना है। इस योजना को अपनाकर आपका सुरक्षा चक्र बड़ा हो सकता है।

इसको ऐसे समझें–यह ऐसी पॉलिसी है जिसका लाभ आपको पहले कुछ पैसा चुका देने के बाद मिलेगा। मान लें, आपकी मौजूदा पॉलिसी तीन लाख रुपये की है। अब आप 'टॉप–अप' योजना के तहत अतिरिक्त पाँच लाख का बीमा ख़रीद लेते हैं। ये पाँच लाख आपको पहले तीन लाख ख़र्च करने के बाद ही मिलेंगे। आपका बिल चार लाख का है, तीन लाख आप अपनी पहली पॉलिसी से ख़र्च करेंगे, एक लाख 'टॉप–अप' पॉलिसी से।

अगर आपको दो दफ़ा अस्पताल में भर्ती होना पड़ता है, दोनों दफ़ा दो–दो लाख का भुगतान करना है, तो आपका सारा ख़र्च इसमें से निकल आयेगा। अस्पताल और बीमारीजन्य सभी ख़र्चे निकाली गयी राशि से पूरे हो रहे हैं तभी आप टॉप–अप योजना के तहत दावा कर सकते हैं। जाँच कर आप ऐसी टॉप–अप योजना का ही बीमा ख़रीदें। अगर आपको टॉप–अप बीमा भी नहीं मिलता फिर तो अपनी जेब ही टटोलनी पड़ेगी। आपके पास इतना पैसा नहीं है तो बच्चों से बात करके देखिए। बहुत से बच्चे अपने ऑफ़िस के ग्रुप बीमा योजना में आपको शामिल कर सकते हैं।

गम्भीर बीमारी और व्यक्तिगत दुर्घटना

क्या बीमा ख़रीदते समय गम्भीर बीमारी और व्यक्तिगत दुर्घटना बीमा ख़रीदना उचित होगा? हाँ, कैंसर जैसी गम्भीर बीमारी में शायद अस्पताल में ज़्यादा दिन रहना तो नहीं होगा, लेकिन उस पर होने वाला ख़र्च बहुत ज़्यादा होगा। हो सकता है बीमारी के कारण आप में कुछ समय के लिए काम करने की क्षमता न रहे। ऐसी गम्भीर बीमारियों में 'गम्भीर बीमारी बीमा' आपको सुरक्षा प्रदान करता है। आपके अनुबन्ध में चिन्हित ऐसी किसी भी बीमारी की हालत में पॉलिसी आपको एकमुश्त पैसा दे देती है।

कुछ पॉलिसी ऐसी गम्भीर बीस बीमारियों तक को चिन्हित करती हैं, जैसे कैंसर, किडनी ख़राब हो जाना, दिल का दौरा, किसी महत्त्वपूर्ण अंग का प्रत्यारोपण, बुरी तरह जल जाना, लिवर और फेफड़ों की अत्यन्त नाज़ुक हालत आदि। दस लाख की पॉलिसी पर लगभग तीन हज़ार से पाँच हज़ार तक का ख़र्च आयेगा। अलग–अलग कम्पनियों में इसकी क़ीमत भी अलग–अलग होगी। ख़रीदने वाला व्यक्ति स्वस्थ है या बीमार, उसने पॉलिसी से किन–किन चीज़ों की माँग की है, क़ीमत इस पर भी निर्भर करेगी।

मौजूदा पॉलिसी का नवीनीकरण कराते समय उसमें 'राइडर' को शामिल कर सकते हैं। 'राइडर' द्वारा आपकी मौजूदा पॉलिसी में थोड़े और ख़र्च में आपका सुरक्षा चक्र बढ़ जाता है। 'राइडर' बहुत आकर्षक लगता है, पर मेरा सुझाव है आप एक सामान्य बीमा करने वाले से केवल दुर्घटनाजनित पॉलिसी ही ख़रीदें। इस बीमा में आपकी सुरक्षा का दायरा व्यापक हो जाता है और अगर किसी कारण आप मौलिक पॉलिसी को छोड़ भी दें, तो भी यह समाप्त नहीं हो जाता।

अब तक आपकी स्वास्थ्य बीमा की पॉलिसी प्रत्येक कोण से सुरक्षा देने वाली बन चुकी है। व्यक्तिगत दुर्घटना पॉलिसी इसमें एक और सुरक्षा कवच डाल देती है। किसी दुर्घटना की वजह से अगर आप कुछ समय के लिए या हमेशा के लिए कार्य क्षमता गँवा देते हैं तो यह पॉलिसी आपको एकमुश्त पैसा दे देती। व्यक्तिगत दुर्घटना पॉलिसी चार अवस्थाओं को कवर करती है : मृत्यु, स्थायी रूप से पंगु हो जाना, स्थायी आंशिक पंगुता या कुछ समय के लिए पूर्ण अशक्त हो जाना।

मृत्यु या स्थायी अशक्तता की स्थिति में आपको पूरा पैसा मिल जाता है। स्थायी आंशिक अशक्त होने की स्थिति में पूर्ण बीमा राशि का कुछ भाग आपको मिलेगा; अस्थायी पूर्ण पंगुता की स्थिति में एक सौ चार सप्तांह तक, प्रति सप्ताह आपको पैसा मिलेगा।

आप कितनी महँगी पॉलिसी ख़रीदें, यह इस पर निर्भर करता है कि आप अपने स्वास्थ्य और भविष्य के प्रति कितनी सुरक्षा चाहते हैं? एक वृद्ध बुद्धिमान परिचित ने एक दफ़ा कहा था कि हम सबको यह सोचकर देखना चाहिए कि कितने सुरक्षा चक्र में हम ख़ुद को सुरक्षित महसूस करते हैं? सड़क पर सुरक्षा के लिए हेलमेट काफ़ी होगा या सीट बेल्ट या फिर बख़्तरबन्द गाड़ी? इसका जवाब भी निम्न बातों पर निर्भर करेगा। आप कौन हैं, आपको कितना ख़तरा है और आप कितना ख़र्च कर सकते हैं।

मैं अच्छी तरह समझ रही हूँ कि आप पढ़ते–पढ़ते थक चुके हैं। अरे भई! थक तो मैं भी गयी हूँ यह बताते–बताते कि एक स्वास्थ्य बीमा योजना में कितनी–कितनी परतें हैं। यह बहुत मुश्किल काम है। इसके अनेक हिस्से हैं। बीमा चुनने के लिए आप '*मिंट* सिक्योर–नाऊ मेडिकल–रेटिंग की मदद ले सकते हैं। पर अच्छा तो यह होगा कि इसके लिए आप किसी फाइनेंशल प्लानर की सहायता लें।

अब तक यह पढ़कर जो जानकारी आपने जुटायी है। देखें कि प्लानर उससे ज़्यादा जानता है या नहीं। उसकी बातों में अगर 'प्री एक्ज़िस्टिंग' 'सब–लिमिट', क्लेम और 'वेटिंग–पीरियड' शब्द नहीं हैं तो आप दूसरा प्लानर ढूँढ़िए।

इस लेख के लहजे से आपको अन्दाज़ा हो गया होगा कि मुझे बीमा कम्पनियों पर रत्ती भर भरोसा नहीं है। यह भरोसा ऐसे ही नहीं टूटा। सालोसाल मुझे लोगों की शिकायतें मिलती रही हैं कि किस तरह इन कम्पनियों में उन्हें झाँसा देकर फाँसा और फिर बेईमानी पर उतर आयीं। इसके अलावा बीमा कम्पनियों के उत्पादों की सच्चाई को खोल कर यह समझ जाना कि वे जो कहती हैं, उसमें सच्चाई नहीं है।

अधिकांश की मंशा होती है कि पैसा न देना पड़े। एक कुशल आयोजक (प्लानर) या बीमा एजेंट आपको सही रास्ता दिखा सकता है। बीमे की जटिल पेचीदगियों से आपका अपने आप पार पाना मुश्किल ही नहीं,

असम्भव है। हमारे स्वास्थ्य की देखभाल (हेल्थकेयर) के दोनों ही सिस्टम निजी और सरकारी मृतप्राय हैं। अपने स्वास्थ्य की उचित देखभाल के लिए, भारत में लोग पूरे भरोसे और ख़ुशी से निजी कम्पनियों की तरफ़ दौड़ते हैं। यह देखकर मेरा दिल बैठ जाता है, क्योंकि लोग यह नहीं समझते कि अस्पतालों और बीमा कम्पनियों के उचित नियन्त्रण के बिना उन्हें एक त्रासदी से दूसरी त्रासदी की तरफ़ धकेला जा रहा है।

जीवन बीमा से ज़्यादा ज़रूरी है स्वास्थ्य बीमा। किसी दुर्घटना में आप हाथ–पाँव तुड़ा बैठें, सम्भावना इस बात की अधिक है न कि मौत की। किसी स्वास्थ्य जनित आपात् स्थिति में आप अपनी बचत से पूँजी निकालने की जगह अपने पॉलिसी कार्ड द्वारा सारा बिल चुका सकते हैं।

आप सही दिशा में जा रहे हैं, अगर...

1. ऑफ़िस से किये गये आपके बीमा में आपके परिवार का नाम भी शामिल हो।
2. आप छोटे शहर में रहते हैं और आपके परिवार के लिए तीन से सात लाख तक का प्रावधान है।
3. आप महानगर में रहते हैं और पाँच सितारा अस्पताल की सुविधा चाहते हैं और आपका परिवार कवच कम–से–कम पन्द्रह लाख है।
4. आपकी आयु साठ साल से अधिक है और आपके बुनियादी बीमा कवर के साथ टॉप–अप योजना भी जुड़ी हुई है।

मृत्यु पश्चात, सुरक्षित परिवार

हम ग़लत उद्देश्यों से जीवन बीमा ख़रीदते हैं: भय, लालच, सहानुभूति, कुण्ठा, टैक्स आदि। यह कभी नहीं समझाया जाता कि जीवन बीमा का असली मक़सद है कि आपकी मृत्यु हो जाये तो परिवार क्या करे?

कंचन चन्दर दिल्ली की एक मशहूर कलाकार। अख़बार के पृष्ठ तीन के स्तम्भ में, प्रायः प्रतिदिन ही उसका चेहरा दिखाई दे जाता है। उससे मेरी मुलाक़ात एक मित्र के घर हुई। जैसा अक्सर होता है, थोड़ी ही देर में बातचीत उसके पैसे पर आ गयी। (कलाकार अक्सर पैसे की कमी से जूझते हैं। कंचन भी इसका अपवाद नहीं थी।)

उसकी कहानी भी अब तक सुनी सैकड़ों कहानियों जैसी ही थी। एक चलते पुर्जे बैंक सम्पर्क (रिलेशनशिप) मैनेजर ने एक शानदार योजना उसके सामने परोस दी : बीमा भी और निवेश भी। आप अपने बैंक पर भरोसा करते हैं। आप बचपन से यही सुनते आ रहे थे कि बीमा करा लो तो सुरक्षा के साथ–साथ टैक्स में राहत भी मिलेगी और पूरा होने पर अच्छा फ़ायदा भी होगा। यह मैनेजर पीछे ही पड़ गया। बार–बार फोन करता। आकर्षक व्यक्तित्व वाला मैनेजर पूरे अपनेपन से सीधे आँखों में देखकर अपने उत्पाद के बारे में बताकर कहता, "मैं हूँ न। आपको कोई परेशानी होने नहीं दूँगा।"

कंचन की कहानी में कुछ भी नया नहीं था। वह अपने बेटे को लन्दन के आर्ट स्कूल भेजना चाह रही थी। उसकी पढ़ाई के लिए वह एक एकमुश्त राशि सुरक्षित निवेश करना चाहती थी। परन्तु उसके बैंक ने नियमित प्रीमियम–यूनिट लिंक वाला बीमा पन्द्रह साल के लिए उसे बेच दिया। उसने सोचा वह दो साल का फ़िक्स–डिपॉज़िट कर रही है, पर बैंक ने उसे लम्बी अवधि के लिए नियमित प्रीमियम वाला बीमा बेच दिया।

एक साल बाद बीमा कम्पनी ने उसे प्रीमियम की दूसरी क़िश्त चुकाने का नोटिस भेजा। वह स्तब्ध रह गयी।

उसने तो निवेश के लिए पूरी राशि एक दफ़ा दे दी थी...उसने बैंक के उसी वायदा करने वाले मैनेजर को फ़ोन किया। वह बैंक से जा चुका था। उसकी जगह आये स्मार्ट मैनेजर ने कहा कि अगर वह क़िश्त नहीं देगी तो निवेश की गयी उसकी सारी पूँजी मारी जायेगी। निवेश करते वक़्त उसे यह बात नहीं बतायी गयी थी। उसने विरोध किया। जवाब था कि पॉलिसी पर उसके हस्ताक्षर हैं, मतलब, उसे पता होगा।

उसका सब कुछ उजड़ गया था। कलाकार की नियमित आमदनी नहीं होती। बेटे की पढ़ाई के लिए वह अपनी इसी बचत पर निर्भर कर रही थी। बचत की सारी पूँजी ही चली गयी। अपने बेटे को वह अकेली पाल रही थी। उसके लिए यह मार ज़्यादा तीखी थी। वह किससे मदद माँगे?

बहुत सम्भव है कि अब तक आपको बीमा सम्बन्धित एकाध बुरा अनुभव तो ज़रूर हुआ होगा। जिस पॉलिसी की क़िश्तें पिछले बीस साल से आप नियमित रूप से भर रही थीं, अवधि समाप्त होने पर या तो सिर्फ़ मुट्ठी भर पैसा आपकी झोली में डाल दिया गया होगा या आपने जो समझकर बीमा ख़रीदा था, उसकी जगह आपको कुछ और दे दिया गया होगा। बेशर्मी से झूठ बोलकर आपको निकम्मा बीमा थमा दिया होगा। बीमा वाले बेईमानी क्यों करते हैं? अपनी सुरक्षा के लिए आप क्या कर सकते हैं?

आपको बीमा सुरक्षा क्यों चाहिए? टैक्स में जो राहत आपको चाहिए थी, उसका क्या? जब तक आप दूसरी पॉलिसी नहीं ख़रीदते, वह लाभ आपको नहीं मिलेगा।

मैं इन सारे सवालों के जवाब दूँगी। फिर 'क्या करें, क्या न करें', की आसान–सी बातें भी आपको बताऊँगी। बीमा इंडस्ट्री और बीमा बेचने वाली किसी भी इकाई के साथ बातचीत करना साँपों के बीच चलने जितना ख़तरनाक है। इनसे बचते हुए आप सुरक्षित मार्ग अपनायें। वे आपको बिल्कुल लूट लेना चाहते हैं। आपको उनसे अपने पैसे को बचाना है।

इसे कोरा मज़ाक़ न समझें। यह डगर बहुत कठिन है।

जीवन बीमा की ज़रूरत क्यों?

जीवन बीमा कराने के अनेक कारण होते हैं पर, आपने बीमा क्यों किया? टैक्स बचाने के लिए तो नहीं, सेवानिवृत्ति के बाद की उम्र सुरक्षित रहे इसलिए भी नहीं,

बीमा विज्ञापन की एक तस्वीर में प्रसन्नचित्त परिवारों को बेफ़िक्री से मौज–मस्ती करते देखकर भी नहीं; परिवार के किसी सदस्य ने पीछे पड़ कर आपको बीमा ख़रीदने पर मजबूर किया–ऐसा भी नहीं, किसी मित्र, पड़ोसी या बैंक के कहने पर भी नहीं; या कोई बीमा एजेंट आपके पीछे ही पड़ जाये कि बीमा कराये बग़ैर वह आपके घर से हिलेगा नहीं। देखिए एक बानगी–

एक रात मेरी मित्र रिचा अग्निहोत्री का फोन आया। उन दिनों वह फ़िज़िक्स की टीचर थी। अत्यन्त बुद्धिमती, उसे बेवकूफ़ बनाना मुश्किल था। पर उस रात वह बेहद घबरायी हुई लग रही थी।

'मोनिका! ''वह'' जा ही नहीं रहा है। तुम उससे बात कर लो।'

'वह' था एक बीमा एजेंट। पिछले बीस वर्षों से वह परिवार को निरर्थक और बेकार पॉलिसियाँ बेच रहा था। अब रिचा एक फाइनेंशल प्लानर की मदद लेने जा रही थी। अतः उसने बीमा ख़रीदने से मना कर दिया। इस पर एजेंट अड़ गया कि जब तक वह पॉलिसी नहीं ख़रीदेगी वह उनके घर से जायेगा ही नहीं।

परेशान रिचा ने तब मुझे फ़ोन किया।

मैंने फ़ोन पर उससे बात शुरू की। जो पॉलिसी वह बेचना चाह रहा था उसके बारे में सवाल पूछे कि यह पॉलिसी किस–किस चीज़ को कवर कर रही है और इस पर लाभ क्या होगा? वह एक बहुत ही घटिया पॉलिसी थी। जिसके अन्तर्गत बहुत–सी ज़रूरी चीज़ें नहीं थीं। उससे मिलने वाला लाभ बैंक की एफ.डी. से भी कम था। मैंने और गहरे सवाल किये। वह समझ गया कि उसका भण्डाफोड़ हो गया है। मन–ही–मन मुझे गालियाँ देता वह रिचा के घर से चला गया।

अब रिचा ने फ़ाइनेंशल प्लानर की सहायता से उन बेकार पॉलिसीज़ से मुक्ति पा ली है।

जीवन बीमा बेचने के लिए एजेंट कैसे–कैसे हथकण्डे अपनाते हैं, इसकी अनेक कहानियाँ मैं आपको सुना सकती हूँ। एक महिला ने अपनी रिटायरमेंट का सारा पैसा एक बेकार पॉलिसी में लगा दिया, लगा नहीं दिया, उससे लगवा दिया, उसी के एक भूतपूर्व छात्र ने। कुछ साल पहले मेरे पास एक ड्राइवर काम करता था। मुझसे पहले वह जहाँ काम करता था, उस मालिक ने भी उसे बेकार पॉलिसी ख़रीदवा दी। जिस ठेकेदार ने मेरा घर बनाया, उसका बैंक मैनेजर उसे तीन–तीन साल के कई बीमा बेच चुका था। आप किस पर भरोसा करें...?

अपने परिचित या बेहद क़रीबी व्यक्ति को न कहना सबसे मुश्किल है। अगर आप किसी को फ़ायदा ही पहुँचाना चाहते हैं तो उसे यूँ ही पैसा दे दें। परोपकार या दान के नाम पर पैसा किसी ऐसी संस्था को न दें जहाँ से आपको लाभ मिलने का आश्वासन दिया गया हो। ऐसे किसी भी प्रकार के पैसे के लेन–देन में न सिर्फ़ आपका पैसा मारा जाता है, बल्कि आप जो प्रीमियम दे रहे हैं आप उससे भी हाथ धो बैठते हैं। ऐसा 'परोपकार' करके आप न सिर्फ़ अपना बल्कि अपने परिवार का भविष्य भी एक तरह से कंगाली की तरफ़ धकेल देते हो। आपका पैसा भी गया और रिश्ता भी।

याद रखें, जीवन बीमा कराने का *एकमात्र* उद्देश्य है...*आपकी असामयिक मृत्यु पर आपके परिवार को पैसे की तंगी से न जूझना पड़े।*

एक मिनट के लिए आँखें बन्द करके कल्पना करें किं आपकी मृत्यु हो गयी है। मज़ाक़ नहीं, सचमुच ऐसा करके देखें। अपनी कल्पना में आप अपने परिवार को रोता–बिलखता देख लेते हैं; फिर हालात से समझौता करते भी देख सकते हैं। इस सारी भावनात्मक त्रासदी के बाद जो होगा वह आपकी आँखें खोलने वाला होगा। पैसे की मुश्किल में गिद्धों का मँडराना अब शुरू होता है।

आप कल्पना में देख सकते हैं कि आपकी पत्नी चिन्ता में डूबी है कि अब ई.एम.आई. कैसे चुकायेगी? कार की ई.एम.आई. न चुकाने पर क्या कार वापिस ले जायेंगे? आपके किशोर बच्चे जो पढ़ाई के लिए विदेश जाने की योजना बना रहे थे, वह विचार एक सपना बनकर रह जायेगा। भविष्य को लेकर पूरा परिवार एक दुखद उदासी में घिर गया है। आपके वेतन से ही तो सब तरह के बिलों और फ़ीस का भुगतान होता था।

मैंने स्वयं इस दृश्य को अपनी कल्पना में उतारकर देखा और जो देखा, देखकर मेरी तीव्र इच्छा हुई कि मृत्यु का पर्दा चीरकर अपने परिवार की मदद कर दूँ...उन्हें इशारा कर दूँ कि जो काग़ज़ वे ढूँढ़ रहे हैं, वे कहाँ रखे हैं, वे जिस पासवर्ड को तलाश रहे हैं, जाकर उनके कान में बता आऊँ। मेरा मन किया कि जाकर यम को झिंझोड़ दूँ कि अभी मेरा वक़्त नहीं हुआ था; मुझे अपने परिवार का भविष्य सँवारना था, बहुत दिनों से मैं जिसके लिए लालालित थी, वह आम की कुल्फ़ी फलूदे के साथ मैंने खानी थी, और हाँ, 'बैटर कॉल सॉल' सीरियल की आख़िरी क़िश्त भी तो देखनी थी। ओह! बहुत हुआ आँखें खोलकर वास्तविक संसार में जाग जाना कितना अच्छा है।

आपकी असामयिक मृत्यु से आपकी कितनी ही चीज़ें अधूरी रह जाती हैं–अधूरा खाना, नींद पूरी न होना, कोई बातचीत, लड़ाई, कोई चुटकुला, छुट्टियों की योजना....। इसके अलावा आप अपने परिवार को ज़िन्दगी की यात्रा में शारीरिक रूप से बीच रास्ते में छोड़ देते हैं।

हमारे जाने के बाद हमारा परिवार हमें किस रूप में याद रखे, ऐसे सभी काम हम कर सकते हैं। वित्तीय पक्ष को सँवारना, शायद सबसे आसान है। आपने यह हिसाब लगाना है कि आपके परिवार को आराम से जीने के लिए कितने धन की ज़रूरत होगी, तब, जब आपका वेतन हर महीने नहीं आयेगा; बच्चों की पढ़ाई और शादी के लिए कितना पैसा चाहिए? सम्भव है आपकी पत्नी काम नहीं करती हो और आपके माता–पिता भी आप पर ही आश्रित हों, तो उनकी ज़िन्दगी भर के लिए भी आपने ही इन्तज़ाम करना है। आज की तरह की जीवन–शैली के लिए आपको एकमुश्त कितनी बड़ी ऐसी रक़म चाहिए, जिस पर लाभ भी मिलता हो, ताकि आपके परिवार को आपके वेतन की कमी महसूस न हो।

आपकी अचानक मृत्यु से परिवार को एक और बड़ा धक्का लगता है, अगर आपने किसी का क़र्ज़ चुकाना है। शायद आपने घर, कार, शिक्षा क्रेडिट कार्ड या अपनी किसी और ज़रूरत के लिए लोन लिया हुआ है। लोन लेकर ख़रीदी गयी चीज़ों को पहले की ही तरह इस्तेमाल करने के लिए लोन की क़िश्तों का चुकाते रहना बहुत ज़रूरी है। भारत में ऐसे कुछ उदाहरण देखने को मिल जाते हैं, जहाँ लोन का बकाया न चुका पाने की हालत में बैंक ने परिवार को घर से निकाल दिया हो। परिवार को इस ज़िल्लत और त्रासदी से बचाने के लिए आपके पास एक उपाय है। जीवन बीमा। ऐसा जीवन बीमा ख़रीदें, जो आपके न रहने पर परिवार की सभी ज़रूरतों को पूरा करता हो।

अब तक आप यह समझ चुके होंगे कि जीवन बीमा कवर के लिए बड़ी धनराशि की ज़रूरत है आपने जितनी पॉलिसियाँ ख़रीदी हुई हैं, वे कितना कवर करती हैं, उनमें जो प्रावधान है–'इतनी राशि अवश्य मिलेगी', उसको पॉलिसी कवर में जोड़कर देखें कि आपका जीवन बीमा कवर कितना है? पॉलिसी के मैच्योर होने पर कितना पैसा मिलेगा, यह मत देखें, आप यह देखें कि आपकी असामयिक मृत्यु पर आपके लाभभोगी (बेनीफिशियरी) को कितना धन मिलेगा।

भारत में जिस तरह बीमा बेचा जाता है, उससे मैं अनुमान लगा सकती हूँ कि आपने बेकार पॉलिसियाँ इकट्ठी कर रखी हैं। मैं उन्हें 'बेकार' क्यों कहती हूँ? क्योंकि वे आपकी किसी भी वित्तीय समस्या का समाधान नहीं करतीं। इन पॉलिसियों को डिज़ाइन ही इस तरह किया गया है कि ये न तो अपेक्षित कवर देती हैं, न ही इनसे लाभ मिलता है। ईमानदार बीमा कवर उसे कहेंगे जो मृत्यु होने पर लाभार्थी को उसी प्रीमियम में एकमुश्त बड़ी राशि दे दे।

प्रीमियम को उत्पाद की क़ीमत समझें एजेंट से सबसे पहले यही सवाल पूछें कि इस क़ीमत में मुझे क्या मिलेगा? अगर एजेंट इसका स्पष्ट उत्तर नहीं देता तो मतलब साफ़ है कि उसके पास सावधि योजना (टर्म–प्लान) है ही नहीं। एक वास्तविक जीवन बीमा पॉलिसी को टर्म–प्लान कहते हैं। आपका बैंक या एजेंट आपको कभी भी इस पॉलिसी के बारे में नहीं बताएगा। क्यों? क्योंकि यह एक सस्ती पॉलिसी है, आपसे ज़्यादा पैसा नहीं खींचती।

एक औसत पैंतीस साल का व्यक्ति एक ऐसा पच्चीस साल का टर्म–प्लान ख़रीद सकता है जिसके पच्चीस साल ख़त्म होने से पहले यदि वह मर जाता है तो लाभार्थी को एक करोड़ रुपये मिलेंगे। याद रखें इतनी बड़ी रक़म आठ या दस हज़ार वार्षिक प्रीमियम की क़ीमत में मिल जायेगी। अपनी बीमा योजनाओं को खोलकर अच्छी तरह परखें कि आपको कितना कवर मिल रहा है? मैं पूरे विश्वास से आपको यह बता सकती हूँ कि अगर आपके पास टर्म–प्लान नहीं है तो आपका कवर भी समुचित नहीं होगा। आपके पास एक नहीं अनेक बेकार बीमा हैं।

बाज़ार में उपलब्ध जीवन बीमा उत्पादों को समझें

एक टर्म–प्लान वह है, जिसमें आप प्रीमियम रूपी क़ीमत में जीवन बीमा कवर ख़रीदते हैं। अगर एक करोड़ के कवर के लिए वार्षिक प्रीमियम दस हज़ार रुपये है, तो यूँ जानिए कि आप बीमा कम्पनी को यह क़ीमत अपनी अकाल मृत्यु का जोखिम उठाने के लिए दे रहे हैं। यह पॉलिसी ख़रीदते समय आपको समझा दिया जाता है कि अगर आप पॉलिसी की निश्चित अवधि तक जीवित हैं, (आपके सेवानिवृत्त होने तक...इस विषय में विस्तार से बात करेंगे सेवानिवृत्ति चैप्टर में) तो आपको कुछ भी वापिस नहीं मिलेगा। बीस या तीस साल तक चुकाया वार्षिक दस हज़ार रुपया बेकार गया।

आप जिसे बेकार समझ रहे हैं, आगे बढ़ने से पहले आप उस पर पुनर्विचार अवश्य कर लें। यह बेकार ख़र्च नहीं है। यह तो ज़िन्दगी को सुरक्षित रखने की क़ीमत है। आप यही उम्मीद तो करते हैं कि आपकी मृत्यु वृद्धावस्था में हो, आपके परिवार को आपकी अकाल मृत्यु के कारण बीमा राशि न लेनी पड़े।

बाज़ार में अनेक प्रकार की पॉलिसियाँ उपलब्ध हैं...इन्हें निवेश युक्त पॉलिसी कहते हैं। जैसे, पैसा वापिस मिलने की योजना और यूनिट सम्बद्ध। हम एक दफ़ा यह समझ लें कि इन पॉलिसियों की कार्य शैली क्या है या क्या हेराफेरी है तो टर्म–प्लान ख़रीदने की उपयोगिता हेतु भेद समझ आ जायेगा।

निवेश का वायदा करने वाली पॉलिसी जीवन बीमा कवर का एक छोटा–सा टुकड़ा भर आपको देती है। बस यह राशि आपके प्रीमियम से दस गुना ज़्यादा होती है। अगर आप वार्षिक पचास हज़ार दे रहे हैं तो आपकी ज़िन्दगी का कवर पाँच लाख होगा। साथ ही यह पॉलिसी आपके पैसे पर लाभ देने का वायदा भी करती है। यही मनमोहक वायदा आपको अपनी ओर आकर्षित करता है–आपको 'कवर' मिल रहा है, अतः आपका परिवार सुरक्षित है, निवेश किये पैसे पर भी लाभ मिल रहा है और कर में छूट भी। सबसे बड़ा आकर्षण तो यह है कि आपको कर से मुक्ति मिल रही है?

पॉलिसी बेचते समय, आपको मिलने वाला लाभ बड़ी लुभावनी संख्या में बताया जाता है। आप पचास हज़ार रुपये को वार्षिक पाँच साल के लिए निवेश करते हैं, पन्द्रह साल बाद आपको पाँच लाख रुपये मिल जाते हैं या पन्द्रह साल के लिए पचास हज़ार रुपये सालाना निवेश करके दस लाख रुपये मिल जाते हैं।

पाँच अंक के आगे अनेक शून्य (जीरो) देखकर रक़म बहुत बड़ी लगती है। अब आप एक सवाल पूछें कि इसका वार्षिक लाभ प्रतिशत क्या है। जवाब चौंकाने वाला होगा। पहली पॉलिसी पर वार्षिक लाभ (रिटर्न) 4.15% है। दूसरी पॉलिसी आपको 3.98% वार्षिक रिटर्न देगी। कभी–कभी तो उनका जवाब बेहद जटिल होता है। मुझे तो यह लगता है कि उनका इरादा वास्तविक लाभ को भड़कीली संख्या में बताकर वास्तविकता को धुँधला करके छिपाने का होता है।

वे कभी वार्षिक रिटर्न की बात नहीं करते, बस भविष्य में क्या रक़म मिलेगी, उसी का राग अलापते रहते हैं। *ऐसी लम्बी–चौड़ी आकर्षक संख्या के जाल में फँसने से बचा जा सकता है। आप रूल नम्बर 72 इस्तेमाल करें।* यह एक बहुमुखी रूल है। इस पुस्तक में इसका ज़िक्र कई बार होगा। पैसा दुगना करने वाले प्रस्ताव में आपको सालाना रिटर्न क्या मिल रहा है, जानने के लिए आप प्रस्तावक से बस एक सवाल पूछें : मेरा पैसा कितने समय में दुगना हो जायेगा? उस संख्या को 72 से भाग कर लें।

मान लें कि आपका एजेंट आपको बताता है कि आपका एक लाख रुपया पन्द्रह साल में दुगना हो जायेगा। 72 को पन्द्रह से भाग करें। आपको सालाना 4.8% रिटर्न मिल रहा है।

पिछले पन्द्रह साल से मैं इस उद्योग की गहराइयों से जाँच कर रही हूँ। यह उद्योग आपको आपके निवेश पर कितना प्रतिशत रिटर्न दे रहा है, यह जानने के लिए मैंने अपनी टीम के साथ मिलकर ऐसी सैकड़ों पॉलिसियों में छिपे सत्य को बेनक़ाब किया है। हम अच्छी तरह जानते, समझते हैं कि एफ.डी. हमें छह या सात प्रतिशत का ब्याज देती है तो बीमा पॉलिसी अपनी सच्चाई को तहों के भीतर छिपाकर क्यों रखती है?

कारण स्पष्ट है कि ये आपको बहुत बेकार रिटर्न दे रही हैं। रिटर्न की गारंटी देने वाली पॉलिसी औसतन तीन प्रतिशत वार्षिक रिटर्न देती है। कुछ हैं 'पार्टिसिपेटिंग प्लान' जो बीमा अवधि ख़त्म होने पर बोनस देने का वायदा करते हैं, वे भी 4% या 5% रिटर्न देते हैं जी हाँ, बस इतना ही।

मिंट के एक कार्यक्रम में हमने बीमा रेग्युलेटरी के एक वरिष्ठ अधिकारी को बुलाया। उसने बताया कि उसने एक पॉलिसी की परतों को उठाया तो देखा कि दस साल के बाद पॉलिसी 0.5% सालाना रिटर्न दे रही थी। यह इन्सान के मनोविज्ञान से खेलना ही है। 'बोनस' शब्द यह आभास कराता है कि हमें कोई चीज़ मुफ़्त में मिल रही है। वास्तव में यह बोनस तो है ही नहीं, यह तो आपके निवेश पर मिलने वाला लाभ है।

लाभ या ब्याज को बोनस कहना वैसा ही बेतुका है जैसे कोई बैंक यह कहे कि देखो, तुमने जो पैसा हमारे पास निवेश किया था, एक साल के बाद हम आपका पैसा ही वापिस नहीं कर रहे हैं, बल्कि सात प्रतिशत बोनस भी दे रहे हैं। बीमा कम्पनी का ब्याज को बोनस कहकर परोसना भी वैसा ही बेतुका है। क्या करें? हमारा बीमा उद्योग यही कर रहा है। वे झूठे सपने दिखाकर आपको ख़राब उत्पाद बेच रहे हैं।

कम लाभ मिलने का कारण सम्भवतः यह है कि हमको बीमा भी मिल रहा है, अधिकांश व्यक्ति इसी ग़लतफ़हमी को सच मान लेते हैं। ऐसा सोचने से पहले, एक दफ़ा फिर गौर करें–आप पॉलिसी को प्रीमियम रूपी क़ीमत देकर ख़रीदते हैं। इस क़ीमत में आप दो चीज़ें ख़रीद रहे हैं–बीमा कवर और उस पर मिलने वाला लाभ। एक बीमा कवर की क़ीमत एक ही व्यक्ति के लिए टर्म–पॉलिसी और बाक़ी निवेश युक्त पॉलिसीज़, जैसे मनी बैंक और एंडाउमेंट के लिए अलग–अलग नहीं हो सकती। उसकी भाषा के जाल में न उलझकर बस एक बात अच्छी तरह समझ लें कि जीवन बीमा कवर की क़ीमत अन्य बातों के अलावा इस तथ्य से आँकी जाती है कि अमूमन एक व्यक्ति की आयु कितनी होती है; वह स्त्री है या पुरुष और बीमा कराने के समय उसकी आयु कितनी थी?

अब हम यह जान गये हैं कि टर्म–पॉलिसी और निवेश युक्त पॉलिसी में जोखिम से सुरक्षित रखने की क़ीमत समान होनी चाहिए। लगे हाथों यह भी देख लें कि दो एक जैसी कवर योजनाओं की क़ीमत क्या है? एक टर्म–प्लान में पैंतीस साल के व्यक्ति के लिए पच्चीस साल की अवधि के लिए पाँच लाख के जीवन बीमा का वार्षिक प्रीमियम एक हज़ार रुपये है तो जीवन बीमा के मनी बैक प्लान की क़ीमत भी इतनी ही होनी चाहिए।

इससे यह स्पष्ट हो जाता है कि निवेश युक्त पॉलिसी के लिए अगर आप सालाना पचास हज़ार रुपये प्रीमियम दे रहे हैं तो सिर्फ़ एक हज़ार रुपये आपके बीमा के कवर की तरफ़ जा रहे हैं। शेष 49,000/– रुपये आपका निवेश है।

जिस दिन मुझे यह तथ्य समझ आया, क्षण भर के लिए मेरी साँसें थम गयीं। पिछले कई सालों में जितनी पॉलिसियाँ मुझे बेची गयी थीं, मैंने उन सबको निकालकर जाँच की कि कितना नुक़सान हुआ है? बहुत ज़्यादा। लम्बी अवधि की निवेश युक्त पॉलिसी में आपका पैसा मारा जाता है।

जिस दिन आप यह समझ लेंगे कि बीमा पॉलिसीज़ और निवेश को अलग–अलग रखने में ही आपका फ़ायदा है, समझ लीजिए उसी दिन से आपकी आर्थिक सुरक्षा मज़बूत दिशा की ओर क़दम बढ़ा देती है।

नहीं तो आप बीमा कम्पनियों और बेचने वालों के लिए ही धन इकट्ठा कर रहे होंगे।

आप जब बीमा और निवेश युक्त पॉलिसीज़ ख़रीदते हैं तो आपको दो चीज़ों का नुक़सान होता है। उससे मिलने वाला सुरक्षा कवच (कवर)

बेहद छोटा होता है। अगर आप पचास हज़ार वार्षिक प्रीमियम दे रहे हैं तो स्वाभाविक है कि आपकी वार्षिक आय छह लाख रुपये तो होगी। अगर कल आपकी मृत्यु हो जाती है तो बीमा के मिले पाँच लाख रुपये आपके परिवार को कितने दिन सुरक्षा दे सकेंगे? आपको कितना बीमा ख़रीदना चाहिए था? कम से कम साठ लाख। इतना ज़्यादा? क्यों? इसका जवाब अगले सेक्शन में मिलेगा। अभी ज़रा साठ लाख की बात ही आगे बढ़ाते हैं। अगर आप निवेश युक्त पॉलिसीज़ ही ख़रीदना चाहते हैं तो साठ लाख के सुरक्षा कवच के लिए कितना वार्षिक प्रीमियम देना होगा? लगभग छह लाख रुपये अर्थात् जितनी आपकी वार्षिक आय है। मैंने आपको बताया था ये भयंकर योजनाएँ हैं।

इन योजनाओं को इतना ज़ोर देकर क्यों बेचा जाता है? क्योंकि जीवन बीमा में प्रोत्साहन धन गहराई से गूँथ दिया गया है। आप जितना प्रीमियम देते हैं, पहले साल में उसका 42% एजेंट को कमीशन मिल जाता है। अगर आपने एक लाख का बीमा कराया तो बयालीस हज़ार सीधा एजेंट को कमीशन के रूप में मिल जाता है। आप समझ गये होंगे वह बीमा बेचने के लिए आपके पीछे क्यों पड़ जाता है। यह कमीशन क़ानूनी है। बीमा कम्पनियाँ क़ानूनी कमीशन के अलावा और ज़्यादा देने के तरीक़े भी खोज़ लेती हैं।

एक बड़ी एजेंसी ने मुझे बताया कि पहले प्रीमियम का अस्सी प्रतिशत वे कमीशन के रूप में आराम से दे सकते हैं। सोचकर देखें। आप ये बेकार बीमा ख़रीदते रहेंगे और कमीशन के रूप में आपका कितना पैसा जाता रहेगा? बीमा कम्पनियाँ हर साल आपको नयी पॉलिसीज़ बेचती रहती हैं। अब आप जान गये होंगे क्यों? पहले साल का प्रीमियम हर एजेंट के लिए पैसे की खान है। एक दफ़ा पहला प्रीमियम मिल जाये तो बीमा नवीनीकरण या पॉलिसी सर्विस की भला कौन सोचे?

अब इस यू.एल.आई.पी.* का क्या मतलब? यूनिट लिंक्ड इंश्योरेंस

---

* 2001 तक भारत में जीवन बीमा परम्परागत रूप में बिकता था। यह पॉलिसी आपका पैसा वापिस देने की बात करती थी। बीमा उद्योग जब निजी फर्म के लिए खुल गया तो उसमें बाज़ार जोखिमों से जुड़ने का प्रावधान शामिल कर लिया। यू.एल.आई.पी. योजना में निवेश कर्ता चाहे तो शेयर ख़रीद सकता है या फिर बॉन्ड या दोनों। बिक्री के पहले साल का भारी–भरकम कमीशन और तेज़ी से विस्तृत होते स्टॉक मार्केट के कारण भारत में यू.एल.आई.पी. में बड़े घोटाले शुरू हो गये।

पॉलिसी से आप यह समझें कि म्युचुअल फंड के साथ बीमा भी आपको मिल रहा है। ये यू.एल.आई.पी. 2010 तक बेहद विषैले उत्पाद होते थे, पर तत्पश्चात् उनकी क़ीमतों में काफ़ी सुधार हुआ है। पर अभी भी उनमें पूरी पारदर्शिता नहीं है।

इस कारण निवेश के लिए यह उचित उत्पाद नहीं है। *ऐसे में मैं क्या करूँगी, आपको बताती हूँ– जीवन बीमा के लिए मैं टर्म–प्लान पसन्द करूँगी और निवेश के लिए म्युचुअल फंड ख़रीद लूँगी। अभी तक निवेश के लिए ख़रीदी बीमा पॉलिसी ख़त्म कर दूँगी।* अब यह जान लें सुरक्षा चक्र कितना बड़ा होना चाहिए?

मुझे कितना सुरक्षा चक्र चाहिए?

अगर आज आपकी मृत्यु हो जाती है तो सोचिए आपके परिवार के क्या क्या ख़र्चे होंगे? फिर यह सोचिए कि नियमित आय के लिए वे एफ.डी. या करमुक्त बॉन्ड या म्युचुअल फंड में कितना निवेश करें? सीधा–सा बुनियादी उसूल है कि *यह आपकी वार्षिक आय से आठ–दस गुना ज़्यादा होना चाहिए* या एक साल में प्रतिमाह होने वाले ख़र्च से पन्द्रह या बीस गुना ज़्यादा।

चलिए इसे संख्या से जोड़कर समझने की कोशिश करते हैं। मान लें, आप वेतन के छह लाख रुपये घर लाते हैं या पचास हज़ार रुपये महीना। आपकी मृत्यु हो गयी। आपका सुरक्षा चक्र साठ लाख है। पैसा पत्नी को मिल जाता है, पर वह बॉन्ड या फंड जैसी योजनाएँ नहीं समझती और सात प्रतिशत ब्याज पर, दस साल के लिए एफ.डी. कर देती है। यहाँ यह याद रखें कि महीने में घर आने वाला पचास हज़ार पूरा ख़र्च नहीं होता था; उसमें से कुछ बच भी जाता था। और हाँ, आपने कहीं निवेश भी तो किया हुआ होगा और आपका प्रॉविडेंट फंड भी उसे मिला होगा। वह उसे भी निवेश करेगी।

नियमित आय के लिए सुरक्षा चक्र मज़बूत करने के साथ ही आपको दूसरी तरफ़ भी ध्यान देना चाहिए। आपने कई लोन लिए हुए हो सकते हैं; उनके लिए भी आपको बीमा कराने की ज़रूरत है। आप जब भी घर के लिए या व्यक्तिगत ज़रूरतों के लिए बड़ा लोन लेते हैं तो लोन की पूरी राशि के लिए बीमा ज़रूर ख़रीदें। मान लें आपने घर के अस्सी लाख के लोन के लिए अस्सी लाख का टर्म–प्लान ख़रीदा। हो सकता है कि बैंक

ई.एम.आई. के साथ बीमा भी जोड़कर दे। इसे न लें। यह आपके फ़ायदे में नहीं है। यह महँगा होगा। पर आपको 80 लाख का कवर लेना चाहिए क्योंकि जैसे लोन घटेगा, आपकी उम्र और पगार बढ़ेगी। आपको एक और कवर खरीदने की ज़रूरत नहीं पड़ेगी।

सुरक्षा-चक्र कब ख़रीदें?

आपके परिवार में कोई सदस्य आप पर आश्रित है या आपको लगता है कि निकट भविष्य में शादी कर रहे हैं और आपकी पत्नी गृहिणी है, अतः आप पर आश्रित होगी, तो फ़ौरन जीवन बीमा ख़रीदें। अगर आपकी पत्नी काम कर रही है और आपने कोई लोन भी नहीं लिया हुआ है, तो जीवन बीमा ख़रीदने के लिए इन्तज़ार कर सकते हैं। पर, जैसे ही आप पिता बनते हैं, तो जीवन बीमा तुरन्त ख़रीदें। मान लें, अभी आपकी शादी नहीं हुई है और आप शादी करने के बारे में सोच भी नहीं रहे हैं, पर माता-पिता या कोई भाई/बहन आप पर आश्रित है तो जीवन बीमा ख़रीदना आपकी प्राथमिकता होनी चाहिए।

आपको जैसे ही यह समझ आ जाये या अहसास हो जाये कि आपकी असामयिक मृत्यु की स्थिति में आपका परिवार आर्थिक रूप से असुरक्षित होकर परेशानियों में फँस जायेगा बस, तत्काल आप जीवन बीमा ख़रीद लें।

समझ लें कि छोटी उम्र में कराये बीमा का छोटा सा प्रीमियम बढ़ती उम्र के साथ बढ़ेगा नहीं। बड़ी उम्र में जीवन बीमा का-प्रीमियम बहुत ऊँचा हो जाता है। मान लें, आपने पैंतीस साल की उम्र में साठ या पैंसठ साल की उम्र तक के लिए एक करोड़ का बीमा कराया। उसका वार्षिक प्रीमियम दस हज़ार रुपये है। दुर्भाग्यवश दो-तीन साल के अन्दर आपकी मृत्यु हो गयी। बीमा कम्पनी आपको पूरे एक करोड़ रुपये ही देगी, उस दस हज़ार वार्षिक प्रीमियम की क़ीमत पर। अच्छा है, आप जल्दी बीमा करायें, ताकि आपने जो प्रीमियम पहले साल दिया है, वह बढ़ती उम्र के साथ बढ़े नहीं।

जीवन बीमा ख़रीदने के लिए तीस साल की उम्र आदर्श उम्र है। अब तक आप अपने करियर में एक निश्चित ऊँचाई पर पहुँच जाते हैं; वेतन भी ऊँचा हो जाता है; आप पर कितने लोग आश्रित हैं, यह भी स्पष्ट हो जाता है-इस उम्र में आपको महँगा प्रीमियम नहीं देना पड़ेगा। उम्र बढ़ने के साथ आपका बीमा कवर घातक रूप से महँगा हो जाता है। एक तीस साल की उम्र के व्यक्ति को एक करोड़ का बीमा कवर आठ-दस हज़ार

रुपये वार्षिक पर मिल जायेगा। चालीस साल के व्यक्ति के लिए यह दुगना तिगना महँगा हो जायेगा।

ज़रा रुकिए। मुझे लगता है यह बात समझ आते ही आप अपने बीस साल के बेटे के लिए, वह बेटा जो अभी कॉलेज में है, उसने अभी कमाना भी शुरू नहीं किया है, उसके लिए बीमा ख़रीदने निकले। आप कहेंगे–'आपने ही तो बताया कि जल्दी से जल्दी बीमा ख़रीद लो। मैं वही तो करने जा रहा हूँ।' अरे भई सुनो, बीमा कराने वाले की नियमित आय होना ज़रूरी है। आपको बीमा कमाई के आधार पर मिलता है। कमाई नहीं है तो बीमा मुश्किल होता है। कमाई के हिसाब से ही उसका कई गुणा अधिक का बीमा आप करा सकते हैं। आमदनी नहीं तो बड़ा बीमा भी नहीं। आमदनी होने के बाद बीमा जल्दी ख़रीदें; सस्ता ख़रीदें।

इसमें कर-मुक्ति का प्रावधान कहाँ?

इस सारी योजना में कर–बचत की तो कोई बात ही नहीं आयी। हम यही सुनते–सुनते बड़े हुए हैं कि प्रीमियम से ही कर–बचत सम्भव है।

हर साल पन्द्रह मार्च के आसपास लोग घबराये से, फ़ोन करके एक ही सवाल पूछते थे कि कर–बचत के लिए निवेश कहाँ किया जाये? 80C बास्केट के साथ अन्य उत्पाद मिलाने के लिए थोड़ी दिमाग़ी कसरत करनी पड़ती है। आपके पहले प्रीमियम का 42 प्रतिशत सीधा बीमा एजेंट के पास चला जाता है। अब ज़रा सोचकर देखें कि क्या ख़रीदना आसान है। इसके बाद घबराहट भरे फ़ोन आने बन्द हो गये। क्यों? परिवार वाले और मित्रगण स्मार्ट हो गये थे–सम्भव है मैं ज़रा गुस्से से बोली होऊँगी। बोलूँ क्यों न...हर साल 15 मार्च को एक से सवाल पूछेंगे और जाकर बेकार पॉलिसी ख़रीद लेंगे। गुस्सा आना स्वाभाविक है भई!

80C बास्केट आपके सामने अनेक विकल्प रख देती है। निवेश के लिए आप विशिष्ट पाँच वर्षीय डिपॉज़िट कर सकते हैं, जिससे आपको कर छूट मिल जाती है। अन्य विकल्प हैं–पब्लिक प्रॉविडेंट फंड (पी.पी. एफ.) नेशनल पेंशन स्कीम (एन.पी.एस.) या कर छूट वाला म्युचुअल फंड।

ये म्युचुअल फंड इक्विटी सम्बद्ध बचत योजनाएँ कहलाती हैं। कर छूट और लम्बे समय की बचत के लिए यह योजना मेरी पहली पसन्द है। म्युचुअल फंड वाले चैप्टर में हम विभिन्न प्रकार के फंड के विषय में खुलकर चर्चा करेंगे। आप जितनी छोटी उम्र में जीवन बीमा ख़रीदेंगे

आपको प्रीमियम के रूप में उतनी ही छोटी राशि देनी होगी। यहाँ एक बात पर ध्यान दें– अगर आप धनाढ्य वर्ग से सम्बन्ध रखते हैं, तो आपको कुछ नहीं करना है। प्रॉविडेंट फंड में आपकी जो 1.5 लाख की भागेदारी है, वह आपकी कर–बचत राशि मान ली जायेगी।

पॉलिसी कौन-सी ख़रीदें और कैसे ख़रीदें?

अब तक आप अच्छी तरह समझ चुके हैं कि आपका जीवन बीमा सुरक्षा चक्र बेहद ज़रूरी है। वार्षिक जितनी तनख़्वाह आप घर ले जाते हैं, यह सुरक्षा चक्र उससे आठ–दस गुना ज़्यादा होना चाहिए।

अगला सवाल है कौन–सी पॉलिसी ख़रीदें? या बीमा के निजी सेक्टर कितने भरोसेमन्द हैं?

पॉलिसी की ख़रीद दो तथ्यों पर निर्भर करती हैं : कम्पनी क्लेम का तुरन्त भुगतान करती है, आप उससे सस्ता बीमा ख़रीद रहे हैं। सस्ता क्यों? टर्म बीमा अत्यन्त आकर्षक बीमा है। आपने बीमा ख़रीदकर प्रीमियम दे दिया। जल्दी ही आपकी मृत्यु हो जाती है; कम्पनी पूरी बीमा राशि का चैक आपकी पत्नी को देने को बाध्य है, अर्थात् आपकी पत्नी को पूरी राशि का चैक मिल जायेगा। यह एक लम्बी अवधि का अनुबन्ध है–(यह सुरक्षा चक्र आपकी सेवानिवृत्ति की आयु तक के लिए है)–अतः आप जितना सस्ता ख़रीदेंगे, उतना ही फ़ायदे में रहेंगे। एक बात और आप जिस क़ीमत पर पॉलिसी ख़रीद रहे हैं, वह आख़िर तक उसी क़ीमत पर चलती रहेगी। स्वास्थ्य बीमा की तरह यह वक़्त के साथ महँगी नहीं हो जायेगी; जैसा आपने पिछले चैप्टर में पढ़ा था। अगर मुद्रास्फीति के हिसाब से देखें तो पन्द्रह साल बाद आप जो प्रीमियम देंगे वह उस समय की क़ीमत से आधी क़ीमत पर रह जायेगा।

पहला नियम : *सस्ती योजना चुनें।* ऑनलाइन योजना ख़रीदने में आपको बहुत फ़ायदा है क्योंकि उसमें एजेंट का कमीशन नहीं देना होता, जो पहले प्रीमियम पर 42% तक होता है। कुछ साल पहले जब ऑनलाइन योजनाओं की बिक्री शुरू हुई थी तो क़ीमतें आधी रह गयी थीं।

कुछ साल पहले हमने एजेंट के माध्यम से ख़रीदी पॉलिसी को ऑनलाइन में बदलवाया। बीते वक़्त के साथ हमारी आयु भी बढ़ चुकी थी और वेतन भी। अतः हमारा सुरक्षा चक्र भी बढ़ गया। पर ऑनलाइन पॉलिसी होने के कारण, हम अभी तक जो प्रीमियम दे रहे थे, उसमें थोड़ा–सा ही इज़ाफ़ा हुआ। हमने पुरानी पॉलिसी को ख़त्म करके नयी पॉलिसी ख़रीद ली।

सौभाग्यवश, हमने उस पॉलिसी को इस्तेमाल नहीं किया। भगवान करे कि वह पैसा लेने की हमें ज़रूरत न ही पड़े।

दूसरा नियम : *टर्म पॉलिसी ख़रीदने से पहले बीमा कम्पनी का क्लेम भुगतान का रिकॉर्ड ज़रूर देखें।* अपनी उम्र, सुरक्षा चक्र और समय अवधि को ध्यान में रखकर सस्ती क़ीमत वाली तीन–चार पॉलिसियों को छाँट लें। फिर उनके क्लेम भुगतान रवैये को परखें। यह काम आसान नहीं है। कम्पनी ने अगर 95% क्लेम का भुगतान कर दिया है तो कम्पनी ठीक है। इस दृष्टिकोण से जाँच के लिए गूगल पर खोज करें। आपको पता लग जायेगा कि कौन–कौन सी फर्म ठीक है।

निजी कम्पनियाँ कितनी सुरक्षित हैं? सार्वजनिक रूप से बोलते हुए मैंने जब भी बीमा की बात करी, अमूमन हमेशा ही मुझसे यही सवाल किया गया। 'सुरक्षित' से हमारा अभिप्राय क्या है? क्या कम्पनी हमारा पैसा लेकर भाग जायेगी? नहीं। बीमा का एक रेग्युलेटर होता है जो सारे नियम तय करता है। नियमानुसार कोई भी बीमा कम्पनी इतनी सम्पन्न होनी चाहिए कि वह भुगतान करने में सक्षम हो। क्या बीस साल बाद भी यह कम्पनी कार्यरत होगी? कई कम्पनियाँ पिछले बीस सालों से तो सक्रिय हैं और भविष्य में भी रहेंगी। अगर कोई कम्पनी बीमा व्यवसाय छोड़ना चाहे तो वह अपने शेयर दूसरी कम्पनी को बेचेगी या दूसरी कम्पनी उसे ले लेगी। जिस कम्पनी का दावा भुगतान 95% हो, उस निजी कम्पनी से टर्म योजना ख़रीदने में कोई हर्ज़ नहीं है।

आप एक पक्की योजना ज़रूर बना लें

आपके बाद परिवार में बचे सदस्यों के लिए पुख़्ता योजना ज़रूर बनायें। ज़रा सोचें कि आप तो दूसरे लोक चले गये और आपकी पत्नी, जिसने कभी घर के वित्तीय फ़ैसले किये ही नहीं थे, अचानक उस पर सारी वित्तीय ज़िम्मेदारी आ पड़ी; बीमे की बड़ी रक़म उसके बैंक खाते में जमा हो गयी। वह क्या करे? अकेले रह जाने की हालत में वह इन ज़िम्मेदारियों को कैसे सँभाले, इसकी योजना बनाकर रखे। (आम भारतीय परिवारों में घर का वित्तीय पक्ष पुरुष सँभालते हैं। मेरा क़िस्सा अलग है–यहाँ घर की सारी वित्तीय योजनाएँ मैं बनाती हूँ।) वसीयत वाले चैप्टर में इस पर खुलकर बात करेंगे।

कब जीवन बीमा करना ज़रूरी नहीं?

आपके परिवार में आपके वेतन पर निर्भर कोई आश्रित नहीं है, आपको जीवन बीमा कवर की कोई ज़रूरत नहीं है। मैं इसे दोहराती हूँ–परिवार

में आपकी आय पर निर्भर रहने वाला कोई नहीं है, तो जीवन बीमा *मत* ख़रीदें। एक और स्थिति में भी आपको जीवन बीमा कराने की ज़रूरत नहीं होगी–हाँ–जब आप आर्थिक रूप से स्वतन्त्र होंगे। आर्थिक रूप से स्वतन्त्र कब हुआ जाता है।

जब आपको रोज़मर्रा के ख़र्च ई.एम.आई. या फ़ीस या किसी और पारिवारिक ज़रूरत को पूरी करने के लिए पैसा कमाने की ज़रूरत न रहे। अब तक किया आपका निवेश वर्तमान और भविष्य की सभी ज़रूरतों के लिए काफ़ी है। अमूमन व्यक्ति जब साठ साल की उम्र के आसपास सेवानिवृत्त होता है, तब वह इस स्थिति में आ जाता है। सेवानिवृत्ति के वक़्त या तो आपको पेंशन मिलने लगती है, या एकमुश्त इतनी रक़म मिल जाती है कि उसे निवेश करके आपको पैसे की चिन्ता नहीं रहती।

फ़र्ज़ करें आपके पास अचानक ढेर–सा पैसा आ गया। कैसे...शायद आप अपने व्यवसाय को बेचकर उस पैसे का निवेश करने की सोच रहे हों। निवेश के बाद आपको काम करने की ज़रूरत नहीं रहेगी। या विरासत में माता–पिता से इतना धन मिल गया जो आपके लिए यथेष्ट है। ऐसी स्थिति में जीवन बीमा कराने की ज़रूरत नहीं रहती। ...आपकी असमय मृत्यु हो जाये तो? तब भी वह रक़म सब सँभाल लेगी।

जीवन बीमा कवर की ज़रूरत आपको तभी तक है, जब तक आप आर्थिक रूप से स्वयं समर्थ न हो जायें और कोई क़र्ज़ भी बाक़ी न रहे। जैसे ही ये दोनों बातें होती हैं, आप टर्म बीमा योजना को ख़त्म कर सकते हैं। आपका कोई नुक़सान नहीं होगा। याद रखें, ये अनुबन्ध वार्षिक आधार पर है; आप इसे ख़त्म कर दें, तो भी आपको कोई नुक़सान नहीं। हाँ, अगर आप अपनी निवेश युक्त पॉलिसी को बीच में छोड़ते हैं, तो आपको भारी नुक़सान उठाना पड़ेगा। टर्म योजना का यह लाभ भी याद रखें।

कंचन की कहानी का अन्त सुखद रहा। मैंने उसे बताया कि उसे क्या करना चाहिए। उसने बैंक के मुख्यालय को विश्व सीईओ का नाम बता कर अमेरिका पत्र भेजा। दो सप्ताह में उसका सारा पैसा उसे वापिस मिल गया। उसका पुत्र आर्ट स्कूल में पढ़ने के लिए इंग्लैंड जा सका और अब ख़ुद एक कलाकार और रंगकर्मी है। कंचन एक सर्टिफ़ाइड फ़ाइनेंशल प्लानर (वित्त नियोजक) से सलाह लेकर अपने पैसे का निवेश करती हैं। समय–समय पर वह मुझे फ़ोन करती रहती है कि तुमने मुझे बचा लिया।

वह इसके लिए धन्यवाद देना भी नहीं भूलती। अब वह अपनी ज़िन्दगी को अच्छी तरह और मर्ज़ी के अनुसार जी रही है।

इस चैप्टर को ख़त्म करते हुए मैं एक बार फिर इस बात को दोहराना चाहूँगी कि अपनी *असामयिक मृत्यु* के कारण उत्पन्न त्रासदी से अपने परिवार को बचाने का एक ही तरीक़ा है–जीवन बीमा का प्योर टर्म कवर अवश्य ख़रीदें। अन्य कोई उत्पाद नहीं। *निवेश और बीमा को मिलायें नहीं; ये दोनों अलग उत्पाद हैं।*

आपका परिवार आपके बाद भी पुरानी जीवन–शैली में जी सके और भविष्य को सँवार सके इसके लिए जीवन बीमा कराना अनिवार्य है। दशकों से आपको इस विषय में ग़लत जानकारी दी जाती रही है।

1. आप सही दिशा में जा रहे हैं अगर...आपके पास प्योर टर्म बीमा कवर है।
2. आप ने एजेंट कमीशन का व्यय बचाने के लिए ऑनलाइन बीमा ख़रीदा है।
3. आपकी सन्दूक़ची में एक भी यू.एल.आई.पी. या निवेश युक्त पॉलिसी नहीं है।
4. आपका बीमा कवर इतनी धनराशि आपके परिवार को अवश्य देगा जो आपके घर लाये वेतन से आठ–दस गुणा ज़्यादा हो या आपके वार्षिक ख़र्चों से पन्द्रह–बीस गुणा अधिक हो।

जड़ें हुईं तैयार, अब आरम्भ निवेश

अनेक कारणों से हम निवेश करने से कतराते रहे हैं, निवेश के लिए पैसा नहीं है, सुरक्षा की चिन्ता, यह पता नहीं कि निवेश कहाँ करें–बस हम इसी ऊहापोह में फँसे रहते हैं। इस चैप्टर में हम यही समझेंगे कि हम निवेश के उन सही तरीक़ों को जान लें जिनके भरोसे हम जोखिम उठाने को तैयार हो जायें। याद रखिए–जोखिम एक सुरक्षा पेटी के साथ।

मैंने पूरी संजीदगी से निवेश करना काफ़ी देर से शुरू किया। जीविका (करियर) के प्रारम्भिक वर्षों में वेतन कम होता है और ख़र्चे ज़्यादा, ख़ास तौर पर, अगर आप विस्तृत परिवार के अन्य सदस्यों का ख़र्च भी उठा रहे हैं। एक युवा दम्पत्ति के लिए पच्चीस से पैंतीस साल की उम्र का वक़्त सबसे ज़्यादा कठिन होता है...शादी, घर को सुचारू रूप से सेट करना, बच्चे और आप पर आश्रित अन्य सदस्यों का ख़र्च है। उस वक़्त वेतन कम होता है और ज़रूरतें इतनी ज़्यादा कि दो लोगों की घर आती आय में भी गुज़ारा मुश्किल से होता है।

मुझे याद है, साल के अन्त में पी.पी.एफ. (पब्लिक प्रॉविडेंट फंड) का अपना हिस्सा देना कितना मुश्किल होता था और मैं और मेरे पति इस मुश्किल से किस तरह जूझते थे। उस समय हम दोनों भारत की पहली 'व्यक्तिगत वित्त पत्रिका' (पर्सनल फ़ाईनेंस मैगज़ीन) में काम कर रहे थे। पत्रिका थी इंटेलीजेंट इनवेस्टर; अब उसका नाम है आउटलुक मनी। वहाँ काम करते हुए मैंने हिसाब लगाया कि तीस साल तक पी.पी.एफ. में पाँच हज़ार रुपये महीना जमा करने से इन्सान करोड़पति बन सकता है!

उन दिनों में पी.पी.एफ. 12% ब्याज देता था और उस समय एक करोड़ की क़ीमत आज की तुलना में कहीं ज़्यादा थी। आपको याद होगा 1990 के दशक में दक्षिण दिल्ली में तीन कमरों (शयनकक्ष, हॉल और रसोई) के

फ्लैट की क़ीमत मात्र 25–30 लाख होती थी। हमारे उन तंगी के दिनों में निवेश के नाम पर हम केवल कर बचत निवेश ही कर–पाते थे। ऐसे कुछ साल भी हमने झेले जब हम साल भर में 70,000 रुपये का निवेश भी नहीं कर सके। और अगले कुछ सालों में तो हालत और भी बदतर हो गयी क्योंकि मैंने नौकरी छोड़ने का जोखिम उठाया।

शिशु जन्म के बाद के कुछ साल माँ के लिए बेहद कठिन होते हैं। प्रसव–अवकाश ख़त्म होते ही मैं ऑफ़िस जाने लगी। परिवार को पैसों की ज़रूरत थी। पर बिटिया के एक साल की होते–होते मैं महसूस कर रही थी कि मेरे काम पर जाने से वह बेहद व्याकुल और अशान्त हो रही थी। उसकी परेशानी का सोचकर मैं पूरे मनोयोग से काम नहीं कर पा रही थी। इस मनःस्थिति ने मुझे इतना झिंझोड़ डाला कि मैंने नौकरी छोड़ने का फ़ैसला कर लिया। मेरे पति को दूसरे शहर में कुछ ज़्यादा वेतन की नौकरी मिली। मैं नौकरी छोड़ दूसरे शहर आ गयी। मुझे आज भी याद है, नौकरी छोड़ते वक़्त मेरे दिमाग़ में बस ये ही पंक्तियाँ गूँज रही थीं... *बी.ए. किया, एम.ए. किया, लगता है यह सब यूँ ही किया।*

श्री राम कॉलेज ऑफ़ कॉमर्स से बी.ए. किया, दिल्ली स्कूल ऑफ इकनॉमिक्स से एम.ए. और इंग्लैंड से जर्नलिज़्म में दूसरा एम.ए. किया और मैं, बस, चौबीस घण्टे की माँ बनकर रह गयी? मेरी बहुत–सी सहेलियों को मेरा यह फ़ैसला क़तई पसन्द नहीं आया। काम से जुड़ी कई सहेलियों ने यह सोचकर कि यह तो काम से गयी, इसका करियर ख़त्म, मुझसे बात करना बन्द कर दिया। जर्नलिस्ट की नौकरी सर्वाधिक कठिन होती है; और यहाँ हम दो वेतन परिवार से एक वेतन पर आ गये। आर्थिक दृष्टि से यह घोर विपत्ति वाला क़दम था, लेकिन मेरा दृढ़ निश्चय था कि मुझे अपनी बेटी के साथ रहना है। परिणामतः कुछ साल हर चीज़ में कटौती की, कई परेशानियाँ उठायीं। बाहर खाना नहीं, नयी चीज़ ख़रीदने या छुट्टियाँ मनाने कहीं जाने का तो सवाल ही नहीं। पर बच्चे को पालने के सुख को मैं शब्दों में बयान नहीं कर सकती। अब वह बीस साल की हो चुकी है। अब, जब मैं पीछे मुड़कर देखती हूँ तो मेरा मन आत्म–तोष और गर्व से भर उठता है जब मैं देखती हूँ कि मेरी बिटिया मेरे सपनों को पंख लगा रही है। उसके साथ गुज़ारे वे वर्ष अनमोल हैं...मेरे पास जो कुछ भी है, उस सबसे ज़्यादा क़ीमती।

लगभग सात साल मैं 'शिशु पालन' स्थिति में रही। उन दिनों में मैं छिटपुट काम करती रही...जो लिखने का काम मिला कर लिया, सम्पादन

प्रोजेक्ट किये। उन दिनों एक नयी योग्यता की माँग शुरू हुई थी...सर्टिफ़ाइड फ़ाइनेंशल प्लानर (सी.एफ.पी.)। मैंने उसका प्रशिक्षण लिया। एक छोटा कोर्स करने के बाद वित्तीय विभाग के कर्मचारियों को प्रशिक्षण दिया। अमेरिका की एक इंटरनेट पत्रिका (इंडस्ट्री स्टैंडर्ड) के लिए लिखा। एक शब्द के लिए मुझे एक डॉलर मिलता था। उस वर्ष में हम बाहर खाने गये, सम्भ्रान्त कपड़े ख़रीदे और छुट्टी मनाने बाहर गये। और तभी वह पत्रिका बन्द हो गयी।

चलो, लम्बी कहानी में न जाकर संक्षेप में क़िस्सा यूँ है...मैं नौकरी न करते हुए भी कुछ–न–कुछ कमा ही रही थी। मैंने अपनी शैक्षणिक योग्यता बढ़ायी। जो एक बात उन दिनों मैंने सीखी, वह थी कि जब पैसा ख़ुद कमाओ, तभी ख़र्च करो। मुझे याद है दिल्ली की चिलचिलाती गर्मी में मैंने अपना पहला ए.सी. तब ख़रीदा जब मुझे किसी प्रोजेक्ट का पैसा मिला था। हम मुम्बई से इस एक साल में ही वापस दिल्ली आ गये थे। उन तंग दिनों में भी मैं एकनिष्ठ एकाग्रता से पी.पी.एफ. के लिए कुछ–न–कुछ फंड में डालती ही रही।

उन मुश्किल दिनों में मैंने महसूस किया कि अगर हम पूरी गम्भीरता से सारे हालात में गहराई से जायें तो महत्त्वपूर्ण काम के लिए पैसे का जुगाड़ हो ही जाता है। फ़ैसला आपको करना है कि ज़्यादा ज़रूरी क्या है? अगर आपने यह चैप्टर इस सोच के साथ पढ़ना शुरू किया था कि '...निवेश के लिए पैसा है कहाँ?' मेरा सुझाव यही होगा कि गहराई से टटोलो, पैसा मिल जायेगा। मुश्किल वक़्त तो सभी पर आता है।

परिवार के शुरुआती दिनों में पैसा कभी काफ़ी नहीं होता। वर्तमान ख़र्चों के लिए उधार लेना बुद्धिमत्ता भरा फ़ैसला नहीं है। या तो अपनी आय बढ़ाने का प्रयत्न करें या ख़र्चे कम करें। इसके अलावा कोई तीसरा रास्ता नहीं है। मैंने दोनों रास्ते अपनाये। मैंने अपनी शैक्षणिक योग्यता बढ़ायी ताकि मैं ज़्यादा कमा सकूँ और मैंने अपने ख़र्च की लगाम पूरे ज़ोर से कस ली। आर्थिक तंगी के बावजूद मैंने हम पर निर्भर परिवार के सदस्यों की पूरी देखभाल की। मुझे अफ़सोस सिर्फ़ इस बात का है कि मैं म्युचुअल फंड में निवेश करना काफ़ी बाद तक टालती रही। यह निवेश मुझे जल्दी करना चाहिए था।

हम लम्बी अवधि के निवेश को टालते क्यों हैं?

निवेश को टालते रहने के चार बड़े कारणों में से एक है 'पैसा कहाँ है?' दूसरा कारण है कि भविष्य में आ गयी किसी आपदा से निबटने के लिए हम पैसा ऐसे रखना चाहते हैं जहाँ से आसानी से तुरन्त निकाला जा सके। तीसरा कारण है हमारा भय कि हम पैसा कहीं ग़लत जगह तो नहीं लगा रहे हैं? चौथा कारण है हमारी अनभिज्ञता। मैंने अपनी कहानी आपको अपनी शान बघारने के लिए नहीं सुनायी। मैं सिर्फ़ यह बताना चाहती हूँ कि आपसे जो कुछ करने को कह रही हूँ, वही मैंने किया। हाँ, ऐसा सम्भव है; किया जा सकता है। यह प्रयोग मैं कर चुकी हूँ। ये सिर्फ़ किताबी बातें नहीं हैं, बल्कि, अच्छी तरह से आज़मायी हुई बातें हैं। निवेश से कतराने के पीछे की इन चारों बातों पर ग़ौर करते हैं–

निवेश के लिए पैसा कहाँ है?

'अरे! मैं इतनी अमीर नहीं हूँ कि निवेश कर सकूँ।' 'मेरे बैंक में इतनी बड़ी धनराशि नहीं है कि मैं निवेश के चक्कर में पड़ूँ'– कुछ ऐसी ही धारणा है कि मैं पहले पूरी तरह स्वस्थ और फिट हो जाऊँ फिर किसी फिट रहने की रूटीन या खाने पर कंट्रोल शुरू करूँगी। इस धारणा के पीछे बहुत बड़ा दोष उन मीडिया सन्देशों का भी है जो लगभग पन्द्रह साल पहले तक बहुतायत में आते रहते थे।

शेयर बाज़ार में पैसा लगाना एक बड़ा जुआ समझा जाता था। गुमराह करने वाले प्रलोभन देते रहते थे कि कहाँ आपका पैसा रातोरात दोगुना हो जायेगा। टी.वी. चैनल बिना थके दिन–रात शेयर बाज़ार के उतार चढ़ाव की कहानी कहते रहते थे...कौन–सा शेयर कितना ऊँचा जा रहा है– दलाल इसी की चर्चा में मग्न रहते एंकर बिना रुके यही दोहराते रहते कि सेंसेक्स कितना–कितना ऊपर जा रहा है–आँकड़ों की यह गहमागहमी सुनते–सुनते आम वेतन भोगी व्यक्ति भी एक व्यापारी की तरह सोचने पर मजबूर हो जाता था; एक निवेशक की तरह नहीं। एक बात याद रखें... हम शेयर बाज़ार के व्यापारी नहीं है और न ही सट्टेबाज़ हैं। सट्टेबाज और व्यापारी शेयर बाज़ार में यही काम करते हैं। आप और हम व्यापारी नहीं निवेशक हैं। इस फ़र्क़ को समझना ज़रूरी है।

सट्टेबाज़ के लिए ज़रूरी है कि वह हर क्षण शेयर बाज़ार पर नज़र रखे और पूरा दिन इसी में बिताये। अगर आप यही सब कर रहे हैं तो

आप यह पुस्तक न पढ़ें। यह पुस्तक निवेश की जानकारी देती है, शेयर बाज़ार में सट्टे की नहीं।

बात को ऐसे समझें हमारे पास निवेश के लिए एकमुश्त रक़म नहीं है। हम जैसे लोग महीने का वेतन पाते हैं और उसी में से कुछ बचा लेते हैं। याद रखें–*निवेश शुरू करने के लिए बहुत पैसे की ज़रूरत नहीं है।* ज़रूरत इस बात की है कि इधर–उधर से आयी या मिली छोटी–छोटी रक़म को शुरुआती रक़म में डाल कर उसे बड़ी रक़म बनायें। आप जानते हैं, गंगा जहाँ से निकलती है, एक पतले से नाले की शक्ल में होती है...'कलकत्ता की गंगा आये कहाँ से, गंगा जाये कहाँ रे' की चौड़े पाट वाली गहरी गंगा नहीं। पहाड़ से नीचे बहते हुए छोटे–छोटे पहाड़ी नदी–नाले उसमें मिलते जाते हैं। मैदान पहुँचते पहुँचते उसमें कुछ बड़ी नदियाँ भी आ मिलती हैं, और गंगा बन जाती है विशाल। बस, इसी तरह छोटी छोटी रक़म निवेशित रक़म में मिलती रहे तो बन जाती है एक बड़ी राशि। शुरुआत आप एक हज़ार रुपये महीना से भी करें, तो साल के अन्त में आपकी अब तक की बचत में बारह हज़ार रुपये से ज़्यादा होंगे कि नहीं...? अधिकांश लोगों ने स्वीकारा है कि वे एक माह में पाँच से दस हज़ार रुपये तक बचा लेते हैं। फिर भी वे कहते हैं 'अरे! निवेश के लिए पैसा कहाँ है?'

महत्त्वपूर्ण बात यह है कि शुरुआत कर दी जाये न कि उस क्षण के इन्तजार में बैठे रहें कि हमारे पास ढेर–सा पैसा होगा तब निवेश करेंगे। आपने एक कैश–फ्लो सिस्टम बनाया था (याद है न?) उससे आप बख़ूबी जान सकेंगे कि आप आसानी से हर माह कितना पैसा बचा सकते हैं। और बस, उसी रक़म से आप शुरुआत कर दें।

अगर ऐसा हो तो क्या...

सोचकर देखें...आपात् फंड इकट्ठा करना और बीमा कवर ख़रीदना कार की सीट बेल्ट जैसा है। कार चलाते वक़्त हम नहीं जानते कि दुर्घटना कब हो जायेगी या कितनी भयानक होगी; पर आपने जो सीट बेल्ट बाँधी हुई है वह आपको बहुत ज़्यादा घायल होने से कुछ तो बचा ही लेती है।

जीवन यात्रा में चलते–चलते बहुत–सी छोटी–बड़ी घटनाएँ, दुर्घटनाएँ घटती ही रहती हैं, वे आपके मनी–बॉक्स (सन्दूक़ची) को कोई नुक़सान न पहुँचाये, इसी उद्देश्य से आपात् फंड और बीमा कवर लेने की ज़रूरत रहती है।

अभी जिस वित्त सीट बेल्ट का हमने ज़िक्र किया, उसका एक फ़ायदा और है...इसकी वजह से आपको तुरन्त ज़रूरत के लिए पैसा अलग से बचाकर रखने की ज़रूरत नहीं है। आपात् स्थिति में पैसे की ज़रूरत पड़ेगी, इसी सोच के चलते लोग निवेश करने से हिचकिचाते हैं। आपात् स्थिति ही एकमात्र कारण नहीं है, और भी कई सोच हैं, जिनके कारण हम निवेश से हाथ खींचे रखते हैं...अगर मेरे पास पैसा नहीं होगा तो मेरी वार्षिक बचत वचनबद्धता का क्या होगा,...अगर मेरा इरादा बदल गया,... अगर मुझे कोई दूसरी ज़्यादा लाभकारी योजना मिल जाये,...अगर यह निवेश कारगर नहीं हुआ,...अगर वे मेरा पैसा लेकर रफ़ूचक्कर हो गये, ...अपने पैसे को लेकर किसी निजी कम्पनी का भरोसा कैसे करें? इतने सारे किन्तु, परन्तु!!

मुझे ग़लती करने से सख़्त नफ़रत है....

आप एक पार्टी में बैठे हैं। बाजू वाले सोफ़े पर बैठा व्यक्ति शान मार रहा है...शेयर बाज़ार की मेरी समझ अचूक है। अरे भाई! मैंने आपसे कहा कि आप अमुक शेयर ख़रीद लें। मैं तो उसमें मालामाल हो गया। कमरे में निस्तब्धता छा जाती है। पर अगर उनसे यह सवाल पूछिए–'आपके पोर्टफोलियो की वापसी कितनी हुई?' आप देखेंगे कि फूले गुब्बारे की हवा कैसे निकलती है। 'अरे पोर्टफोलियो वापसी कौन देखता है मैडम! मैंने कितना जीता, मैं तो यही देखता हूँ...।'

बहुत से लोग निवेश तो कर लेते हैं, पर महसूस करते हैं कि उनके उत्पाद ऊँची क़ीमत के बावजूद लाभ बहुत कम दे रहे हैं। बस, इसी डर से कि वे निवेश करने में कहीं ग़लत उत्पाद न ख़रीद बैठें, प्रायः लोग एफ.डी., सोना ख़रीद, बीमा या ज़मीन में पैसा लगाने में भरोसा करते हैं।

निवेश के लिए एफ.डी. ज़मीन, बीमा और सोना ही सबसे भरोसेमन्द हैं, बचपन से हम यही सुनते आये हैं। इनसे हट कर म्युचुअल फंड जैसे किसी और उत्पाद को ख़रीदने में मन में हमेशा एक डर बना रहता है; हम इसी से डरते हैं। कोई भी फ़ैसला करते वक़्त एक बात हमेशा याद रखें कि 'कुछ भी नहीं के मुकाबले कुछ तो है', ज़्यादा अच्छा है। 1970 के दशक के भारतीय युवा की ज़रूरत आज की तुलना में फ़र्क़ थी। *इस पुस्तक का उद्देश्य यही है कि आज की ज़रूरत के मुताबिक़ वह आपको*

छलावे वाले उत्पाद और कम लाभ वाली योजनाओं से हटाकर ऐसे वित्तीय उत्पादों का भरोसा दिलाये जो आज आपके लिए ठीक हों।

पैसे के मामले में मैं नासमझ हूँ

कन्धे उचकाकर, आँखें फैलाकर कोई कहे, 'ओह! मैं निवेश के बारे में कुछ नहीं जानता', तो समझ लीजिए वह कहना यह चाहता है, 'पैसे की बात बहुत भारी है; मैं सीधा–सादा इन्सान इस विषय में सोचकर अपना समय बर्बाद नहीं करना चाहता; किसमें कितना लाभ है कितनी हानि ...इस *बनियागिरी* के अलावा मेरे पास बहुत से महत्त्वपूर्ण काम हैं...हानि–लाभ का खेल व्यापारी खेलते हैं।' उसके इन शब्दों में उसका डर छिपा है कि वह निवेश के बारे में कुछ जानता नहीं...इसीलिए अपने भविष्य को लेकर वह अत्यधिक भयभीत है।

पैसा कहाँ रखें, कैसे रखें, कैसे बचायें, जो व्यक्ति इन बातों के बारे में कुछ जानता नहीं, उसके पास कोई योजना नहीं, वह अपनी अनभिज्ञता और कमज़ोरी को छिपाने के लिए कन्धे उचकाना, आँखें कपाल पर चढ़ा लेने जैसी क्रियाओं के द्वारा ख़ुद अपने को झूठा आश्वासन देता है। *ऐसी मनःस्थिति में आपको सिर्फ़ एक बात याद रखनी है कि 'निवेश कैसे, क्यों और कहाँ करें'* इसे एक दफ़ा बस समझने की ज़रूरत है। इसमें वक़्त लगता है, पर इतना वक़्त तो हर किसी के पास होता ही है। एक दफ़ा आपने इसे समझ लिया तो यह ज्ञान जीवन–भर आपके पास रहता है। इसे आपसे कोई छीन नहीं सकता, आपको धोखा नहीं दे सकता। आप डॉक्टर, वकील, इंजीनियर, टीचर, उपकर्मी, परिवार को सँभालने वाले हैं ...मतलब आप सब कुशल लोग हैं। आपके लिए यह मुश्किल काम नहीं है। एक बात को अच्छी तरह जान लें कि फ़ाइनेंस कम्पनियाँ चाहती यही हैं कि आप पैसे की सँभाल से अनभिज्ञ ही बने रहें। पर मैं आपको बता दूँ कि पैसा–सँभाल जानकार बनने के लिए, बस ज़रा से सामान्य ज्ञान की ज़रूरत है।

एक दफ़ा आपके मन से यह डर निकल गया तो हम निवेश की बातचीत कर सकते हैं। आपकी सन्दूक़ची में कैश–फ्लो सिस्टम बना हुआ ही है। वहाँ से आप आसानी से जान सकते हैं कि निवेश के लिए आपके पास कितना पैसा है? सेवानिवृत्त वाले चैप्टर में हम बतायेंगे कि आप कितनी बचत करें? फिलहाल तो आप निवेश की अवधारणा को समझकर

यह समझ लें कि हम इससे कतराते क्यों हैं? आपने इस बात पर ध्यान दिया होगा कि निवेश की बात हम छठे चैप्टर में कर रहे हैं; पहले चैप्टर में ही हमने इसे छुआ भी नहीं था।

वित्त बाज़ार कमीशन पर आधारित सिस्टम है। उसके हक़ में है कि आम आदमी निवेश की बारीकियों से अनजान रहे, इसीलिए उन्होंने यह धारणा गहराई से भर दी है। आपको वित्तीय चिन्ताओं से मुक्त कराने का दावा करने वाले व्यक्ति ने आपसे कितनी ही दफ़ा पूछा होगा, आपके पास निवेश के लिए कितना पैसा है? ध्यान रखिए....'कितना निवेश करें' सवाल कई बातों पर निर्भर करता है। जैसे....आप निवेश क्यों करना चाहते हैं, कितने समय के लिए करना चाहते हैं, अधिक लाभ पाने के लिए कितना जोखिम उठाने को तैयार हैं?

वास्तव में आपका यह फ़ैसला इन बातों पर निर्भर करता है...आपके परिवार में कितने सदस्य हैं, आपकी नौकरी कितनी सुरक्षित है, आपकी सन्दूक़ची में और कितने उत्पाद पहले से हैं, आप उपकर्मी हैं, वेतनभोगी या सलाहकार हैं?

इन सवालों का जवाब देने से पहले मैं आपको बता दूँ कि, 'आप कितने का निवेश करना चाहते हैं', पूछना ग़लत है। महीने के सबसे ज़्यादा बिकने वाले उत्पाद को ज़बरदस्ती ख़रीदार पर थोपने ने बहुत लोगों को हानि पहुँचायी है। आप अपनी किसी समस्या के समाधान के लिए कोई वित्त उत्पाद ख़रीदते हैं तो बस, *यह ध्यान रखें कि जो उत्पाद आप ख़रीद रहे हैं वह समस्या का समाधान करने वाला हो।* किसी के बार–बार आग्रह करने की वजह से निवेश आपके लिए हानिकारक है।

मेरा निवेश का फ़ैसला मेरे कैश–फ्लो से जुड़ा है...क्या, भविष्य की मेरी ज़रूरतों के लिए मेरे पास पैसा होगा, जिसे तुरन्त इस्तेमाल किया जा सके? 'भविष्य' कभी भी आ सकता है...परसों, तीन साल बाद जब मैं अपने पिता के लिए नयी कार ख़रीदना चाहूँगी, या दस साल बाद, जब मैं अपने बच्चे को पढ़ने के लिए विदेश भेजना चाहूँगी। हम वृद्धावस्था की चिन्ता तो करते हैं, पर तब के लिए योजना बनाना टालते रहते हैं। अपने माता–पिता या दादा–दादी के चहरों को देखें और सोच लें कि एक दिन आप भी उस अवस्था में पहुँचेंगे। या आयु के हिसाब से चेहरे में आयी तब्दीली वाले एप को डाउनलोड कर के देखें कि साठ, सत्तर,

अस्सी, नब्बे साल की उम्र में आप कैसे दिखेंगे। भयानक है न? भयानक यह भी है कि हम में से अधिकांश नब्बे की उम्र तक रहेंगे। इस समय जो बीस साल से छोटी उम्र के हैं, उनकी उम्र तो और लम्बी हो सकती है।

आगे बढ़ें?

अब हम अपनी सन्दूक़ची में निवेश उत्पाद डालने की प्रक्रिया के लिए तैयार हैं। उत्पाद ख़रीदते वक़्त यह ज़रूर याद रखें कि ख़रीदा गया उत्पाद आपकी उपरोक्त ज़रूरतों में से कुछ को तो पूरा करने वाला हो। सन्दूक़ची में तभी उन्हें उचित स्थान मिलेगा।

अब आप अपनी मानसिक सन्दूक़ची के विषय में फिर सोचें। याद है न उसके पहले हिस्से में कैश–फ्लो है, दूसरा खाना आपात्–फंड का, तीसरा स्वास्थ्य कवर और चौथा है जीवन बीमा। निवेश के लिए अब हम तीन नये हिस्से बनाते हैं। प्रत्येक हिस्से का नाम भी रखते हैं। पहला–लगभग पहुँचने वाले हैं, दूसरा वहाँ, बस कुछ ही समय में, तीसरा बहुत दूर।

अब, तब, कब?

पूर्व नियोजित ऐसा ख़र्च जो अगले दो–तीन सालों में आपको करना है, छोटी अवधि की ज़रूरत कहलाता है। इसे आप 'लगभग पहुँचने वाले हैं' वर्ग में रखते हैं। आपको याद होगा, मैंने पहले बताया था कि इस सन्दूक़ची को आप अपने व्यक्तित्व और वित्तीय परिस्थितियों के अनुरूप इस्तेमाल कर सकते हैं। अगर आप जोखिम उठाना ही नहीं चाहते और थोड़ी क्षमता पर ही खुश हैं, तो तीन साल को बढ़ाकर चार या पाँच साल कर सकते हैं। पर अधिकांश लोगों के लिए तीन साल का वक़्त 'लगभग वहाँ पहुँचने वाले हैं', वर्ग के लिए काफ़ी है। यह वर्ग आपकी वित्तीय ज़रूरतों की पूर्ति करता है। ये कौन–सी ज़रूरतें हो सकती हैं? शादी करनी, बच्चे को स्कूल भेजना है (कुछ पढ़ाई की दुकानें, इन्हें स्कूल कैसे कहें....विकास के नाम पर बड़ी–से–बड़ी रक़म ऐंठती हैं,) घर ख़रीदना है या कार, छुट्टी मनाने जाना है, माँ का ऑपरेशन कराना है या पिता के लिए कार ख़रीदनी है,... लिस्ट लम्बी है। चलो, काग़ज़ पर लिखना शुरू करो।

'बस, कुछ ही देर में'...वर्ग के तहत आने वाले पूर्व नियोजित ख़र्च तीन से सात साल तक की समय सीमा में होते हैं। इतना समय पहले

से सोच कर ख़र्चे की योजना बनाना ज़रा कठिन है। पर चलो, कोशिश करते हैं। घर के लिए पेशगी देना, बच्चों की उच्च शिक्षा की फ़ीस, बच्चों की शादी या आपकी सेवानिवृत्ति का समय ये अवस्थाएँ आपकी उम्र और अवस्था के हिसाब से 'बस, कुछ ही देर में', वर्ग से जुड़ी हैं। 'बस, कुछ ही देर में' वर्ग की आप ख़ास ज़रूरतों को लिख डालें।

'बहुत दूर' वर्ग के ख़र्चों को इतना वक़्त पहले से सोचना कठिन है। तीस–पैंतीस साल की उम्र में हमें लगता ही नहीं कि हम कभी बूढ़े होंगे।

मेरी उम्र पचास के ऊपर की है पर मैं यह नहीं सोच सकती कि कभी रिटायर भी होऊँगी और जीवनयापन के लिए मुझे अपनी बचत पर निर्भर रहना पड़ेगा। और वह समय सुदूर भविष्य में नहीं, काफ़ी निकट है। ज़ाहिर है, बीस–तीस की उम्र वाले व्यक्ति के लिए तो सेवानिवृत्ति के बारे में सोचना भी कपोल कल्पना लगती होगी। पर, ज़रा अपने चारों ओर नज़र दौड़ायें, अपने दादा–दादी, माता–पिता के चेहरों को ग़ौर से देखें, तब आप समझेंगे कि एक दिन आप भी वहाँ पहुँचेंगे। आप, मैं, हम सब सबको वहाँ पहुँचना ही है? सेवानिवृत्ति के विषय के लिए एक पूरा चैप्टर चाहिए। हम वहाँ भी पहुँचेंगे।

अब, आगे हमें यह करना है कि एक लिस्ट बनायें...भविष्य में इन सब ज़रूरतों पर कितना ख़र्च होगा। शुरू ऐसे करें...किसी एक ज़रूरत पर आज कितना ख़र्च आयेगा? ऐसे ही प्रत्येक ज़रूरत के आगे आज की क़ीमत लिखते जायें। उदाहरण के लिए, आपको पता है कि दो साल बाद आपको घर के लिए पेशगी देनी होगी। आपको पता है आपका बजट क्या है और दो साल बाद अन्दाज़न आपको कितना पैसा देना होगा। पर अगर कोई ज़रूरत काफ़ी समय बाद आयेगी, जैसे छह साल बाद आप अपनी बेटी को उच्च शिक्षा के लिए विदेश भेजना चाहते हैं और अभी बेटी को साफ़ तौर पर अन्दाज़ा नहीं है कि छह साल बाद वह कौन–सा कोर्स करेगी। तब?

यद्यपि कोर्स और शहर के हिसाब से ख़र्च कम–ज़्यादा होते हैं, फिर भी आज आप एक अनुमानित राशि का पता कर सकते हैं। हाँ, सुदूर भविष्य की ज़रूरत के लिए सेवानिवृत्ति का समय आपका लक्ष्य होना चाहिए। आजकल बहुत स्मार्ट कैलकुलेटर उपलब्ध हैं। वे गणना करके आपको बता देंगे कि कितने साल बाद आपको कितना पैसा चाहिए और

आपको अभी से कितनी बचत करने की ज़रूरत है। भविष्य में वह कितनी हो जायेगी—कैलकूलेटर आपको यह भी बता देंगे।

कुछ कैलकुलेटर इससे भी ज़्यादा काम कर देते हैं। वे आपसे कहेंगे कि आप कितने लाभ की अपेक्षा रखते हैं, किये गये निवेश पर कितना लाभ कमा सकते हैं? वे आपको भी यह बता देंगे कि अपेक्षित लाभ पाने के आप हर माह वार्षिक रूप से कितनी बचत करें। लाभांश, मुद्रास्फीति और उत्पाद विषयों पर हम अगले कुछ चैप्टर में जानकारी देंगे।

हम यहाँ आपको यह नहीं बता रहे हैं कि किसी उत्पाद में लगाने की सटीक संख्या क्या है? सन्दूक़ची के हर वर्ग में कौन से उत्पाद पर्याप्त होंगे, हम इसकी जानकारी दे रहे हैं। वित्तीय उत्पाद की खाने की किसी वस्तु के रूप में कल्पना कीजिए। जैसे चीनी; एक स्वस्थ व्यक्ति के लिए मीठी चीज़ खाने में कोई नुक़सान नहीं है। पर मधुमेह के मरीज़ के लिए मीठा ज़हर समान है। नमक को ही लें...स्वस्थ व्यक्ति के लिए नमक से कोई ख़तरा नहीं है, पर रक्तचाप वाले के लिए बारूद की तरह है। वित्तीय उत्पादों की भी यही कहानी है। हर किसी को हर चीज़ रास नहीं आती। *वित्तीय उत्पाद हमारी वित्तीय ज़रूरतों के पूरक होने चाहिए।*

पुस्तक ने जो कुछ बताना था, लगता है वह सब पूरा हो गया। रुको... रुको, अभी ख़त्म कहाँ? छह अरब लोगों की ज़रूरत के अनुसार उत्पाद कौन—कौन से हों, एक बेचारी किताब में कहाँ सम्भव है। भाग्यवश इसे समझने का एक रास्ता है। आप कितने समय के लिए निवेश करना चाहते हैं, उत्पाद उसी के मुताबिक़ चुनना श्रेयस्कर है। इसे ऐसे समझें ...प्रत्येक वित्तीय उत्पाद एक अवधि विशेष में अत्यन्त लाभकारी होता है। एक उत्पाद लम्बी अवधि के लिए फ़ायदेमन्द है, पर छोटी अवधि में वह ख़तरे का कारण बन जाता है। उसी तरह छोटी अवधि का लाभकारी उत्पाद लम्बी अवधि में फ़ायदा नहीं देता। किसी भी वित्तीय उत्पाद को ख़रीदने से पहले यह ज़रूर पता कर लें कि यह कितने समय तक लाभकारी है?

सन्दूक़ची के किस हिस्से में कौन—सा उत्पाद डालें, इस फ़ैसले से पहले यह तो जान लें कि क्या—क्या उपलब्ध है? बीमा कम्पनियों और म्युचुअल फंड की ऊँच नीच के बारे में आप जान चुके हैं। सही समय पर सही शेयर ख़रीदकर पैसे दोगुने होने की कहानियाँ भी ख़ूब सुनी होंगी; पाँच लाख की जायदाद पाँच करोड़ की हो गयी, सुनकर, मन के किसी कोने से आह भी निकली होगी।... 'एक मैं ही ऐसा अभागा हूँ कि कभी

सही उत्पाद नहीं ख़रीद पाया।' अधिकांश व्यक्ति अपनी क़िस्मत को ही दोष देते रहते हैं कि, मेरे जैसा दुर्भाग्यशाली और कौन होगा...जो शेयर ख़रीदता है, तो बाज़ार गिर जाता है।

ज़रा रुको भई! एक बात तो सुन लो? माना कि आपका भाग्य सब से ज़्यादा ख़राब है, आप निवेश करते हैं तो वह दिन बाज़ार का सबसे ख़राब दिन हो जाता है। ऐसी विपरीत परिस्थिति में भी एक रास्ता है जहाँ आपको नुक़सान नहीं उठाना पड़ेगा। उस तथ्य तक पहुँचने से पहले हम कुछ और बात कर लें।

> निवेश करने का कोई सही वक़्त नहीं होता है। आपको लगता है कि आप अभी छोटे हैं, ग़रीब हैं या बुद्धू हैं, अभी निवेश कैसे शुरू करें? पर सही वक़्त यही है। कोई फ़र्क़ नहीं पड़ता कि आपकी उम्र और परिस्थितियाँ क्या हैं। आपको निवेश अभी शुरू करना है पर एक योजना बनाकर। आपका मार्ग सही है अगर....
>
> 1. अगर आप निवेश एक योजना बनाकर करते हैं।
> 2. आपको अभी कुछ समय में या लम्बे समय बाद क्या ज़रूरत होगी, यह आपने लिख लिया है।
> 3. इन लक्ष्यों के लिए धनराशि की जरूरत को भी समझा है।
> 4. आप समझ गये हैं कि अभी तुरन्त आप कितना निवेश कर सकते हैं।

निवेश की थाली, आर्थिक ख़ुशहाली

हम अपने सोने, ज़मीन और एफ.डी. को दिल में बसाकर रखते हैं। निवेश में ये वास्तव में कितने मददगार हैं और हमारी सन्दूक़ची में इनका महत्त्व क्या है, पहले इसे समझते हैं।

कुछ साल पहले मेरी किशोरी बेटी (उन दिनों) मुझसे तंग आ गयी थी। किशोरावस्था में प्रायः ऐसा होता ही है। पर उसकी समस्या एकदम अनोखी थी, अभी भी है। उस उम्र में बच्चे प्रायः इस तरह से अपनी झुंझलाहट व्यक्त करते हैं....'अरे बाबा। आप इतने बेवकूफ कैसे हो सकते हो...' 'मुझे मेरे हाल पर छोड़ दो', 'दिमाग तो है नहीं फिर यहाँ तक कैसे पहुँच गये?' न...न...इनमें से कुछ भी नहीं। किशोर उम्र की समस्याओं को कैसे सुलझायें, विषय की किसी पुस्तक में आप इसका ज़िक्र भी नहीं पायेंगे।

वह इस बात से ऊब चुकी है कि मैं जहाँ जाती हूँ, पैसे की ही बातों में उलझ जाती हूँ। उसे कितना भी समझाने की कोशिश करूँ कि बिटिया इस विषय पर मैं बात शुरू नहीं करती, लोग मुझसे बात करना शुरू करते हैं, पर उसकी झुंझलाहट ख़त्म नहीं होती। एक दिन तो हद हो गयी जब उसके बाल काटते–काटते बाल काटने वाली ने अपनी वित्तीय समस्या बतानी शुरू कर दी। झुंझलाई बेटी ने अजीब–अजीब सी आवाज़ें निकालनी शुरू कर दीं। उन्हें अनदेखा करते हुए मैं हेयर–ड्रेसर की बातों पर ध्यान दे रही थी; याद रहे, उसके हाथ में कैंची थी। मुझे एक कार्टून कैरेक्टर की बात याद थी, 'तेज़ धार वाला औज़ार पकड़ने वाला हाथ अगर आपकी गर्दन के क़रीब हो तो उसके प्रति स्नेह भाव प्रदर्शित करते रहो' बस। अपनी बेटी से मैं बाद में सुलझ लूँगी, सोचकर, मैं हेयर ड्रेसर के सवालों के जवाब देती रही।

उस महिला की चिन्ता भी वही थी कि उसे समझ नहीं आता वह पैसे को कैसे सँभाले...मन में हमेशा यही भय रहता है कि और सब लोग सही निवेश करके लाभ कमाये जा रहे हैं और वह विमूढ़ खड़ी बस देख रही है। मैं प्रायः जिन असन्तुष्ट वक़्तव्य को सुनती आयी हूँ उसकी बात उनसे अलग नहीं थी, '...ओह! जो भी है, मैं इन बातों को नहीं समझती, सच पूछें तो ये मेरे सिर पर से गुज़र जाती हैं,...किसी भी संख्या को देखते ही मेरी आँखें धुँधला जाती हैं,...मैं सचमुच बेवकूफ़ हूँ, वित्तीय उतार–चढ़ाव मेरी समझ से परे हैं।' देखा जाये तो वह मन्दबुद्धि नहीं स्मार्ट और होशियार थी, अकेली अपने बच्चे को पाल रही थी, माँ की देखभाल भी करती और अपना पार्लर भी सँभाल रही थी।

टाई लगाकर ख़ूब सारे मुश्किल शब्द इस्तेमाल करने वाले एक्सपर्ट को आप टी.वी. पर सम्पत्ति सम्बन्धी, पोर्टफोलियो, उनमें होने वाला घाटा, ब्याज दरें, उनका औचित्य (स्यूट) इस सम्बन्ध में हर दिन सुनते रहते हैं। सुन–सुन कर आपका मनोबल और ढीला पड़ जाता है। यहाँ एक बात अच्छी तरह समझ लें; वित्तीय सेक्टर के हित में यही है कि वित्तीय जानकारी आप समझ न पायें। आप जितना कम समझेंगे, आपको धोखा देने में उतनी ही आसानी होगी। पैसे से जुड़ी बातों को आप जितना जटिल समझेंगे। वे उसे उतना ही ज़्यादा धुँधला करते रहेंगे। मैंने पहले भी आपको बताया था कि निवेश के लिए बाज़ार में अनेक उत्पाद उपलब्ध हैं, आपके लिए फ़ैसला करना दुश्वार ही नहीं, असम्भव है; अतः आपके लिए फ़ाइनेंशल प्लानर की मदद लेना बहुत ज़रूरी है। बुनियादी वित्तीय तथ्यों को समझना कठिन है। उत्पादं का चुनाव। अगर आपने बुनियादी तथ्य समझ लिए तो जो एजेंट आपको उत्पाद बेच रहा है या आपका फ़ाइनेंशल प्लानर, आप उनसे उपयुक्त सवाल पूछ सकते हैं। आप पूरी तरह अपने आप यह फ़ैसला कर सकें, इसका भी तरीक़ा है। आगे, 'उत्पाद' चैप्टर में इस विषय पर बात करेंगे।

मैं बाज़ार में उपलब्ध विभिन्न उत्पादों की जानकारी आपको देना चाहूँगी और यह भी कि कौन–सा उत्पाद आपकी सन्दूक़ची के किस भाग के लिए लाभदायक है। चलिए इसे ऐसे समझते हैं...आपके पास चार बॉक्स हैं। कौन–सा फल किस बॉक्स में जाये, आपको यह फ़ैसला करना है। आप क्या करेंगे? आप पपीता पपीते वाले बॉक्स में डालेंगे, जामुन बॉक्स में जामुन, आम आम वाले बॉक्स में और सन्तरे सन्तरों के

बॉक्स में। उन सभी को फल कहते हैं, पर वे सब एक–दूसरे से भिन्न हैं। सबका स्वाद, अलग है, कोई फल एक के लिए अच्छा है पर दूसरे के लिए ख़राब। कैसे? मधुमेह के रोगी के लिए आम हानिकारक है, उसे ज़्यादा जामुन खाना चाहिए। जोड़ों के दर्द वाले के लिए सन्तरा ठीक नहीं, उसे पपीता चाहिए। जो फल आपके स्वास्थ्य और स्वाद के लिए अच्छा है, आप वही ख़रीदेंगे न कि आपके पड़ोसी ने जो ख़रीदा है, आप भी वही ख़रीदेंगे?

वित्तीय उत्पाद भी फलों की तरह हैं। *आप जो भी उत्पाद ख़रीदते हैं उसका कोई उद्देश्य और प्रयोजन होता है। आपकी सन्दूक़ची में जगह के लिए उनमें (उनके प्रयोजन में) होड़ होनी चाहिए।* तीन वस्तुएँ हैं... फ़िक्स्ड रिटर्न (इसको डेब्ट या क़र्ज़ भी कहते हैं), इक्विटी और ज़मीन। हमें इन्हें समझने की ज़रूरत है।

फ़िक्स्ड रिटर्न या क़र्ज़, वो पैसा है जो आपने बैंक को या सरकार को उधार दिया है। आपको ब्याज मिलता है इस पर। इक्विटी किसी उद्योग का स्वामित्व है। इसमें सब तरह का जोखिम रहता है। प्रत्यक्ष या अप्रत्यक्ष। प्रत्यक्ष शेयर के माध्यम से और अप्रत्यक्ष म्युचुअल फंड के माध्यम से। ज़मीन रूपी सम्पत्ति दृश्य है अर्थात् इस सम्पत्ति को आप देख सकते हैं। ज़मीन और सोने को वास्तविक सम्पत्ति कहते हैं। इन तीनों चीज़ों की कुछ अपनी–अपनी विशेषताएँ हैं। आपकी सन्दूक़ची में ये तीनों ही कम–ज़्यादा मात्रा में होनी चाहिए।

क़र्ज़

क़र्ज़ को हम भली–भाँति समझते हैं। चलो, उसी से शुरुआत करते हैं। इस वर्ग में हम निवेश कर ही रहे हैं। हम इसे शायद 'क़र्ज़' कहना पसन्द नहीं करेंगे क्योंकि इस शब्द में हमें उस क़र्ज़ की झलक दिखाई देती है, जो हमने कार, घर या क्रेडिट कार्ड के लिए लोन लिए हुए हैं। पर जब इन्हें निवेश के सन्दर्भ में प्रयोग किया जाता है तो इसका मतलब उन उत्पादों से है जिनसे मिलने वाला रिटर्न या ब्याज निश्चित है–जैसे बैंक एफ.डी., कर–मुक्त बॉन्ड या पी.पी.एफ.।

इस उत्पाद का मूल है लोन। आप जब बैंक में पैसा जमा कराते हैं तो बैंक आपसे यह लोन ले रहा है। एक निश्चित अन्तराल के बाद बैंक आपको इस लोन पर ब्याज देगा और निश्चित अवधि के बाद पूरी रक़म

वापिस करेगा। इन उत्पादों में दो बातें तय हैं– आपको कितना वापिस मिलेगा और कब मिलेगा। बैंक या बॉन्ड बेचने वाले को आप जो पैसा दे रहे हैं, उस पर मिलने वाला ब्याज लोन की क़ीमत है।

पैसे पर ब्याज क्यों मिलता है? आज ख़र्च न करके आपने इसे भविष्य के लिए टाल दिया है। एक लाख रुपये को आपने पाँच साल के लिए बैंक में रख दिया। पाँच साल में मुद्रास्फीति के कारण एक लाख की वास्तविक क़ीमत कम हो जायेगी। आपकी क्षतिपूर्ति तो होनी ही चाहिए। रुपया उधार देते वक़्त एक जोखिम बना रहता है...हो सकता है उधार लेने वाला रुपया वापिस ही न करे। यह क्षतिपूर्ति भी होनी चाहिए।

आपने कभी सोचा है कि सरकारी बॉन्ड सबसे कम ब्याज क्यों देते है? क्योंकि वे पूर्ण सुरक्षित हैं। और इसीलिए जायदाद कम्पनियाँ (Co-pay) सामूहिक ज़मा पूँजी पर एफ.डी. से ज़्यादा ब्याज देने का लालच देती हैं; वरना उन्हें पैसा नहीं मिलेगा; पर, याद रहे ज़्यादा ब्याज का वायदा आपको ललचाने का तरीक़ा है। इसी लालच में लोग ज़्यादा जोखिम उठाने को तैयार हो जाते हैं। जब भी कोई कम्पनी आपकी जमा पूँजी या स्कीम पर ऊँचा ब्याज देने की बात करती है तो उपरोक्त बात को ज़रूर याद रखें। जितने ज़्यादा लाभांश का वायदा होगा, जोखिम उतना ही अधिक होगा।

बैंचमार्क या नापने का पैमाना...यह शब्द बार बार आएगा, इसे याद रखिए। 'क' से 'ख' अधिक है या कम, नापने का काम यह पैमाना करता है। जो किसी भी ब्याज रेट को नापने या आँकने के लिए सदैव एफ.डी. रेट से तुलना करें। याद है न....एक वक़्त था जब स्कूल में पहली डिवीज़न में पास होना बहुत बड़ी बात थी। आज नब्बे या उससे भी अधिक प्रतिशत तब की फर्स्ट डिवीज़न के बराबर हैं। तीस साल पहले विद्वता का पैमाना साठ प्रतिशत था, आज बढ़ गया है।

नापने के पैमाने के बिना वित्तीय लाभांश की तुलना नहीं हो सकती। अगर कोई एफ.डी. ब्याज दर से कहीं ज़्यादा ब्याज देने का वायदा करता है तो समझ लें कि आपका निवेश और उस पर मिलने वाले ब्याज की वापसी, दोनों ख़तरे में है।

क़र्ज़ शब्द के अन्तर्गत अनेक चीजें आ जाती हैं, आपका प्रॉविडेंट फंड, पब्लिक प्रॉविडेंट फंड, एफ.डी. सामूहिक जमा, सभी छोटी बचत उत्पाद तथा सब तरह के बॉन्ड। इनमें से कुछ उत्पाद कर लाभ देते है, कुछ नहीं देते। एक आसान–सी गूगल खोज आपको इन सभी उत्पादों

के कर व्यवहार की जानकारी मुहैया करा देगी। ऊपर हमने क़र्ज़ वर्ग में लाभांश की निश्चित वापसी का जिक़ किया है उसके अलावा एक वर्ग ऐसा भी है जिसमें जोखिम है। ये हैं क़र्ज़ म्युचुअल फंड, जिन पर बात करेंगे म्युचुअल फंड चैप्टर में।

आपकी सन्दूक़ची में क़र्ज़ उत्पादों का फ़ायदा यह है कि आपको ज़रूरत के समय जल्दी नक़द पैसा मिल जाता है और लम्बी अवधि के निवेश को स्थायित्व मिल जाता है। क़र्ज़ उत्पादों से आपको भरोसा रहता है कि ज़रूरत के वक़्त पैसा मिल जायेगा। शेयर बाज़ार ज़्यादा अस्थिर है; वहाँ क़ीमतें रोज़ ऊपर–नीचे होती रहती हैं। ये उत्पाद आपके लम्बी अवधि निवेश का सार भी हैं। जैसे–आपका पी.पी.एफ. (पब्लिक प्रॉविडेंट फंड) और ई.पी.एफ. (एमप्लॉई प्रॉविडेंट फंड) आपके सेवानिवृत्ति का सार हैं। ये सुरक्षित और कर–मुक्त हैं और आपके पोर्टफोलियो को ठोस सुरक्षा प्रदान करते हैं।

यहाँ एक सवाल पूछा जा सकता है कि हम भविष्य में मिलने वाले लाभांश के प्रति पूर्ण सुरक्षा चाहते हैं तो सारा पैसा क़र्ज़ उत्पादों में ही क्यों न लगाया जाये?

क्योंकि क़र्ज़ उत्पाद लम्बी अवधि निवेश में वह वृद्धि नहीं करते, जो शेयर (इक्विटी) करते हैं। क़र्ज़ उत्पाद स्थायित्व के लिए ठीक हैं, वृद्धि के लिए नहीं।

सोना (सुवर्ण)

हमें लगता है कि हम सोने और ज़मीन की बातों को अच्छी तरह समझते हैं। पर ऐसा है नहीं। चलो, सोने की ही बात करते हैं। प्रायः भारतीयों पर आरोप लगता है सोने के प्रति अत्यधिक मोह के कारण सोना दबा कर रखते हैं, परिणामतः भारत का आयात बिल बढ़ जाता है। एक हद तक यह बात सही है कि हमारे देश में बहुत सोना इकट्ठा है, जिसका अधिकांश घरों में रहता है। मुझे लगता है कि सोने के प्रति मोह के लिए हम दोषी नहीं हैं। दोष सीधा–सीधा सरकार और नियन्त्रित करने वालों का है जिन्होंने खुदरा वित्त उत्पाद बाज़ार के नियमों को सुचारू रूप नहीं दिया है?

हमें इन उत्पादों या इन्हें बेचने वालों पर क़तई भरोसा नहीं है। हम देखते हैं कि मुद्रास्फीति के कारण बैंक में रखा हमारा पैसा दरकता जाता है,

उसका मूल्य कम होता रहता है। मुद्रास्फीति प्रायः सरकार की ग़लत नीतियों की वजह से होती है। मुद्रास्फीति और धोखे से बचने के लिए हमारी सोना ख़रीदने की परम्परा रही है। उस पर सरकार हमें बेवकूफ़ होने का दोष दे...यह तो दोहरा अपमान हुआ।

वित्तीय सेक्टर में अपना अविश्वास जताने के हक़ के अलावा सोना इकट्ठा करके रखने की क्या कोई ज़रूरत है? हमारी सन्दूक़ची में सोना रखने की ज़रूरत क्या है? गहराई से देखें तो सोना मुद्रास्फीति से अपने धन को बचाने का माध्यम है। इसका सीधा–सा मतलब यह है कि सोने की क़ीमत साल–दर–साल बढ़ती रहती है, परिणामतः आपके पैसे की क्रय क्षमता कम नहीं होती। सोना बैंक में जमा पैसे की तरह ब्याज नहीं देता, शेयर की तरह डिवीडेंड नहीं देता, न ही ज़मीन की तरह आपको किराया देता है। सोने से लाभ तभी होता है जब उसकी क़ीमत बढ़े, तभी आपको उससे लाभ होता है। अब सवाल यह है कि लाभ या पूँजी वृद्धि के लिए सोना कितना फ़ायदेमन्द है?

यह इस पर निर्भर करता है कि आपने सोना कब और कितने समय पहले ख़रीदा? अगर आज से (ये किताब 2018 में लिखी गयी थी) दो या तीन साल पहले ख़रीदा गया है तो आपको दो–तीन प्रतिशत का लाभ मिलेगा। आज से पाँच साल पहले ख़रीदे सोने पर जितना निवेश किया था, उतना वापिस मिल जायेगा, मतलब कोई लाभ नहीं। आज से दस साल पहले ख़रीदे गये सोने पर आपको नौ प्रतिशत वार्षिक का लाभ मिल जायेगा।

याद रहे ये आँकड़े सोने के लिए हैं। अगर आप निवेश की नीयत से ज़ेवर ख़रीदते हैं तो ऊपर लिखे आँकड़े एकदम नीचे आ जायेंगे। तीस प्रतिशत बनाने की क़ीमत ले लेंगे। न...न...मैं गहने ख़रीदने का विरोध नहीं कर रही हूँ। मुझे छोटी–छोटी चीज़ें पहनना बहुत अच्छा लगता है, पर इनकी ख़रीद मैं निवेश के लिए नहीं करती। मैं गहने अपने शौक़ के लिए ख़रीदती हूँ, या फिर उपहार देने के लिए। निवेश के लिए तो म्युचुअल फंड ही मेरा भरोसा है।

फंड की बात हम ठहर कर करेंगे। अभी तो यह समझ लेना श्रेयस्कर होगा कि हम जो भी निवेश करते हैं, उसकी क़ीमत होती है। कुछ क़ीमतें दृश्य होती हैं, कुछ सामने दिखाई नहीं देतीं, या फिर, हम जानबूझकर अनजान बने रहते हैं...जैसे ज़ेवर बनाने की क़ीमत। अगर आप ज़ेवर बेचने जायें तो दस से तीस प्रतिशत की अतिरिक्त हानि होगी। यह निर्भर करता

है कि वह सोना कितना शुद्ध है और बनाने की लागत क्या आयी। लाभ प्राप्त करने के लिए शायद ही कोई ज़ेवर बेचता होगा। घर के ज़ेवर एक पीढ़ी से अगली, फिर अगली पीढ़ी को हस्तान्तरित होते रहते हैं। निवेश के लिए ज़ेवर ख़रीदने में कोई बुद्धिमानी नहीं है। निवेश के लिए सोना ख़रीदने के और भी तरीक़े हैं।

भारतीय मानसिकता में सोने की जो जगह है, शादी में सोने के जेवर देने ही हैं तो सोना अवश्य ख़रीदें, पर ज़रा सोच–समझ कर, अक्ल से। *आपके पोर्टफोलियो का पाँच/दस प्रतिशत से अधिक सोने के रूप में नहीं होना चाहिए। ज़ेवर निवेश के लिए नहीं ख़रीदा जाता।* उसके लिए अन्य विकल्प हैं...सोने के सिक्के, छड़, सोने के म्युचुअल फंड (ई.टी.एफ.) और सरकारी सोने के बॉन्ड। 2017 में भारत सरकार ने गोल्ड बान्ड बाज़ार में उतारे थे। इन बॉन्ड को ख़रीदना सबसे अक्लमन्दी का निवेश है। बेचने पर आपको पूरी बाज़ार क़ीमत मिलेगी, ऊपर से प्रतिवर्ष 2.5 प्रतिशत का ब्याज भी मिलेगा। किसी भी और रूप में ख़रीदे सोने की कोई–न–कोई क़ीमत चुकानी ही पड़ती है; उससे कोई नियमित ब्याज भी नहीं मिलता। कर बचाकर सोने में निवेश करने की बात मैं नहीं कर रही हूँ। हमारी चर्चा क़ानूनी रूप से वैध पैसे की है।

ज़मीन-जायदाद

सोने के बाद हमारा मोह ज़मीन से है। भारतीय मानसिकता में ज़मीन से प्यार गहरे से पैठा हुआ है। अधिकांश लोग निवेश के लिए ज़मीन को फ़ायदेमन्द मानते हैं। मेरी एक मित्र का भाई जयपुर में एक पब्लिक सेक्टर कम्पनी में ऊँचे पद पर है। उसे विरासत में एक घर मिला है। सात साल में सेवानिवृत्ति के बाद उसे अच्छी पेंशन मिलने वाली है।

चार साल पहले, 2014 में अचानक वह एक अजीबोग़रीब निवेश कर बैठा। उसने गुरुग्राम में एक बहुत ऊँची क़ीमत का फ्लैट ख़रीद लिया। उसके लिए उसने पन्द्रह साल के लिए लोन ले लिया। उस लोन की क़िश्त उनकी सेवानिवृत्ति पेंशन का 40% हिस्सा थी। उसने जयपुर का घर गिरवी रख दिया। सेवानिवृत्ति क़रीब थी अतः बैंक को कोई ऋणाधार चाहिए था। उसे पन्द्रह हज़ार प्रतिमाह देखभाल ख़र्च भी देना पड़ा बिल्डिंग सोसाइटी को।

मेरी मित्र ने मुझसे अपने भाई को समझाने को कहा। मैंने उनसे बात की। मुझे याद है कि उनके निवेश करने से कुछ ही पहले मैंने उनसे बात करी थी। आप ऐसा क्यों कर रहे हैं? आपके पास अपना घर तो पहले से है। पूरा लोन चुकता होने से पहले आप रिटायर हो जायेंगे। काला धन आपके पास है नहीं। आज की क़ीमतों को देखते हुए जायदाद में निवेश करना बहुत बड़ी ग़लती है। इस ई.एम.आई. पैसे को इक्विटी म्युचुअल फंड में या अपने प्रॉविडेंट फंड में रखना अधिक श्रेयस्कर होगा...बजाय ऐसी जायदाद में लगाने से जिसका मूल्य कम होता जायेगा।

पर भाई टस–से–मस न हुए।

उनकी मित्र मण्डली के लोग रस ले–लेकर बताते रहते थे कि ज़मीन की ख़रीद फ़रोख़्त में कैसे उनका पैसा कई गुणा बढ़ गया। सुन–सुन कर उन्हें लगने लगा कि एक वही बेवकूफ़ निकले और पीछे रह गये। उस पर पत्नी की झल्लाहट भी अनवरत चालू थी–'...चारों तरफ़ देखो, सब अमीर हो रहे हैं; एक हम ही कुछ नहीं कर रहे हैं...तुम्हारे जैसे वेतनभोगी–इन्सान से शादी करने से तो अच्छा था कि पापा ने जिस बिज़नेसमैन के रिश्ते का सुझाव दिया था, मैं उसी से शादी कर लेती। वैसे भी *यह म्युचुअल फंड–शण्ड तो अमीरों का खेल है*....सब घोटाला है। बात आगे बढ़ते–बढ़ते शेयर बाज़ार वहाँ से हर्षद मेहता तक जा पहुँचती देखा, वह कितना बड़ा घोटाला निकला।' '' बस, यहाँ पहुँचकर उनकी बातचीत बन्द हो जाती।

बातचीत जब इस तरह के असंगत, भावुकतापूर्ण प्रलाप और बेतुके मुद्दों पर पहुँच जाती है तो मैं बातचीत से अलग हो जाती हूँ। हम भूल जाते हैं कि पैसे से जुड़े हमारे कितने फ़ैसले भावुकता, परिवार में किस की ज़्यादा चलती है, के साथ–साथ इस पर भी निर्भर करती हैं कि कभी ज़बरदस्ती इन मुद्दों को दबा दिया गया था जो कभी भी ज़रा–सा दबाने भर से भड़क उठते हैं। अन्त में मैंने यही कहा, 'आपका पैसा है, जो चाहे करो।'

एक सप्ताह बाद भाई ने फ्लैट बुक कर दिया।

नतीजा सामने आ रहा है। अब 2018 में भाई के वेतन का बड़ा हिस्सा फ्लैट पर ख़र्च हो रहा है। फ्लैट की आन्तरिक सज्जा पर दस लाख रुपये

ख़र्च हो चुके हैं...पूरी नयी साज–सज्जा वाला रसोईघर, जर्मन खूँटियाँ, इटली का मार्बल आदि आदि। सोचकर देखने की बात है कि जब अपने देश में उत्तम कोटि का पत्थर प्राप्य है तो किसी दूसरे देश में खोदे, पानी के जहाज़ से भारत लाये गये पत्थर से अपनी रसोई सजाने में क्या तुक है? शायद हमारा अहं इसे स्वीकार नहीं करता यदि जब पत्थर बेचने वाला होंठ सिकोड़कर यह कह दे, 'हम तो सिर्फ़ आयातित पत्थर ही बेचते हैं। भारतीय पत्थर लेना है तो कहीं और जाइए।' बात यह है कि हम क्या ख़रीदें, यह हमारी ज़रूरत पर कम, दूसरे हमारे बारे में क्या सोचते हैं, इस पर ज़्यादा निर्भर करता है।

भाई के घर का बजट बिगड़ता जा रहा है। आन्तरिक सज्जा के ख़र्च के अलावा देखभाल के लिए पन्द्रह हज़ार रुपया महीना देना भारी पड़ने लगा है। जो किराया, उन्हें मिलता है वह ई.एम.आई. का आधा भी नहीं है। अब भाई बुरी तरह घबरा गये। सेवानिवृत्ति का समय सिर पर आ गया, उधर ज़मीन–जायदाद की क़ीमतें एकदम गिर गयीं। फ्लैट बेचने के अलावा और कोई रास्ता नहीं बचा था। बाज़ार एकदम ठण्डा था। जितने में फ्लैट ख़रीदा था, उतने में ही बिक रहा था। 'चलो! जो लगाया था, वह तो वापिस मिल गया,' उन्होंने मुझे बताया।

मैंने तीखा वार किया, 'आपने जो लोन लिया था, उस पर जो ब्याज दे रहे हो, उसका क्या? दस लाख आन्तरिक सज्जा पर ख़र्च किये, रखरखाव का मासिक ख़र्च, क़ीमत में से किराया निकाल दें–सारा मामला घाटे का बैठ रहा है।'

'चलो जी, कुछ समय में सब ठीक हो जायेगा।' अब वह इसी इन्तज़ार में हैं कि किये गये निवेश पर लाभ कब मिलेगा। ऊहापोह के इन दिनों में सेवानिवृत्ति का वक़्त सिर पर आता जा रहा था। उन्होंने अपना पैसा एक ऐसे उत्पाद में फँसा रखा है, जहाँ से निकलने में बहुत वक़्त लगेगा। अगर इतना पैसा वह बैलेंस म्युचुअल फंड में डालते तो उन्हें क़ीमत के बाद नौ–दस प्रतिशत वार्षिक लाभ मिलता रहता।

ज़मीन–जायदाद की ख़रीदारी ऐसी ही फ़ितरत है। यह एक ख़तरनाक दिखावे से भरा निवेश है जिसमें ख़र्चा ही ख़र्चा है। उस ख़र्च को लोग मिलने वाले लाभ में जोड़ना भूल जाते हैं। इस तरह निवेश किया पैसा जड़

हो जाता है...ज़रूरत के समय एकदम बेच नहीं सकते; कुछ पैसा चाहिए तो एक कमरा नहीं बेच सकते, पूरी प्रापर्टी बेचनी पड़ेगी। समय–समय पर देखभाल के लिए पैसा लगाना पड़ेगा। सोसाइटी के फ्लैटों में यह क़ीमत बहुत ऊँची है। फिर भी हमारा ज़मीन के प्रति मोह ख़त्म नहीं होता।

हमें इससे इतना लगाव क्यों है? इसके तीन कारण हैं–आदत, काला धन और डर। बचपन से ही हम सुनते आये हैं कि ज़मीन में पैसा लगाना लम्बी अवधि का निवेश है।

नानी, दादी से हम यही सुनते आये हैं कि गाँव की उनकी हवेली या ज़मीन–जो कुछ हज़ार में ख़रीदी थी, आज उसकी क़ीमत करोड़ों में है। 'अगर उसे तब न बेचा होता तो आज यह दिन...।' लोग ज़मीन को बहुत लाभकारी निवेश मान बैठते हैं क्योंकि उससे मिली क़ीमत को हम पूरा का पूरा लाभ मान बैठते हैं। हमने अक्सर यह टिप्पणी सुनी है कि जो फ्लैट दस लाख में ख़रीदा था, वह एक करोड़ में बिका है।

जब इस तरह की बातें होती हैं तो लोग एक बात भूल जाते हैं कि ज़मीन ख़रीदने और बेचने में छब्बीस–सत्ताईस साल का फ़ासला है। इसके अलावा इतने सालों तक प्रॉपर्टी की देखभाल, प्रॉपर्टी टैक्स, बीमा और दलाली पर हुए ख़र्च को हम भूल ही जाते हैं। इतने सालों तक हमने ये सब ख़र्चे भी तो किये हैं। इन ख़र्चों को निकाल दें तो वास्तविक लाभ शायद 12% वार्षिक होगा।

यह असलियत जानने के बाद यह सौदा उतना आकर्षक नहीं लगता, है न! पैसे को लेकर यह सच जानने के बाद लोग अपनी आदत बदलेंगे कि ज़मीन में पैसा लगाना बहुत फ़ायदे का सौदा है, इसमें कुछ भी ग़लत नहीं हो सकता। यह सोच भी ग़लत है। बहुत–सी बातें बुरी तरह से ग़लत हो सकती हैं...प्रॉपर्टी आपकी है, इस पर विवाद उठ सकता है, आपकी ज़मीन या फ्लैट पर कोई ज़बरदस्ती क़ब्ज़ा कर ले, किरायेदार ख़ाली करने से मना कर दे। मैं जब भी ज़मीन–जायदाद में किये निवेश से जुड़े ख़तरों के बारे में सोचती हूँ तो सोच में पड़ जाती हूँ कि आखिर लोग क्यों इसके पीछे भागते हैं?

इसका जवाब है काला धन। भारत में काले धन को खपाने के दो ही रास्ते रहे हैं...सोना और ज़मीन। ज़मीन को दूसरी दफ़ा बेचा जाये तो

भुगतान ज़्यादातर नक़द होता है। काला धन खपाना एक दफ़ा शुरू कर दें तो बीच में उससे हट नहीं सकते। एक बार शुरू किया तो नक़द से छुटकारा मिलना मुश्किल है।

मुझे याद है कि जब मेरे पति और मैं मकान ख़रीदने के लिए ढूँढ़ रहे थे तो पूरा भुगतान चैक से करने के हमारे फ़ैसले ने हमें कितना घुमाया। बीस–पच्चीस घर देखने के बाद हमें लगने लगा कि हम तो घर ख़रीद ही नहीं पायेंगे, क्योंकि सब जगह माँग यही थी कि साठ–सत्तर प्रतिशत नक़द देना होगा। अन्ततः हमें अपने जैसे नैतिक मूल्यों वाले एक वृद्ध सज्जन मिल ही गये जो पूरा भुगतान चैक में चाहते थे।

ऊपरी बातों का निचोड़ यह है कि अगर आपके पास काला धन (वह धन जिस पर आपने कर न चुकाया हो) नहीं है तो भारत में ज़मीन में निवेश न करें। पूरा सिस्टम काले धन पर आधारित है अर्थात् कैश भुगतान की वजह से क़ीमतें भी बढ़ी–चढ़ी बताई जाती हैं। एक दफ़ा भ्रष्टाचार पर डण्डा चल गया तो कम–से–कम दस साल तो क़ीमतें बढ़ेंगी नहीं (2018 के बाद)।

ज़मीन के प्रति मोह का तीसरा कारण है अज्ञात का भय। बीस–तीस साल पहले निवेश के लिए ज़्यादा विकल्प उपलब्ध नहीं थे....सोना, ज़मीन, बैंक में पैसा जमा कराना और बीमा–बस इन गिने–चुने उत्पादों में ही लोग निवेश करते थे। अब काफ़ी बदलाव आ गया है। बाज़ार में आये म्युचुअल फंड प्रायः सब तरह की ज़रूरतों के लिए निवेश उत्पाद लेकर आये हैं। पर ये उत्पाद दिखाई नहीं देते। हम उन्हें देख नहीं सकते, उनमें रह नहीं सकते, उन्हें पहन नहीं सकते, न ही उनकी कोई सरकारी गारंटी है। लोग इन बातों से डरते हैं। पिछले दिनों हुए शेयर घोटाले रह–रह कर दिमाग़ में कौंधते हैं। कौंधने चाहिए भी।

निवेश करते समय हमें पूरी तरह सावधान रहने की ज़रूरत है। छल कपट से भरी ज़मीन ख़रीदकर हम ख़ुश हैं, जहाँ यह जोखिम बना रहता है कि बिल्डर हमारा पैसा लेकर भाग भी सकता है। हम एक ऐसी लम्बी अवधि में निवेश करना चाहते हैं, हमें लगता है कि वह भरोसेमन्द है, लेकिन हम भूल जाते हैं कि बिल्डर को नक़द देने से वह धन काला–धन हो गया है। अपने को बदलो।

ज़मीन, सोना और एफ.डी. के प्रति भारतीयों के मोह को भंग करना मुश्किल है। पर, जब नयी शताब्दी में निवेश के नये उत्पाद उपलब्ध हैं तो हम 60–70 दशक के पुराने उत्पादों में निवेश क्यों करें? निवेश से प्राप्त लाभ वास्तव में कितना हुआ है, यह जानने के लिए उत्पाद की क़ीमत, निवेश किये कितने साल हो गये और कर चुकाने के बाद आपके पास क्या बचा–यह जानना ज़रूरी है।

आप ठीक रास्ते पर जा रहे हैं अगर...

1. आपके पोर्टफोलियो का पाँच–दस प्रतिशत से अधिक सोने में निवेश नहीं है और वह भी सरकारी सोने के बॉन्ड में।
2. आपके पास रहने के लिए अपना एक घर है, दूसरा नहीं।
3. आपके पास अपने पी.एफ. और पी.पी.एफ. के अलावा कोई अन्य ऋण उत्पाद, कॉर्पोरेट एफ.डी. सामूहिक जमा योजना या चिट फंड नहीं है।
4. आपके ऋण उत्पादों का निस्तारण आपकी उम्र के हिसाब से है–तीस साल की उम्र में आपके पोर्टफोलियो की ऋण उत्पाद संख्या तीस से ज़्यादा नहीं है। सत्तर की उम्र में सत्तर प्रतिशत से ज़्यादा नहीं; बाक़ी सब इक्विटी में।

सट्टा नहीं, निवेश करें

सम्पत्ति से जुड़े सभी मानकों में शेयर बाज़ार के बारे में सबसे ग़लत धारणा लोगों के मन में बैठी हुई है। शेयर लाटरी नहीं है जहाँ बिना कुछ किये मालामाल होना मुमकिन है। यह एक तरह का गणित है, विज्ञान है और जोखिम को उठाने का एक सुरक्षित तरीक़ा भी है।

सम्पत्ति से जुड़े सभी उत्पादों में यह मेरा सबसे पसन्दीदा उत्पाद है। मैं सीधे तौर पर शेयर नहीं ख़रीदती। शेयरों में सीधे निवेश करने और इक्विटी के माध्यम से जाने में अन्तर है। इस अन्तर को समझना निवेश के लिए बहुत ज़रूरी है। पर इसको समझना सबसे मुश्किल है, क्योंकि इसे एक तरह का सट्टा मान लिया गया है। वास्तव में, इस उत्पाद में धन धीरे–धीरे बढ़ता है। शेयर को दमपुख़्त धीरे–धीरे पकने वाला उत्पाद समझें, न कि 'टू मिनट नूडल।'

इक्विटी को समझने के लिए यह ज़रूरी है कि पहले हम यह समझ लें कि व्यवसाय कैसे सँभाला जाता है। कोई उद्यमी दो तरीक़ों से अपने व्यवसाय में धन लगा सकता है–ऋण और इक्विटी। कल्पना करें आपकी मित्र देहली में सबसे लज़ीज़ बिरयानी बनाती है। वह घर पर ही परिवार और मित्रों के लिए बनाती है। आप सबके आग्रह और प्रोत्साहन से वह छोटा–सा उद्योग शुरू करती है जहाँ से आप बिरयानी पैक कराकर ले जा सकते हैं। उसे आशातीत सफलता मिलती है। उत्साहित होकर वह व्यवसाय को बढ़ाना चाहती है। उसका इरादा शहर के पाँच इलाक़ों में पाँच रसोई शुरू करने का है–मतलब व्यवसाय को बढ़ाने का। इसके लिए उसे रसोई के लिए जगह किराये पर लेनी होगी, नये उपकरण लेने होंगे और कारीगर रखने होंगे। इस विस्तार योजना पर तीस लाख का ख़र्च आयेगा। वह बैंक से लोन ले सकती है। पर आप जैसे कुछ मित्र उसकी मदद करते हैं। आप चार लोग पाँच–पाँच लाख रुपये लगाते हैं। शेष दस

वह लगाती है। अनुपात के हिसाब से—अब आप पाँचों बिरयानी व्यवसाय में हिस्सेदार हैं। आप चारों का एक–एक हिस्सा है, उसके दो हिस्से हैं।

व्यवसाय चल निकलता है। साल के अन्त में बारह लाख का लाभ होता है। प्रत्येक हिस्सेदार के हिस्से दो लाख रुपये आते हैं। आप सब फैसला करते हैं कि ये पैसे न लेकर व्यवसाय को और बढ़ा दिया जाये।

बारह लाख के लाभ से वह और रसोई शुरू कर देती है। अगले साल बीस लाख का लाभ होता है।

अब होता यह है कि इनमें से एक मित्र विदेश जा रहा है, अतः अपना शेयर बेचना चाहता है। उसने पाँच लाख लगाये थे। अपना शेयर वह पाँच लाख में ही बेचेगा या ज़्यादा में? ज़्यादा में। ठीक? स्पष्ट है कि कम्पनी लाभ कमा रही है और उसकी क़ीमत बढ़ चुकी है। अतः वह पाँच लाख से अधिक में ही बेचना चाहेगा। आप उसका शेयर ख़रीदना चाहते हैं। आप पहले यह देखेंगे कि इस बिरयानी व्यवसाय में आगे बढ़ने की कितनी क्षमता है, कितना लाभ कमाया सकता है। इन बातों को सोचकर आप एक क़ीमत सोच लेते हैं।

आपने पूरा हिसाब लगाकर देख लिया और आठ लाख देने को तैयार हैं? उसने तीन लाख का लाभ कमाया। उसने पाँच लाख में शेयर ख़रीदा और आठ लाख में बेच दिया। शेयर बाज़ार की भाषा में इसे ही पूँजी वृद्धि कहते हैं।

शेयरों की क़ीमत किसी जादुई टोटके से नहीं बढ़ती। ख़रीदने वाला देखता है कि आने वाले समय में इसकी क़ीमत बढ़ेगी अर्थात् लाभ होगा, इसलिए वह शेयर ख़रीदता है। अगर क़ीमत बढ़ रही है तो कोई बेचना क्यों चाहेगा? कई कारण हैं—शेयरधारक ने जितने लाभ की अपेक्षा की थी, वह वहाँ पहुँच गया है, हो सकता है उसे पैसे की ज़रूरत हो या यह भी कि वह उसके सम्भावित बढ़ने वाले लाभ को पहचान न पाया हो।

अब वह इस व्यवसाय को और बढ़ाना चाहती है। उसकी बेटी ने अभी एम.बी.ए. किया है। वह इस व्यवसाय को सामूहिक (कम्पनी) बनाकर एक श्रृंखला के रूप में कई शहरों में शुरू करना चाहती है। इस विस्तार के लिए उन्हें दस करोड़ रुपये की ज़रूरत है। इतना पैसा कैसे इकट्ठा करें? पहले ही की तरह या तो बैंक से लोन लें या अपनी कम्पनी को स्टॉक मार्केट में 'लिस्ट' करें?

मतलब यह हुआ कि कोई भी व्यक्ति जो इस व्यवसाय में लाभ देख कर

इसका हिस्सेदार बनना चाहता है, इसके शेयर ख़रीद सकता है। शुरुआत के समय जिस शेयर की क़ीमत पाँच लाख थी, उसे अनेक शेयरों में बाँट दिया जायेगा। प्रत्येक शेयर की क़ीमत होगी दस रुपये।

अब जो शेयर वे लोगों को बेचेंगे, वे फेस वैल्यू या शुरुआती क़ीमत पर नहीं बेचेंगे, वे बढ़ोतरी (प्रीमियम) के साथ बेचेंगे। लाभ कमाने वाली कम्पनी अपने शेयर दस रुपये में नहीं एक बढ़ोतरी के साथ बेचेगी। बढ़ोतरी कितनी होगी यह कई बातों पर निर्भर करता है...यह व्यवसाय भविष्य में कितना लाभ कमा सकता है, प्रबन्ध कौशल कितना प्रवीण है, बाज़ार में कितना मुक़ाबला है तथा ऐसे ही अनेक बिन्दु।

शेयर ख़रीदने के इच्छुक लोगों को कैसे ढूँढ़ा जाये? जो कम्पनी पूँजी इकट्ठा करना चाहती हैं, वे शेयर बाज़ार जाकर अपनी कम्पनी को वहाँ 'लिस्ट' करती हैं। शेयर बाज़ार के कुछ नियम हैं ताकि पारदर्शिता बनी रहे। आने वाली कम्पनी के लिए उन नियमों का मानना अनिवार्य है।

एक स्थानीय बाज़ार की गतिविधि को सोचकर देखें। यह बाज़ार नगर निगम के आधीन है। उनके नियमानुसार प्रत्येक दुकान पंजीकृत होगी, दुकान के आसपास सफ़ाई रखनी होगी, बाज़ार बन्द होने के समयानुसार दुकान बन्द करनी होगी, दुकान में काम करने वालों को दोपहर के भोजन के लिए एक घण्टे का अवकाश देना होगा आदि आदि। इन नियमों को मानने वाला ही दुकान खोल सकता है। इसी तरह शेयर बाज़ार के भी कुछ नियम हैं, उन्हें स्वीकार करने पर ही कम्पनी शेयर बाज़ार का हिस्सा बन सकती है।

इन नियमों की विस्तृत जानकारी की हमें अभी ज़रूरत नहीं है, अतः हम उसको छोड़ते हैं। पर एक बात याद कर लें कि ज्यों–ज्यों बाज़ार की उम्र बढ़ती है, घटनाएँ कुछ ऐसे घटती हैं कि इन नियमों में भी बदलाव आता है। शेयर बाज़ार का एक निरीक्षण प्रभारी होता है जिसे कैपिटल मार्केट रेग्यूलेटर कहते हैं। भारत में इस प्रभाग को 'सिक्योरिटी एंड एक्सचेंज बोर्ड ऑफ़ इण्डिया' (एस.ई.बी.आई.) कहते हैं।

सेबी (एस.ई.बी.आई.) शेयर बाज़ार के नियम तय करती है। शेयर बाज़ार पर उन्हें मानने की बाध्यता है। और जो कम्पनी यहाँ लिस्टेड हैं उन्हें सेबी और शेयर बाज़ार के नियमों का पालन करना होता है। आप एक बात अच्छी तरह समझ लें कि जब हम निवेश की बात करते हैं तो यह सड़क पर खेले जाते जुए का खेल नहीं होता। यह नियमों से बँधा न्यायसंगत बाज़ार है।

शेयर बाज़ार में बड़ा नुक़सान उन–खुदरा निवेशकों को होता है जो छोटे निवेशक के लिए बने नियमों का पालन नहीं करते। याद रहे, शेयर बाज़ार में व्यवसायी हैं जो दिन–रात शेयर्स और बाज़ारों की आन्तरिक गतिविधियों को आँकते रहते हैं। अगर आप शौक़िया कभी–कभी निवेश करते हैं और सोचते हैं कि उनको चकमा दे सकते हैं, तो या तो आप भाग्यशाली हैं या एकदम भ्रमित।

सेंसेक्स क्या है?

अगर आपने श्रीमान् सेंसेक्स को नहीं देखा तो आप समुद्र की गहराई में किसी चट्टान के नीचे रह रहे होंगे। व्यवसायिक चैनलों के लिए जो महत्त्व अमिताभ बच्चन और शाहरुख़ ख़ान दोनों को मिलाकर एक कर देने का है, वही श्रीमान् सेंसेक्स हैं। उसकी छोटी–से–छोटी गतिविधि पर भी पैनी नज़र टिकी रहती है। जब वह बेहद ख़ुश होता है तो टी.वी. प्रस्तोता (एंकर) पार्टी कैप लगाकर केक काटते हैं। जब सेंसेक्स बिगड़ैल बच्चे की तरह पैर पटककर धड़ाम से गिर जाता है, तो वे इतने उदास नज़र आते हैं जैसे किसी की मृत्यु हो गयी। देश में ऐसी सरकार बन जाये जो 'बाज़ार' के अनुकूल न हो...या यूँ कहें जिसे 'बाज़ार' पसन्द न करता हो, तो श्रीमान सेंसेक्स का 'मूड' एक़दम उखड़ जाता है। जब सरकार अर्थव्यवस्था को पटरी पर लाने के लिए नये सुधार–तत्त्वो की घोषणा करे, जैसे जी.एस.टी. (गुड्स एंड सर्विस टैक्स) तो वह ख़ुशी तो उछल कर नाचने–कूदने लगता है। आख़िर में श्रीमान सेंसेक्स हैं कौन और हमें उनके 'मूड' के अच्छा या बुरा होने की फ़िक्र क्यों रहती है?

मैं बहुत समय से निवेश कर रही हूँ। मेरी मानें तो श्रीमान सेंसेक्स की अनदेखी कर दें। पर इससे पहले उसे ज़रा समझ लें ताकि भविष्य में आप अनजान न रहें, और यह भी समझ लें कि छोटी अवधि के लिए (निवेश में) वह क्यों आपके लिए कोई मायने नहीं रखता, पर लम्बी अवधि के लिए बहुत महत्त्वपूर्ण है। सेंसेक्स को समझने के लिए ज़रूरी है कि हम शेयर बाज़ार के इंडेक्स को समझ लें...बस यह सूचकांक ही श्रीमान सेंसेक्स हैं।

अब सवाल यह है कि सूचकांक या इंडेक्स क्या है? जो अंक या नम्बर हमें यह बताये कि अमुक वस्तु की क़ीमत पहले क्या थी और आज क्या है...उस नम्बर को सूचकांक कहते हैं। अब ज़रा अगली पंक्ति पर ध्यान दें...

हम ऐसे नम्बर (अंक) से रू–ब–रू हो रहे हैं जो हमें क़ीमतों में होने वाले परिवर्तनों की सूचना देता है।

चलो, इसे और अच्छी तरह समझ लें। हम हर समय जिस सूचकांक को जानकारी जुटाने के लिए इस्तेमाल करते हैं, वह मुद्रास्फीति नम्बर है। हम मुद्रास्फीति का अनुभव तब करते हैं, जब हम कोई चीज़ ख़रीदने जाते हैं; हम इसके बारे में तब पढ़ते हैं जब सरकार इसके आँकड़े प्रकाशित करती है। हम अक्सर पढ़ते रहते हैं कि मुद्रास्फीति ऊपर जा रही है या कम हो गयी, पर इसका मतलब क्या है? इसका मतलब है...उपभोक्ता जब किसी वस्तु की क़ीमत के बारे में जानना चाहे कि क़ीमत पहले क्या थी और अब क्या है–सूचकांक से उसे जानकारी मिलती है वही मुद्रास्फीति की जानकारी है।

मुद्रास्फीति का सूचकांक हमें किस–किस चीज़ की जानकारी देता है? देश में जितनी चीज़ें और सेवाएँ हैं...क्या सबकी जानकारी इससे मिलती है? ओह! ना बाबा! ऐसा असम्भव है। हाँ, जो मुख्य और ज़रूरी चीज़ें हैं जैसे–खाद्यान्न, कपड़े, घर, पेट्रोल आदि उनकी बढ़त–घटत यह अंक बताता रहता है। उपभोक्ता के लिए जो चीज़ें बहुत ज़रूरी है, उन्हें बाज़ार भाव के प्रतिनिधि के रूप में मान लिया जाता है। इन ज़रूरी चीज़ों से जो और छोटी–छोटी चीज़ें जुड़ी हुई हैं, उनका प्रतिनिधित्व ये बड़ी चीज़े करती हैं।

हम एक उदाहरण से इसे समझने की कोशिश करते हैं। 'खाना' या खाद्यान्न को लें तो उससे जुड़ी चीज़ें–खाद्यान्न, अंडे, मांस, फल, सब्जियाँ, दूध तथा पेय पदार्थ। ऊपर लिखा प्रत्येक वर्ग अपने से जुड़े अधिक महत्त्व की चीज़ों का प्रतिनिधित्व करता है। ऐसे समझें–भारत में आमों की सौ से ज़्यादा किस्में हैं, पर सूचकांक में वे क़िस्में ही शामिल होंगी जो सबसे ज़्यादा पसन्द की जाती हैं और देश में आमों की बिक्री में उस क़िस्म की ज़्यादा भागीदारी है। चिन्ता न करें, मुझे विश्वास है सूचकांक में 'हाफ़ुस' का नाम ज़रूर होगा।

अब आगे बढ़ते हैं। सूचकांक में कुछ चीज़ों की क़ीमत बढ़ जाती है, कुछ की कम हो जाती है। आपको याद होगा पिछले दस साल में एक टेलीफ़ोन कॉल की क़ीमत में भारी कमी आयी है, उधर दालों की क़ीमतें तीन गुणा से भी ज़्यादा बढ़ गयीं। इस तरह घटती–बढ़ती क़ीमतें एक–दूसरे को सँभाले रखती हैं; अर्थात एक कम एक ज़्यादा औसत बराबर हो जाता है। पर अगर क़ीमतें जितनी कम हुई हैं बढ़ी उससे बहुत ज़्यादा हैं तो सूचकांक

भी ऊपर जायेगा। हम इसे कहेंगे मुद्रास्फीति बढ़ गयी है। अगर इसके विपरीत होता है तो आँकड़े हमें बतायेंगे कि मुद्रास्फीति कम हो गयी है।

आप की अकेले की ख़रीद मुद्रास्फीति को आँकने का पैमाना नहीं है। जैसे–आप दूध ख़रीदने गये; वहाँ जाकर पता लगा दूध की क़ीमत बढ़ गयी है, पर सूचकांक नीचे जा रहा है। आप दुविधा में पड़ गये न? पर ज़रा पूरी बात पर ग़ौर करें...दूध की क़ीमत बढ़ी पर पेट्रोल व कुछ अन्य वस्तुओं की क़ीमत में गिरावट आयी है; तो यह गिरावट दूध की क़ीमत की बढ़त को काट देती है, मतलब सँभाल लेती है; ठीक समझ आयी?

क़ीमतों के सूचकांक की भूलभुलैया को समझ लेने के बाद अब हम श्रीमान सेंसेक्स से मिलने को तैयार हैं। बम्बई शेयर बाज़ार में यूँ तो अनेक कम्पनियों के नाम दर्ज हैं। पर उनमें से तीस बड़ी कम्पनियाँ औरों का प्रतिनिधित्व करती हैं। सेंसेक्स इनके उतार–चढ़ाव से ही बना है। पहली अप्रैल 1979 को सूचकांक का अंक सौ था।

इन कम्पनियों के शेयर्स की क़ीमत से ही इंडेक्स बनता है। सूचकांक उन्हीं की क़ीमतों पर निर्भर करता है। ये वे कम्पनियाँ हैं जो शेयर बाज़ार में बहुत सक्रिय हैं। हम जब कहते हैं सेंसेक्स ऊपर जा रहा है, तो मतलब है कि उन तीस कम्पनियों के शेयर्स की क़ीमतें कम होने की बजाय बढ़ रही हैं। अगर इससे उलटा होता है तो हम कहते हैं सेंसेक्स नीचे जा रहा है।

शेयर बाज़ार में दिन–भर में क्या ऊँच–नीच हुई और लम्बे समय में हाल कैसा रहा, सेंसेक्स इसे ही दर्शाता है, मतलब उसका पैमाना है। आप जब सुनते हैं कि सेंसेक्स ऊपर जा रहा है, तो हरगिज़ यह मत समझ लें कि किसी ने पासा फेंका और बाज़ार ऊपर चला गया। स्पष्टतया मतलब है कि तीस कम्पनियों की क़ीमतें घटने के मुक़ाबले ज़्यादा बढ़ गयी हैं।

बाज़ार का मिज़ाज जानने का एक और पैमाना है– निफ्टी फिफ्टी। निफ्टी पचास शेयरों का इंडेक्स है। भारत में दो बड़े स्टॉक एक्सचेंज हैं–बी.एस.ई. बॉम्बे स्टॉक एक्स्चेंज और एन.एस.ई. नेशनल स्टॉक एक्सचेंज, और दोनों के अपने–अपने सूचकांक हैं।

सेंसेक्स और निफ्टी फिफ्टी विस्तृत बाज़ार सूचकांक हैं। आपने 'मार्केट कैप' या 'मार्केट कैपिटलाइज़ेशन' नाम ज़रूर सुने होंगे। ये कम्पनी के शेयर्स को क़ीमत और शेयर की तादाद गुणा करके आने वाले आँकड़ों को दर्शाते हैं। अगर कम्पनी के सौ शेयर बाज़ार में हैं और उनकी मौजूदा क़ीमत पचास रुपये प्रति शेयर है तो मार्केट कैप होगा पाँच हज़ार रुपये।

वास्तव में शेयर्स की संख्या तो लाखों में होती है और उनकी क़ीमत भी ऊपर लिखी क़ीमत से तिगनी–चौगुनी होती है, तो आप समझ लें उनकी मार्केट–कैप संख्या भी बहुत बड़ी होगी। मार्केट कैंप के अनुसार वर्तमान समय में सबसे बड़ी कम्पनी 'टाटा कंसलटेंसी सर्विस' है। उसका मार्केट 6.6 लाख करोड़ से भी अधिक है। तीसवें नम्बर पर जो कम्पनी है उसकी मार्केट कैप एक लाख करोड़ है। सौवें नम्बर की कम्पनी की मार्केट कैप लगभग पच्चीस हज़ार करोड़ है।

सेंसेक्स में तीस कम्पनियों का वर्चस्व है, उनमें जगह पाने के लिए कम्पनी का बहुत बड़ा पूँजीकरण होना ज़रूरी है। मतलब यह कि बाज़ार में उनके शेयर्स की संख्या बहुत ज़्यादा हो और उनकी क़ीमत भी एकल अंक (सिंगल डिजिट) से ऊँची हो।

बाज़ार में पूरी तरह स्थापित और परिपक्व कम्पनियाँ ही बड़ी मार्केट कैप कम्पनियाँ कहलाती हैं। इनकी विशेषता यह मानी जाती है कि तुरत–फुरत वृद्धि की जगह डिवीडेंड अच्छा देती हैं। सेबी (एस.ई.बी.आई.) के अनुसार जो कम्पनी मार्केट कैप के अनुसार शेयर बाज़ार में पहली सौ कम्पनियों में शामिल है वही लार्ज कैप कम्पनी कहलाती है। 101 से 250वें स्थान पर रहने वाली कम्पनी मिड कैप कम्पनी और 251 व उससे निचले पायदान पर रहने वाली कम्पनी स्मॉल कैप कम्पनी कहलाती है।

सेंसेक्स कम्पनियाँ हमेशा एक–सी ही रहती हैं या उनमें भी बदलाव आता है? ज्यों–ज्यों नये उत्पाद और नयी सेवाएँ उपभोक्ता क़ीमत सूची में जगह बनाती है और पुरानी का महत्त्व कम हो जाता है। तदनुसार सेंसेक्स में भी सेक्टर और कम्पनियाँ बदलती रहती हैं। दो जनवरी 1986 को, औपचारिक रूप से सेंसेक्स की शुरुआत हुई। पहली अप्रैल 1979 को उसका आधार वर्ष माना गया; उसकी शुरुआती क़ीमत सौ रुपये थी।

1986 में सेंसेक्स की बड़ी कम्पनियाँ थीं ए.सी.सी. बॉम्बे डाइंग, ग्रेट ईस्टर्न शिपिंग, ग्वालियर रेयॉन, मुकुन्द और ज़ेनिथ। 2004 तक ये कम्पनियाँ सूचकांक से लुप्त हो चुकी थीं। आज उनकी जगह कई नयी कम्पनियों ने ले ली है। सेंसेक्स की पुरानी तीस कम्पनियों में से आज सिर्फ़ पाँच कम्पनियाँ अभी तक अपनी जगह बनाये हुए हैं। सेंसेक्स की फ़ितरत यही है कि वह उन कम्पनियों को बाहर का रास्ता दिखा देता है, जिनकी साख बाज़ार में पहले जितनी नहीं रह गयी है, बिक्री कम हो गयी है। आज के बदलते वक़्त की ज़रूरतों ने नयी करवट ली है; तदनुसार बाज़ार में नयी

कम्पनियाँ आ गयीं। सीमेन्ट, स्टील, इंजीनियरिंग वस्तुएँ–जैसी चीज़ों का महत्त्व कम हो गया। सेंसेक्स ने भी उनसे मुँह फेर लिया और बाज़ार में अपनी पैठ बनाने वाली नयी कम्पनियों से रिश्ता जोड़ लिया। 1980 से अब तक बाज़ार का रूप जिस तरह बदला है, श्रीमान सेंसेक्स भी उसी तरह बदले–बदले नज़र आने लगे।

आपको याद होगा 1980 के सेंसेक्स में बैंकिंग, टैलीकॉम और फार्मा कम्पनियों की सेंसेक्स में कोई जगह नहीं थी। आज वे सूचकांक का चेहरा बनी हुई हैं। कौन–सी कम्पनी सेंसेक्स में रहेगी, कौन–सी हटा दी जायेगी– यह निर्णय एक फ़ॉर्मूले के आधार पर किया जाता है। ऐसा नहीं है कि कम्पनी का चेयरमैन सेबी (एस.ई.बी.आई.) चेयरमैन या शेयर एक्सचेंज के सी.ई.ओ. का दोस्त है तो उसे जगह मिल जायेगी।

अगर आपने सेंसेक्स या निफ्टी फिफ्टी में जगह प्राप्त कर ली तो स्वतः ही आप भारत की सबसे ज़्यादा बिकने वाली उन बड़ी कम्पनियों में शामिल होंगे जो देश की अर्थव्यवस्था को बढ़ावा देने वाले सेक्टर्स का प्रतिनिधित्व करती हैं। यह कैसे होगा जानने के लिए अगले चैप्टर को देखें।

मिड–कैप इंडेक्स क्या है? क्या (सूचकांक) बैंक एक्स भी इंडेक्स है?

अगर आप जानना चाहते हैं कि मुद्रास्फीति कितनी है...सभी उपभोक्ता वस्तुओं में नहीं सिर्फ़ खाद्यान्न में, तो आप एक दूसरा इंडेक्स बनायेंगे। यह सूचकांक आपको सिर्फ़ खाद्यान्न वस्तुओं की ही क़ीमत वृद्धि बतायेगा। खाद्यान्नों में भी आप सिर्फ़ फल–सब्ज़ियों की क़ीमत पता करना चाहते हैं कि मुद्रास्फीति कितनी है तो फल–सब्जी के सूचकांक को देखें। इसी तर्क के आधार पर आप शेयर बाज़ार की गतिविधियाँ जान सकते हैं।

सेंसेक्स और निफ्टी फिफ्टी से स्टॉक एक्सचेंज में क़ीमतों में होने वाले उतार–चढ़ाव का मोटे तौर पर पता लगाया जा सकता है। यह कुछ वैसे ही है जैसा उपभोक्ता क़ीमत सूचकांक से मोटे तौर पर पता लग जाता है कि भारतीय उपभोक्ता को किन चीज़ों की क़ीमतों का परिवर्तन ज़्यादा प्रभावित करता है। मिड–कैप सूचकांक सिर्फ़ मिड–कैप कम्पनियों का प्रतिनिधित्व करने वाली कम्पनियों पर ही नज़र रखता है। ये कम्पनियाँ सेंसेक्स में अपनी जगह बनाने वाली परिपक्व व बड़ी कम्पनियों से छोटी हैं। छोटी हैं अतः उनका मार्केट कैप भी छोटा है और बाज़ार में उनके शेयर भी कम हैं। पर उनका विकास और गिरावट दोनों बहुत तेज़ी से हो सकते हैं।

मिड कैप सूचकांक और भी छोटी फर्मों की ख़बर रखता है। बैंक सूचकांक बैंक सेक्टर के शेयरों पर नज़र रखता है। पी.एस.यू. (पब्लिक सेक्टर अंडरटेकिंग) तालिका सिर्फ़ पी.एस.यू. की क़ीमतों के उतार–चढ़ाव को दर्शाती है। तकनीकी तालिका सिर्फ़ तकनीकी फर्मों की क़ीमतों का पता करती रहती है। इंफ्रास्ट्रक्चर से सम्बन्धित शेयर्स की सूचना आधारभूत ढाँचे के सूचकांक से मिल सकती है। (फास्ट मूविंग कन्ज़्यूमर गुड्स) एफ.एम.सी.जी. सूचकांक सिर्फ़ इन्हीं फर्मों की क़ीमतों को देखता है। आप अगर चाहें और आपके पास कोई आइडिया है तो आप भी उसकी तालिका बना सकते हैं।

विस्तृत उपभोक्ता क़ीमत सूचकांक की अपेक्षा खाद्यान्न सूचकांक अधिक अस्थिर होता है। उसी तरह मिड–कैप सूचकांक और सेक्टर सूचकांक की अपेक्षा सेंसेक्स अधिक स्थिर होगा। जो शेयर बाज़ार में थोड़े समय के लिए क़िस्मत आज़माते हैं, यह अस्थिरता उनको ज़्यादा प्रभावित करती है। सेंसेक्स को लम्बे समय का निवेश माध्यम समझना चाहिए।

विकसित होती हुई अर्थव्यवस्था में शेयर्स की क़ीमतें लम्बी अवधि में बढ़ती हैं। कैसे? ज़रा सोचिए...शेयर बाज़ार कोई कैसिनो नहीं है। यहाँ न्यायसंगत फर्म ही लिस्ट होती है ताकि पब्लिक और संस्थाएँ शेयर ख़रीदकर उन उद्योगों का हिस्सा बन सकें। फर्में वस्तुएँ बनाती है और सर्विस प्रदान करती हैं। जैसे–जैसे उनका विकास होता है, उनका लाभ भी बढ़ता है। शेयर्स की क़ीमत की बढ़त अच्छे लाभ तथा सम्भावित विकास पर निर्भर करती है। लम्बे समय में क़ीमतें बढ़ने से पता लगता है कि कम्पनी का कितना विकास हुआ और लाभ कितना बढ़ा।

मेरा मानना है कि इक्विटी मुद्रास्फीति से आपके पैसे को बचाती है। या यूँ कहें कि बाज़ार की बढ़ी क़ीमतों से ज़्यादा हमें मिल जाता है। आपको याद होगा....एफ.डी. जितना पैसा हमें लौटाती है, मुद्रास्फीति के कारण उसकी क्रय शक्ति कम हो जाती है। शेयरों की क़ीमतों में ऐसा क्या है कि उस पर मुद्रास्फीति का असर नहीं पड़ता? एक दफ़ा फिर बेसिक फ़ॉर्मूले पर ध्यान दें। व्यवस्था में जब मुद्रास्फीति बढ़ जाती है, तो फर्मों के ख़र्चे भी बढ़ा जाते हैं....उस कमी को पूरा करने के लिए फर्में अपनी चीज़ों की क़ीमतें बढ़ देती हैं; नुक़सान उपभोक्ता को उठाना पड़ता है।

कम्पनी अपनी चीज़ों की क़ीमतों में जो मार्जिन और लाभ रखती हैं, उनके कारण वे निवेश की क़ीमतों पर मुद्रास्फीति के प्रभाव से बची रहती हैं।

मुझे अपने पैसे को इक्विटी एक्सपोज़र देना क्यों अच्छा लगता है?

मैं अपनी वर्कशॉप या लेक्चर में जब भी एक स्लाइड दिखाती हूँ, दर्शकों की साँसें थम जाती हैं। वे स्लाइड में जो देख रहे होते हैं, उन्हें सहसा उस पर विश्वास नहीं होता। आख़िर उस स्लाइड में ऐसा है क्या? उसमें दिखाया गया है कि अगर आपने 1980 में चार अलग–अलग उत्पादों में एक लाख का निवेश किया था–तो आज उनकी क्या क़ीमत है? चार उत्पाद हैं...एफ.डी., सोना, पी.पी.एफ. और सेंसेक्स। चारों उत्पादों में 1980 में लगाया एक–एक लाख रुपया आज एफ.डी. में 19.35 लाख हो जायेगा; सोने में 16.10 लाख पी.पी.एफ. में 32.78 लाख और सेंसेक्स में ज़रा दिल थाम लें, 2.3 करोड़।

पर, ऐसा हुआ कैसे?

अगर आपने अब तक पढ़ी किताब और इस चैप्टर के पहले हिस्से को समझ लिया है तो ऊपर लिखी संख्याओं के अन्तर को भी आप समझ सकते हैं। एफ.डी. में सबसे कम लाभ मिलता है। क्योंकि मुद्रास्फीति के कारण पैसे की क्रय शक्ति कम हो जाती है। ब्याज दर ऊँची होने के कारण पी.पी.एफ. में अधिक लाभ मिलता है। सोने से होने वाला लाभ कम इसलिए है क्योंकि उसकी क़ीमत में बहुत उतार–चढ़ाव आते हैं। सोने के इतिहास पर नज़र डालें तो पायेंगे कि एक वक़्त में आपको बहुत लाभ मिला, पर लम्बे वक़्त में यह लाभ कम होता जाता है।

सेंसेक्स में ऐसा क्या जादू है कि लगभग चालीस साल तक पैसा आशातीत रूप से बढ़ता रहा? वास्तव में जादू–वादू कुछ नहीं है। एक विकासशील अर्थव्यवस्था में व्यापक बाज़ार सूचकांक में उस समय जो शेयर मुनाफ़ा कमा रहे होते हैं...उन्हें ही शामिल किया जाता है। जिस निवेश में भी आप सूचकांक शेयरों को उसी हिसाब से ख़रीदते हैं वहाँ आपको वैसा ही रिटर्न मिलेगा। साथ ही एक और फ़ायदा भी आपको होगा। कम्पनी अपना जो लाभांश घोषित करती है तथा बोनस दोनों आपको लाभ पहुँचाते हैं। इन सब कारणों से लम्बे समय बाद भी आपको शानदार रिटर्न मिलता है।

काफ़ी समय पहले, 'आउटलुक मनी' पत्रिका का सम्पादन करते वक़्त मैंने एक प्रयोग किया। अभी तक हम सेंसेक्स की ऊँच–नीच मापने के लिए बिन्दु से बिन्दु तक के रिटर्न को माप बनाते थे। मतलब...हम कोई एक

तारीख़ चुनकर देखते थे कि एक साल पहले उसी तारीख़ को रिटर्न क्या था दो साल पहले दस साल पहले...बीस साल पहले,...इसी तरह, किसी भी साल की उस एक तिथि को सेंसेक्स क्या रिटर्न दे रहा था। पर मान लें, हमने जो तिथि छाँटी, उस दिन बाज़ार बहुत ऊँचा था? ऐसे में हमें बहुत बढ़ा हुआ रिटर्न मिलेगा। अगर उक्त तिथि को बाज़ार बहुत नीचा था, तो?

मैं जानना चाह रही थी कि पिछले 30 सालों में किसी एक साल के किसी एक दिन में सेंसेक्स में निवेश के क्या हालात हैं? मान लें आपने 1980 की 1 जनवरी को एक लाख रुपये से सेंसेक्स में निवेश किया एक साल की अवधि के लिए। फिर 2 जनवरी 1980 को उसी तरह एक लाख निवेश किया एक साल के लिए। तीन जनवरी को भी एक साल के लिए वैसा ही निवेश किया। तीस साल तक आप यही प्रक्रिया दोहराते रहे। जाँचने पर देखा कि कभी तो ख़रीद के समय बाज़ार मन्दा था किन्तु आपका पैसा एक साल में दोगुना से ज़्यादा हो गया। कभी–कभी आपने बहुत ऊँची क़ीमत पर शेयर ख़रीदे पर उस एक साल में पैसा आधा रह गया।

अब इसी प्रयोग को दो साल की अवधि के लिए करें। आपने एक जनवरी 1980 को दो साल के लिए निवेश किया। तीस साल तक आप यही प्रक्रिया दोहराते रहे। आप देखेंगे कि पहले प्रयोग के मुक़ाबले इस प्रयोग में आपका लाभांश और हानि पहले से कम रही है। यही प्रयोग आप पाँच, दस, बारह, तेरह तथा और ज़्यादा सालों के लिए करें।

सातवें साल के नतीजे आपको चौंकाने वाले होंगे। लाभांश का घटना–बढ़ना कम होने लगा गया और एक साल का औसत रिटर्न 14–15 प्रतिशत हो गया है। कारण अनेक हैं, पर जो नतीजा सामने आया वह था कि सात से दस साल की अवधि में आपका कम–से–कम लाभांश भी सकारात्मक रहा।

आख़िरकार लम्बी तक अवधि निवेश की सकारात्मकता का प्रमाण मुझे मिल ही गया।

मुझे याद है मैंने दोपहर दो बजे जानने की यह प्रक्रिया शुरू की थी। काम ख़त्म करके जब मैंने बाहर देखा अँधेरा हो चुका था। यह एक बहुत व्यापक अंकगणित का काम था, पर जो आशातीत और अभूतपूर्व परिणाम सामने आये, उससे मेरा निश्चय और दृढ़ हो गया कि अभी तक भारत का मध्यम वर्ग जो अपने पैसे के निवेश के लिए सोना, ज़मीन और एफ.डी. पर निर्भर रहता है, उसके सामने शेयरों के गणित को लाना है अर्थात् शेयर बाज़ार कैसे काम करता है, उसका वैज्ञानिक फ़ार्मूला क्या है? यह बताना है।

आपने अक्सर एक जुमला सुना होगा–*मार्केट टाइमिंग से बेहतर है टाइम इनटू मार्केट।* याद रखें...अगर निवेश किया पैसा आपको एक साल बाद चाहिए तो शेयर बाज़ार में पैसा न लगायें।

इक्विटी या ज़मीन?

आप कुछ लोगों से पूछकर देखिए कि किस निवेश में सबसे ज़्यादा लाभ है? दस में से नौ लोगों का जवाब होगा–ज़मीन। दसवाँ व्यक्ति सोने में निवेश को बेहतर कहेगा। उनसे शेयर या इक्विटी का ज़िक्र करके देखिए, उनकी प्रतिक्रिया एकदम प्रतिकूल होगी। शेयर बाज़ार में हुए घपले उन्हें याद हैं...या फिर वे शेयर बाज़ार से ख़ौफ़ज़दा हैं।

मैंने जब भी किसी ग्रुप से बात की, सबकी प्रतिक्रिया ऐसी ही मिली। सोना और ज़मीन पूर्ण भरोसेमन्द, शेयरों पर भरोसा नहीं। चलो, इस पर ज़रा और गहराई से नज़र डालें; यह देखें कि किस निवेश में कितना रिटर्न मिलता है? मैं इसे दो भागों में बाँटकर स्पष्ट करूँगी।

एक ऐतिहासिक रिटर्न। सार्थक तुलना के लिए शुरुआत करते हैं.... जून 1980 में सेंसेक्स 127.9 था (एक अप्रैल 1979 को सेंसेक्स 100 था।) अब देखें कि इस समय में बाज़ार, ज़मीन और सोने का रिटर्न क्या रहा? तीनों का नतीजा सकारात्मक रहा।

जैसा हमने अभी पहले देखा–लम्बे समय के लिए सोने में किया गया निवेश सकारात्मक होगा। पर अगर 2012 में जब सोना सबसे महँगा था। आपने तब निवेश किया तो परिणाम प्रतिकूल होगा। उसी समय सेंसेक्स में किये निवेश का सालाना रिटर्न 16 प्रतिशत रहा 1970 और 2018 के बीच।

ज़मीन की क़ीमतों के उतार–चढ़ाव की विसंगतियों पर नज़र रखना मुश्किल है; एक तो उनके कोई आँकड़े उपलब्ध नहीं हैं, दूसरी कठिनाई अलग–अलग लोकेशन के कारण आती है। असलियत तक पहुँचने के लिए मैंने एक गाँव को चुना...जहाँ कुछ साल पहले भैंसे चरा करती थीं। आज वह एक अत्याधुनिक टाउन बन चुका है। आप समझ ही गये होंगे गुड़गाँव। 1980 से पहले वहाँ अर्थात् डी.एल.एफ. में रहने वाले कुछ लोगों से बात करके मैंने जानना चाहा कि वहाँ की क़ीमतों में क्या फ़र्क़ आया है। मुझे बताया गया कि पिछले 34 साल पहले निवेश किये दो लाख रुपये आज दो करोड़ बन गये हैं...यानी औसतन 15 प्रतिशत सालाना वृद्धि।

यहाँ यह याद रखना ज़रूरी है कि सोना और ज़मीन दोनों की स्थानान्तरित या ट्रांज़ैक्शन कॉस्ट होती है, जो इक्विटी में नहीं होती। ऊपरी दोनों चीज़ों का जो रिटर्न अन्ततः हमारे हाथ आता है, वह इक्विटी से कम होगा।

दूसरी बात–आपने इनफोसिस ख़रीदा तो आपका निवेश सफल रहा, पर सत्यम ख़रीदा तो नहीं रहा। यही बात सामूहिक आँकड़े छुपाते हैं। वही फ़र्क़ है कि आपने गुड़गाँव में या फ़रीदाबाद में ज़मीन ख़रीदी। एक जगह पर ख़ूब मुनाफ़ा, और दूसरी जगह पर बहुत कम। 2003 और 2008 के बीच का यह समय है।

मुझे याद है, उन दिनों मैं भी फ्लैट ख़रीदना चाह रही थी। 2003 में जो फ्लैट तीस लाख का था उसकी क़ीमत हर सप्ताह बढ़ रही थी। 2008 में वह हो गयी दो करोड़, पाँच साल में, हक्का–बक्का कर देने वाली 36 प्रतिशत धनात्मक (कंपाउंडेड) वार्षिक वृद्धि। एक साल ऐसा भी था जब दिल्ली में ज़मीन की क़ीमतें दुगनी हो गयीं। यह वृद्धि वक़्त की अनुकूलता पर निर्भर करती है–ज़मीन में भी और इक्विटी में भी।

2003 और 2006 के बीच ज़मीन ख़रीदने वालों का भाग्य अच्छा था। वरना वे कहाँ जानते थे उन दिनों में क़ीमतें कम रहेंगी और दुनिया में पैसे की भरमार होगी। उसी वक़्त के दौरान शेयर ख़रीदने वालों की क़िस्मत भी अच्छी थी। 2003–2008 के बीच सेंसेक्स का रिटर्न 35 प्रतिशत रहा। फिर 2009–2010 का साल भी याद रखा जायेगा उस एक साल में बाज़ार भाव दुगना हो गया। 2003 से 2014 के बीच ज़मीन और सेंसेक्स दोनों का रिटर्न 20 प्रतिशत रहा।

यह मत भूलिए कि इन आँकड़ों में ज़मीन हस्तान्तरित होने की क़ीमत, कर, रखरखाव पर किया ख़र्च और मुद्रास्फीति शामिल नहीं है। सोने में निवेश का रिटर्न हमेशा बढ़ा–चढ़ा कर दिखाया जाता है। अधिकांश लोग सोना गहनों की शक्ल में ख़रीदते हैं, उससे मिलने वाले लाभ का बड़ा हिस्सा गहने बनाने की क़ीमत के रूप में सुनार के पास चला जाता है। मुद्रास्फीति और कर के रूप में एफ.डी. से होने वाला लाभ नगण्य रह जाता है।

मुद्रास्फीति और कर चुकाने के बाद भी असल लाभ दो ही निवेश में मिलता है...ज़मीन और इक्विटी। ज़मीन से प्राप्त लाभ को गिनने से पहले ज़रा यह हिसाब लगा लें कि उस पर स्टाम्प डयूटी, रजिस्ट्रेशन, फिर किराये पर देने से पहले घर या फ्लैट में किये परिवर्तन तथा सुविधाएँ

उपलब्ध कराने में आपने कितना ख़र्च किया, तो ज़मीन में निवेश का आकर्षण सहसा कम हो जाता है। अभी मैंने ज़मीन ख़रीदने के कमरतोड़ अनुभव को इसमें शामिल नहीं किया है। याद करें ज़मीन एजेंट ने आपको कितना घुमाया? इसके अलावा ज़मीन ख़रीदने में कालेधन का साँप कैसे फन फैलाये बैठा रहता है?

इक्विटी में निवेश के नियम

इक्विटी निवेश के कुछ अपने नियम हैं। आप नियमानुसार नहीं चलेंगे तो नुक़सान उठायेंगे।

पहली बात : *ज़मीन ख़रीदते समय आप जितना धीरज रखते हैं, इक्विटी ख़रीदते समय भी उतना ही धीरज रखिए–एक अच्छे इक्विटी पोर्टफोलियो में पाँच साल का धैर्य आवश्यक है, लगातार लाभ मिलता रहे–दस साल का धैर्य और 'सहज पके सो मीठा होय' वाली कहावत को चरितार्थ करना है तो पन्द्रह से बीस साल धैर्य रखें।*

दूसरी बात : आपका सबसे बड़ा जोखिम ग़लत उत्पाद में पैसा लगाना है; जहाँ पन्द्रह साल बाद आपको पता लगे कि आपके फंड मैनेजर ने आपको ग़लत उत्पाद पकड़ा दिया। आप देखते हैं कि और लोग कहाँ से कहाँ पहुँच गये और आप बाज़ार में औसत उत्पाद पर मिलने वाले रिटर्न से भी पिछड़ गये हैं।

तीसरी बात : बाज़ार में उपलब्ध इक्विटी उत्पाद जैसे डायरेक्ट स्टॉक, बाज़ार से जुड़े उत्पाद, यूनिट लिंक्ड इंश्योरेंस प्लान (यू.एल.आई.पी.) और म्युचुअल फंड–इनमें से कहाँ निवेश करें, आप यह फ़ैसला करने में ख़ुद को असमर्थ पाते हैं, और फंड मैनेजर की मदद नहीं लेना चाहते तो ब्रॉड मार्केट इंडेक्स या मिड–कैप–इंडेक्स की मदद लें। बिना फंड मैनेजर की मदद के बाज़ार से औसत लाभ प्राप्त करने का यह सबसे सुरक्षित तरीक़ा है।

यह सही है कि सर्वोत्तम तरीक़े से पैसे को निवेश करने वालों से आप बहुत पीछे हैं पर एकदम घटिया निवेशकों से आप काफ़ी अच्छी स्थिति में हैं। ई.टी.एफ. की मामूली–सी क़ीमत है–क्योंकि अब एम्प्लाई प्रॉविडेंट फंड ऑर्गनाइज़ेशन (ई.पी.एफ.ओ.) का पैसा एस.बी.आई. म्युचुअल फंड में आ जाता है, अतः ई.टी.एफ. ने बाज़ार में क़ीमत कम कर दी है।

औसत इक्विटी फंड में आप सालाना रिटर्न का दो प्रतिशत क़ीमत के रूप में देते हैं। उधर सबसे सस्ता ई.टी.एफ. 0.03 प्रतिशत लेता है।

तीस साल के बाद, क़ीमत का यह अन्तर काफ़ी महत्त्वपूर्ण हो जायेगा, बशर्ते आपने जो विभिन्न फंड्स लिए हुए हैं, उनमें और इंडेक्स की क़ीमत में ज़्यादा फ़र्क़ न हो।

चौथी बात : किसी एक कम्पनी या सम्पत्ति प्रबन्धक (असेट–मैनेजर) के साथ निवेश करके खुद को जकड़ न दें। हम अक्सर एक तथ्य भूल जाते हैं कि लम्बे समय के लिए किये गये इक्विटी निवेश में ख़तरा बाज़ार से नहीं, बल्कि फंड के ग़लत तरीक़े से किये प्रबन्ध से है। यही वजह है, मैं आपको अपने इक्विटी पोर्टफोलियो में यू.एल.आई.पी. रखने की सलाह नहीं देती, चाहे उसकी क़ीमत म्युचुअल फंड की क़ीमत के बराबर ही हो।

यू.एल.आई.पी. में आप किसी कम्पनी विशेष के सम्पत्ति प्रबन्धन में फँसकर रह जाते हैं वहाँ से निकलना बहुत महँगा बैठता है। आप ऐसा उत्पाद चाहते हैं जहाँ से निकलना सम्भव, आसान व सस्ता हो। बस, आप इसे वहाँ से निकलने का साधन समझें अगर आप अपने वर्तमान फंड प्रबन्धक से असन्तुष्ट हैं तो बहुत कम क़ीमत में आप अपना पैसा दूसरे फंड प्रबन्धक को दे सकते हैं।

पाँचवीं बात : अगर आप फंड में निवेश करना चाहते हैं तो पहले उसको अच्छी तरह समझ लें। *मिंट* में प्रकाशित *मिंट* कवरेज को पढ़ें (http:/bit.ly/1Kd4Mhv)। उनके 'वैल्यू रिसर्च डाटा' (http:/bit.ly/1Kdy chan) तथा 'मॉर्निंग स्टार रेटिंग' (http:/bit.ly/1Tsoxzy) को पढ़ें। कुछ स्मार्ट निवेशक अपने पैसे को इन तीनों मानकों द्वारा परखते हैं, देखने के लिए ये ठीक बताते हैं या नहीं। फ़ैसला ऐसा करें जिस पर आप अमल कर सकें और टिक सकें। इक्विटी में निवेश न करना कोई विकल्प नहीं है। ज़रूरत इस बात की है कि आप निवेश के मूलभूत नियमों को पहले समझ लें।

आपको याद होगा कि हमने एक आपात् फंड बनाया था। स्वास्थ्य बीमा और जीवन बीमा इसलिए ख़रीदा था ताकि आप लम्बे समय के लिए निवेश का लाभ ले सकें। ऐसा करके हमने कभी भी पैसा निकाल पाने (लिक्विड मनी) की ज़रूरत को ही ख़त्म कर दिया। अब आपके मनी–बॉक्स को किसी सुरक्षा घेरे की ज़रूरत नहीं रही। इक्विटी निवेश में छोटी अवधि के समय की ज़रूरत का जोखिम उठाने की जो क्षमता है वही क्षमता, अब आपके मनी–बॉक्स में भी प्राप्य है।

जब मैं इक्विटी निवेश की हिमायत कर रही हूँ तो, *निवेशक भी इस बात को याद रखें कि वे जितना महत्त्व ज़मीन–जायदाद में निवेश को देते हैं,*

उतना ही महत्त्व इक्विटी को दें तो उनका सफ़र आसान हो जायेगा, वह भी कम क़ीमत में। यह ज़रूर है कि इक्विटी निवेश के लिए आप नियमों का पालन करें।

इन सब बातों के साथ जो एक नियम महत्त्वपूर्ण है–अगर आप जुआ खेलना चाहते हैं (निवेश माध्यम से) तो कैसिनो जायें। इक्विटी से जुड़ने के लिए ज़रूरी है कि आपका पोर्टफोलियो ऐसा हो जो आपको इंडेक्स प्लस रिटर्न दे न कि छोटी और ग़ैर–ज़रूरी चीज़ों पर बोली लगायें। ऐसा करोगे तो बाद में रोना मत।

इक्विटी ख़रीदने का सर्वोत्तम तरीक़ा क्या है? म्युचुअल फंड। वह अगले चैप्टर में।

आपको डायरेक्ट स्टॉक नहीं इक्विटी की ज़रूरत है। इक्विटी में पैसा लगाने का सबसे अच्छा रास्ता है म्युचुअल फंड। याद रखें–सुरक्षित इक्विटी रिटर्न के लिए भी एक रास्ता है; उसके लिए ज़रूरत है कि आपके पास पक्की योजना हो और अपने डर और लालच को आप क़ाबू में रख सकें।

आप ठीक रास्ते पर हैं, अगर....

1. आप इस तथ्य को समझते हैं कि इक्विटी का लाभ धीरे–धीरे समय के साथ मिलता है। रिटर्न पाने के लिए कम–से–कम सात से दस साल तक धैर्य रखना होगा।
2. आप जानते हैं कि रातोरात आपका पैसा दुगना नहीं हो जायेगा। आपको वार्षिक रिटर्न 12–15% के हिसाब से मिलेगा।
3. आप जानते हैं कि इक्विटी निवेश के लिए म्युचुअल फंड सबसे अच्छा रास्ता है।
4. आप समझ गये हैं कि किस फंड को लें आप इसका फ़ैसला नहीं कर सकते तो इंडेक्स फंड या ई.टी.एफ. के माध्यम से निवेश करें।

निवेश का पथ : म्युचुअल फंड

कोई भी मनी–बॉक्स म्युचुअल फंड के बिना अधूरा है। हर स्थिति के अनुकूल उसमें कोई–न–कोई ऐसा उत्पाद होना ज़रूरी है। हर ज़रूरत के लिए, ये वह रास्ता है जो काफ़ी सुरक्षित है।

काफ़ी समय पहले, एक बिज़नेस पत्रकार दम्पत्ति के एक बेटी थी। माता–पिता में से एक व्यक्तिगत वित्त मामलों का विशेषज्ञ था। बेटी ने बड़े होते हुए घर में चर्चित जुमलों, जैसे–असेट ऐलोकेशन, फ़िस्कल डेफ़िसिट, इनफ्लेशन और कैपिटल गेन–को ही सुना। वह जब दस साल की थी, उसके स्कूल में एक अभ्यास कराया गया।

बच्चों से कहा गया कल्पना करो तुम्हारे पास पाँच लाख रुपये हैं। तुम इन रुपयों से क्या करना चाहोगे? बच्चों की कल्पना ने उड़ान भरी–किसी ने क़िस्म–क़िस्म की गुड़ियाएँ ख़रीदीं; किसी ने कार, चॉकलेट, डिज़्नीलैंड का ट्रिप, आइसक्रीम का पहाड़, प्ले स्टेशन–ओह! तरह तरह की ख़्वाहिशें। एक बच्चे ने एक बिज़नेस योजना बनायी–तीन लाख रुपये से कुत्तों के घर (कैनल) का बिज़नेस शुरू करेगी। एक लाख रुपये म्युचुअल फंड में जायेंगे और एक लाख रुपये में वह अपने लिए दो कुत्ते और बिल्लियाँ ख़रीदेगी।

कुत्तों के बिज़नेस से उसे एक साल में दस लाख रुपये का लाभ होगा। इस पैसे को वह परिवार के सभी सदस्यों में बाँट देगी; और कुछ रुपयों से वह अपने लिए और पालतू जानवर ख़रीद लेगी। बेटी से उसकी योजना सुनकर मुझे धक्का लगा–हमने अपनी बेटी का बचपन ख़राब कर दिया–एक दस साल के बच्चे के लिए यह नॉर्मल कल्पना नहीं थी!

चलो म्युचुअल फंड पर आते हैं। म्युचुअल फंड क्या होते हैं? आप इन्हें शेयर कहेंगे। पर ये शेयर नहीं हैं। वे सिर्फ़ इक्विटी में ही निवेश करते हैं। यह भी ग़लत। वास्तव में वे अनेक तरह के उत्पादों में निवेश

करते हैं। इक्विटी या शेयर तो उन अनेकों में से सिर्फ़ एक उत्पाद हैं। फंड जिन्हें ख़रीदते हैं। उनसे आप बॉण्ड या सोने में निवेश कर सकते हैं। जल्दी ही ज़मीन में भी कर सकेंगे। म्युचुअल फंड ख़रीदकर आप अपना पूरा का पूरा पोर्टफोलियो इन विभिन्न उत्पादों से बना सकते हैं। फिर इन उत्पादों में से ही आप अपनी सभी छोटी अवधि व बड़ी अवधि की ज़रूरतों को पूरा करने के लिए विविधता वाला पोर्टफोलियो तैयार कर सकते हैं।

मैं जिस घर में रहती हूँ और मेरा पी.एफ., इसके अलावा मेरा सारा पैसा म्युचुअल फंड्स में है। तो यह म्युचुअल फंड हैं क्या और मुझे ये क्यों इतने ज़्यादा पसन्द हैं?

कल्पना करें आप एक लम्बी यात्रा पर जाने की योजना बना रहे हैं। आपको सोचना होगा कि यात्रा किस माध्यम से करेंगे—अपनी कार से जायेंगे, ट्रेन या फिर हवाई जहाज़ से जायेंगे? आप अपनी कार से जाने का फ़ैसला करते हैं, तो सबसे पहले आपको कार ड्राइव करनी आनी चाहिए, रास्तों का पता होना ज़रूरी है, कार का रखरखाव और देखभाल आनी चाहिए और अपनी सुरक्षा का पूरा ध्यान भी आप रखेंगे। और हाँ, लम्बे समय तक ड्राइव करने की ऊर्जा आप में होनी चाहिए। अगर आप ट्रेन या हवाई जहाज़ में यात्रा करते हैं तो आपको मंज़िल तक पहुँचाने की सारी ज़िम्मेदारी ट्रेन या जहाज़ की होगी—जिनका काम ही यह है कि यथोचित क़ीमत में आपको अपनी मंज़िल तक सुरक्षित पहुँचा दें।

इसी तरीक़े से आप निवेश भी कर सकते हैं। आप ख़ुद भी यह कर सकते हैं। उसके लिए आपके पास समय होना ज़रूरी है, कौन—सा स्टॉक ख़रीदें—इसकी जानकारी और क्षमता होनी चाहिए, पोर्टफोलियो कैसे बनायें और उसे कैसे सँभाले—यह भी आपकी ज़िम्मेदारी होगी। दूसरा रास्ता है—आप यह सारा काम विशेषज्ञों को सौंप दें जिनका लक्ष्य ही आपके पैसे की देखभाल करना है।

बहुत बड़ी संख्या में छोटे निवेशकों का पैसा इकट्ठा करके उसे सँभालने के लिए विशेषज्ञों को दे देने का नाम ही म्युचुअल फंड है।

इसको यूँ समझें—आपकी मासिक बचत पाँच हज़ार, पच्चीस हज़ार या दो लाख है। इसको बाज़ार में निवेश करने का काम कठिन है। पहले तो आप सही उत्पाद ढूँढ़ेंगे; इतनी खोज करने के लिए आपके पास समय भी होना चाहिए और फिर प्रतिदिन उसके उतार—चढ़ाव का ध्यान भी आपको ही रखना होगा।

पर अगर आप और आप जैसे हज़ारों लोग अपना पैसा एक जगह इकट्ठा करें, तो, एक बहुत बड़ी रक़म बन जायेगी। इस पैसे से अच्छा रिटर्न मिले, इसके लिए एक पेशेवर धन प्रबन्धक की मदद ले सकते हैं; पर वह आपको बहुत महँगा पड़ेगा, शायद आपकी वार्षिक आय से भी ज़्यादा। जब हज़ारों छोटे निवेशक अपना पैसा एक जगह इकट्ठा कर लेते हैं, तो उसमें बड़ी धनराशि की शक्ति आ जाती है। कम क़ीमत में बहुत ज़्यादा ख़रीदा जा सकता है। धन प्रबन्धक की मदद भी आसानी से ली जा सकती है।

यहाँ यह जान लेना हितकर होगा कि यह 'म्युचुअल फंड' चीज़ क्या है? भारत में म्युचुअल फंड उद्योग के तीन सोपान हैं। पहले कोई व्यवसायी फर्म जो म्युचुअल फंड शुरू करना चाहती है। उसको कहते है 'स्पॉन्सर'। स्पॉन्सर बनने के लिए सेबी ने कुछ नियम बना रखे हैं। स्पॉन्सर लाभ कमाने की उम्मीद से पैसा निवेश करके म्युचुअल फंड शुरू करता है। वह एक ट्रस्ट बनाता है और एक असेट मैनेजमेन्ट कम्पनी (ए.एम.सी.) द्वारा निवेशकों से इकट्ठा किया गया पैसा ट्रस्ट का हो जाता है। उस पैसे के अभिभावक के रूप में स्पॉन्सर ट्रस्टी नियुक्त करता है।

ए.एम.सी. ट्रस्ट को सेवा प्रदान करती है और इसके लिए फ़ीस लेती है, जिसे कहते हैं ए.एम.सी. फ़ीस। उत्पाद को बाज़ार में उतारने से पहले ए.एम.सी. की अनिवार्यता है कि वह सारी योजनाओं और स्कीमों को ट्रस्टियों से अनुमोदित करा ले। निवेशकों को आकर्षित करने के लिए ए.एम.सी. कई स्कीमें शुरू कर देती है। इसको समझने के लिए एक कार कम्पनी का उदाहरण लें–कम्पनी कम क़ीमत वाली कार से लेकर महँगी से महँगी कारों को अनेक डिज़ाइनों में पेश करती है।

कार ख़रीदने वाला अपनी ज़रूरत के अनुरूप कारों के उपलब्ध मॉडल्स में से कोई चुन लेता है। दफ़्तर में काम करने वाला शहरी बाबू दफ़्तर जाने–आने के लिए 'सेडन' को चुन सकता है। यात्रा का शौक़ीन जो सप्ताहान्त में पहाड़ों पर जाना पसन्द करता है–फोर–व्हीलर एस.यू.वी. को चुनेगा। इसी तरह ए.एम.सी. तरह–तरह की स्कीम बाज़ार में उतारती हैं। आप अपनी ज़रूरत के हिसाब से कोई भी स्कीम चुन सकते हैं।

ओह! एक नया शब्द और–'इनवेस्टमेंट ऑब्जेक्टिव।' अर्थात् आप किस उद्देश्य से निवेश कर रहे हैं? अगर आप सिर्फ़ और सिर्फ़ अच्छे लाभ के लिए निवेश कर रहे हैं, तो अभी बहुत कुछ समझना बाक़ी है।

सुनने में यह आकर्षक लगता है, पर क्या ये सचमुच सुरक्षित हैं?

'सुरक्षित' से आप क्या समझते हैं? अगर आपकी सोच है कि जैसे हॉफलैंड फ़ाइनेंस, एमु स्कीम्स या होम ट्रेड जैसे अनेक बहुस्तरीय मार्केटिंग घोटालों में लोगों का पैसा मारा गया तो निश्चिन्त रहें यहाँ धोखे का जोखिम नहीं है। म्युचुअल फंड और उनके स्पॉन्सर पैसा लेकर भाग ही नहीं सकते।

इसी प्रसंग में एक उदाहरण : 1992 में हुए हर्षद मेहता शेयर बाज़ार घोटाले के बाद ज़बरदस्त राजनीतिक दबाव था कि खुदरा वित्तीय उत्पादों को अभेद्य नियमों से बाँध दिया जाये। 1993 में प्राइवेट सेक्टर के आगमन से यू.टी.आई. का एकाधिकार ख़त्म होने पर म्युचुअल फंड उद्योग वास्तव में स्वतन्त्र हुआ। निजी सेक्टर के प्रवेश के नियम इतने मज़बूत थे कि स्पॉन्सर या ए.एम.सी. निवेशक के पैसे लेकर भाग ही नहीं सकती थी। इसीलिए पैसा एक ट्रस्ट के प्रबन्ध में रहता था। भारत में ट्रस्ट के नियमों के अनुसार दोषी पाये जाने की स्थिति में ट्रस्टी की निजी सम्पत्ति ज़ब्त कर ली जायेगी और वे जेल भी जा सकते हैं। इसीलिए कोई म्युचुअल फंड निवेशकों का पैसा लेकर भागा नहीं।

आपके पैसे की चोरी नहीं हो सकती। लेकिन बाज़ार की अस्थिरता अर्थात् ऊँच–नीच का असर तो आपके पैसे पर पड़ेगा ही। म्युचुअल फंड्स बाज़ार आधारित उत्पाद है। इसे ऐसे समझें...फंड जिन उत्पादों को ख़रीदते हैं, उनकी तात्कालिक क़ीमत (उस समय बाज़ार में उनकी जो क़ीमत है), को दर्शाते हैं। ये उत्पाद बाज़ार से ही जुड़े हैं।

याद है कि यूनिट 64 का बुलबुला फट गया था? कारण था सेबी ने म्युचुअल फंड के लिए जो नियम निर्धारित कर रखे हैं, यू.टी.आई. उन नियमों का पालन नहीं करना चाहती थी और उसने अपने पोर्टफोलियो को मार्क टू मार्केट नहीं किया। मतलब सही भाव क्या है, यह बताना मुश्किल था। फलतः यू.टी.आई. में काम करने वालों के अलावा और किसी को पोर्टफोलियो की वास्तविक क़ीमत पता ही नहीं होती थी। परिणामतः उनके पोर्टफोलियो को जब वास्तविक बाज़ार क़ीमत के आधार पर जाँचा गया तो वहाँ भारी घाटा पाया गया, जिसे छिपाया गया था।

अनेकों खुदरा निवेशक, विशेषकर रिटायर्ड लोग यूनिट 64 घोटाले में अपनी बचत गँवा बैठे। यू.टी.आई. के घोटाले के कारण उसके प्रति अविश्वास पैदा हो गया। एक ख़ास उम्र तक के लोग, इसी वजह से, आज तक म्युचुअल फंड में निवेश करने से कतराते हैं। तब सरकार ने

यू.टी.आई. को दो भागों में बाँट दिया–अच्छी यू.टी.आई. जो सेबी नियमों का पालन करती थी; और खराब यू.टी.आई., समस्त विषाक्त सम्पत्ति जिसके पास थी।

आप जिस यू.टी.आई. (म्युचुअल फंड) से अब स्कीम ख़रीद सकते हैं– अच्छी यू.टी.आई. है। जब–जब भी म्युचुअल फंड उद्योग में कोई गड़बड़ी पायी गयी, बाज़ार दिशा–निर्देशक ने नियमों को और सख़्त कर दिया। यह सिलसिला आज तक चल रहा है ताकि खुदरा निवेशक सुरक्षा की भावना से बाज़ार में आयें।

फंड कितनी तरह के हैं?

आज आप म्युचुअल फंड के ज़रिये तीन तरह के उत्पादों को ख़रीद सकते हैं–ऋण, सोना और इक्विटी। कुछ ही समय में आप विशिष्ट म्युचुअल फंड के माध्यम से ज़मीन भी ख़रीद सकेंगे। इसे 'रियल एस्टेट इनवेस्टमेंट ट्रस्ट' कहते हैं।

इक्विटी म्युचुअल फंड में लिस्ट की हुई कम्पनियों के शेयर ख़रीदे जा सकते हैं। ऋण म्युचुअल फंड में बॉन्ड्स और सरकार द्वारा जारी किये गये ऋण पेपर ख़रीद सकते हैं। गोल्ड फंड में वास्तविक सोने की ख़रीद हो सकती है। ये तीनों सम्पत्ति श्रेणियाँ भी अलग–अलग वर्गों में विभाजित हैं।

यह व्यक्तिगत वाहन सेक्टर की तरह है। जैसे–इस सेक्टर में दो पहिया और चार पहिया वाहन आते हैं। दो पहिया में भी मोटरसाइकिल और स्कूटर हैं। स्कूटर वर्ग में भी गियर वाले बिना गियर वाले स्कूटर आते हैं।

चार पहिया में भी छोटी कारें, बड़ी कारें, सीडन, स्पोर्ट्स, लग्ज़री कारें आदि आती हैं। प्रत्येक वर्ग कई श्रेणियों में विभक्त होगा। उपलब्ध कारों में से आप अपनी ज़रूरत और बजट के हिसाब से कार चुन सकते हैं। ठीक इसी तरह बाज़ार में उपलब्ध फंड्स का हिसाब है। मुख्यतः सम्पत्ति की श्रेणी के हिसाब से तीन श्रेणियाँ हैं– ऋण, इक्विटी और सोना। तीनों श्रेणियाँ भी अलग–अलग वर्गों में बँटी हुई हैं– जो एक जैसी स्कीमों का एक ग्रुप बना देती हैं।

ऋण फंड : ऋण फंड में आप सरकार या कम्पनियों या दोनों द्वारा जारी किये गये ऋण पेपर्स ख़रीद सकते हैं। अब यह ऋण पेपर क्या है? यूँ तो बाज़ार में अनेक प्रकार के ऋण पेपर्स उपलब्ध हैं, पर हमें ज़रूरत

यह जानने की है कि ऋण पेपर मूलतः कैसे काम करते हैं? ऋण पेपर को हम बॉन्ड कह सकते हैं।

किसी भी कम्पनी को पैसे की ज़रूरत होती है–दीर्घकाल और अल्प अवधि दोनों के लिए। कम्पनी बॉन्ड जारी करती है। बॉन्ड ख़रीदने वाले को नियमित रूप से ब्याज मिलता रहेगा। परिपक्व हो जाने पर सारा पैसा वापस मिल जाता है। यह सारी प्रक्रिया एफ.डी. जैसी ही है–एफ.डी. को तो हम समझ ही चुके हैं।

बॉन्ड्स अनेक प्रकार के हैं। जितने वक़्त के लिए कम्पनी को पैसा दिया जाता है, उसी के अनुरूप बॉन्ड होगा। कुछ ऐसे बॉन्ड हैं जो एक दिन में ही परिपक्व हो जाते हैं। कुछ तीस साल में परिपक्व होते हैं। लम्बी अवधि वाले बॉन्ड प्रायः सरकारें जारी करती हैं। अल्प अवधि वाले बॉन्ड सरकार और कम्पनियाँ दोनों जारी करते हैं।

हम सीधे कम्पनी से ही बॉन्ड क्यों नहीं ख़रीद लेते? कम्पनी डिपॉज़िट की शक्ल में हम यही करते हैं और ऐसा करके जो बुरी तरह घाटा उठा चुके हैं, वे दोबारा ऐसा नहीं करने की क़सम खा लेते हैं। पर ऐसा क्यों? कारण है कि एक अकेले व्यक्ति के लिए किसी कम्पनी के असली हालात जानना बहुत मुश्किल है। गुज़रते वक़्त के साथ उसकी हालत में कैसे उतार–चढ़ाव आ रहे हैं–उस पर भी नज़र नहीं रखी जा सकती। अच्छा यही है कि यह काम विशेषज्ञों को ही करने दें।

इसको इस तरह समझा जा सकता है–आप एक, दो या तीन कम्पनियों के बॉन्ड ख़रीदते हैं। म्युचुअल फंड कम–से–कम पच्चीस–तीस कम्पनियों के बॉन्ड ख़रीदते हैं। आपकी तीन कम्पनियों में से अगर एक घाटे में चली गयी तो सीधे–सीधे आपका एक तिहाई पैसा चला गया। अगर यही बॉन्ड आपका म्युचुअल फंड के पास है, तो आपको नाममात्र का घाटा होगा, क्योंकि म्युचुअल फंड के पास अनेक कम्पनियों के बॉन्ड हैं।

इसे विविधता कहते हैं–ख़रीदे गये उत्पादों की संख्या बढ़ाकर हम घाटे का जोखिम कर देते हैं। ऐसे में हम बॉन्ड नहीं ख़रीदेंगे। अब हमें ऐसे विशेषज्ञ को चुनना होगा जो बाज़ार में उपलब्ध सभी म्युचुअल फंड्स की जानकारी रखता हो। ऐसा भी किया जा सकता है। पर ये बातें बाद में। अभी तो हम निवेश का क, ख, ग ही सीख रहे हैं। अभी अर्जित ज्ञान की मदद से ही हम, बाद में पूरे शब्द और फिर पूरा पैराग्राफ़ बना सकेंगे।

याद रखने की पहली बात....हम वे ही ऋण उत्पाद ख़रीदें जहाँ म्युचुअल फंड स्कीमों के निवेश का दायरा हमारे दायरे से मेल खाता हो। या फिर ऐसे उत्पाद जो हमारी समय–अवधि से मेल खाते हों, इन्हें 'टैनर' भी कहा जाता है। हम जितने समय के लिए उत्पाद ख़रीदना चाहते हैं यानी स्कीम की कोई समय सीमा भी हो।

इसका सीधा मतलब यह है अगर हमें कम समय के लिए निवेश करना है तो हम अल्प अवधि वाले उत्पाद ही ख़रीदें। लम्बी अवधि की ज़रूरत के लिए लम्बी अवधि वाले उत्पाद ख़रीदें। पर इन उत्पादों में निवेश करने से पहले यह समझ लेना बेहतर होगा कि ऋण उत्पादों का वर्गीकरण कैसे होता है?

ऋण उत्पादों के प्रकार : ऋण फंड बाज़ार को हम दो भागों में विभक्त कर लें। एक है टैनर, अर्थात् बॉन्ड की समय सीमा क्या है? दूसरा है–फंड ने जो ऋण उत्पाद ख़रीदे हैं, उनकी गुणवत्ता क्या है?

आप जब भी ऋण फंड के बारे में सोचें तो फ़ैसला करने से पहले दो प्रश्न ख़ुद से ज़रूर कर लें। मैंने जितने समय के लिए फंड ख़रीदना है, ऋण फंड भी उतने ही समय में परिपक्व हो रहा है या नहीं? अगर मुझे पैसा अगले सप्ताह चाहिए और फंड औसतन तीन साल में परिपक्व होगा तो क्या मैं उसे ख़रीदूँ? अरे भई, बिल्कुल नहीं।

दूसरा सवाल? स्कीम के पास किस गुणवत्ता के ऋण बॉन्ड्स उत्पाद हैं? गुणवत्ता जितनी अच्छी होगी–सम्भावित होगा ही होगा। लाभ उतना कम होगा। गुणवत्ता जितनी कम होगी, लाभ और जोखिम उतना ही ज़्यादा होगा। अगर आप अपने ऋण फंड में कोई जोखिम नहीं चाहते तो ऊँची गुणवत्ता वाले पेपर्स ही ख़रीदें। पूरी सुरक्षा के लिए कुछ कम लाभ घाटे का सौदा नहीं रहेगा। कहा भी गया है...लालच बुरी बला है। पैसा खोकर इसकी क़ीमत चुकानी पड़ती है।

आपके पास जो ऋण फ़ंड होने चाहिए, मैं ऐसे दो वर्गों की बात बताती हूँ। वैसे तो दो के अलावा भी और कई हैं, पर उनकी बात नहीं। क्योंकि आपको जो निवेश तीन या पाँच साल के लिए करना है, उसके लिए सिर्फ़ ऋण उत्पाद ख़रीदने में मुझे कोई अक्लमन्दी नज़र नहीं आती।

लिक्विड फंड्स : बैंक में किया सेविंग्स डिपॉज़िट लिक्विड फंड जैसा है। लिक्विड फंड का उद्देश्य है कि जब ज़रूरत हो, पैसा निकाला जा सके।

लिक्विड फंड जिन बॉन्ड्स को ख़रीदते हैं वे अल्पावधि में परिपक्व होने वाले होते हैं। यूँ कहें कि वे औसतन तीन महीने में परिपक्व हो जाते हैं।

ऋण उत्पाद ख़रीदते समय आपका पाला औसत परिपक्वता (एवरेज मैच्योरिटी) टर्म से पड़ेगा। इसका मतलब यह है कि ये बॉन्ड तीन महीने की अवधि वाले होते हैं। हो सकता है कि कोई बाँड अगले दिन ही परिपक्व हो रहा हो, कोई एक सप्ताह, दो महीने या चार महीने में। पर औसत समय है तीन महीने।

लिक्विड मनी से अल्पावधि बॉन्ड ही ख़रीदे जाते हैं। लिक्विड फंड में उतना ही पैसा लगाये, जितने की ज़रूरत आपको थोड़े समय बाद पड़ने वाली है। मुझे अगर पता है कि अगले तीन–छह महीने में मुझे पैसों की ज़रूरत पड़ेगी, मैं उतना ही पैसा लिक्विड फंड में रखती हूँ।

सेबी (एस.ई.बी.आई.) ने नियमों में थोड़ी ढील दे दी है। अब लिक्विड फंड में से, एक दिन में पचास हज़ार रुपये तक फ़ौरन निकाले जा सकते हैं या आपके लिक्विड फंड का नब्बे प्रतिशत तक निकाला जा सकता है–दोनों में से जो कम हो। अगर आपको फ़ौरन पैसा चाहिए तो अपने फंड हाउस वेबसाइट पर बेच दो (सैल) को दबा दें। फंड तुरन्त पचास हज़ार तक की राशि आपके बैंक में स्थानान्तरित कर देगा।

अगर आपके लिक्विड फंड एक से ज़्यादा फंड हाउस में हैं, तो जितने फंड हाउस में आपका पैसा है, वे सब पचास–पचास हज़ार रुपये फ़ौरन आपको दे देंगे...चाहे अभी बाज़ार खुला भी न हो। कुछ फंड हाउस तो डेबिट कार्ड के ज़रिये भी लिक्विड फंड से पैसा निकालना मान्य कर दे रहे हैं। इन फंड्स में जोखिम की सम्भावना बहुत कम है। यहाँ आपकी पूँजी पूर्ण सुरक्षित है।

वित्तीय दुर्घटनाएँ कई रूपों में सामने आती हैं। ऐसा भी हुआ है कि बैंक भी खाता फ्रीज़ कर सकता है। आपको नवम्बर 2016 के विमुद्रीकरण के दिन याद होंगे...लम्बे समय तक हम अपने ही खातों से पैसा नहीं निकाल सके थे। दुर्घटना कहीं भी घट सकती है। लिक्विड फंड को भी आप इसी दृष्टिकोण से देखें। आपका निवेश किया पैसा सुरक्षित है, पर किसी अनहोनी घटना के कारण जोखिम में आ सकता है। इस तरह की दुर्घटना से बचाव की कोई गारंटी नहीं है।

अल्ट्रा शॉर्ट टर्म फंड्स

जैसा इसके नाम से ही स्पष्ट है, आप नौ महीने से एक साल तक के लिए इनमें निवेश कर सकते हैं। ये फंड उन्हीं बॉन्ड में निवेश करते हैं जो लगभग नौ महीनों में परिपक्व होने वाले हों। जो ऋण–पेपर एक सप्ताह से लेकर अठारह महीनों में परिपक्व होते हैं–ये फंड उन्हें ही ख़रीदते हैं। यद्यपि इनमें जोखिम का ख़तरा बहुत कम है, तो भी जो म्युचुअल फंड घटिया गुणवत्ता के बॉन्ड ख़रीद रहे हैं–आप उन पर नज़र रखें– कहीं ऐसा न हो वे आपको होने वाले लाभ पर बुरा असर डाल दें।

हम पहले पढ़ चुके हैं कि सरकारी बॉन्ड सबसे सुरक्षित हैं। इनमें बेईमानी का ख़तरा शून्य है इसलिए इनकी ब्याज दर भी सबसे कम है। इसको यूँ भी कह सकते हैं कि सरकार अपने ऋण सदैव चुका देती है। ब्याज और मूल के भुगतान का बॉन्ड जितना कम होता जाता है, इन बॉन्ड्स का दर्जा काफ़ी नीचे चला जाता है।

ख़रीद के लिए ट्रिपल ए (ए.ए.ए.) सबसे सुरक्षित बॉन्ड्स हैं...उधर डबल बी (बी.बी.) में जोखिम बहुत ज़्यादा है। अभी आप इतना याद रखें कि अगर अत्यधिक अल्पावधि फंड बहुत ऊँची ब्याज दर दे रहे हैं (अल्ट्रा शॉर्ट–टर्म ऋण फंड श्रेणी के मुक़ाबले) तो सँभल जायें। सुरक्षा इसी में है कि जाने–माने बड़े फंड हाउस के साथ ही बड़े फंड रखे जायें। यह समझ में नहीं आ रहा हो तो आप फ़ाइनेंशल प्लानर से सलाह अवश्य करें। अथवा, थोड़ा और पढ़ें।

ऋण फंड के अन्य प्रकार

ऋण फंड्स के अनेक वर्ग हैं– कॉर्पोरेट बॉन्ड फंड, मीडियम टर्म बॉन्ड फंड्स, क्रेडिट रिस्ट फंड्स, लॉन टर्म बॉन्ड फंड, जी–सैक फंड्स और मासिक आय प्लान (एम.आई.पी.)। जो निवेश की दुनिया में पहला क़दम रखने जा रहे हैं, मेरा सुझाव है वे पहले आसान रास्ते पर ही चलें। इसीलिए बाज़ार में उपलब्ध अन्य ऋण फंड्स के बारे में अभी बात नहीं करेंगे।

मुझे नहीं लगता है कि अभी हमने जिन दो ऋण फंड्स की बात की है, उनके अलावा आपको किसी और को जानने की ज़रूरत है।

आप दो साल के लिए निवेश करना चाहते हैं तो आप क्या करें? आप अत्यधिक अल्पावधि फंड पर ही भरोसा रखें। यद्यपि मैं कंज़र्वेटिव बैलेंस्ड फंड को पसन्द करती हूँ। ये बॉन्ड फंड है, पर इसमें थोड़ी इक्विटी भी

होती है। ये फंड शेयर बाज़ार के बुरे वक़्त में, बॉन्ड्स की क़ीमत को ज़्यादा गिरने नहीं देते और अच्छे वक़्त में शेयर्स की वजह से अच्छी बढ़ोतरी होती है।

एक दफ़ा आप म्युचुअल फंड को अच्छी तरह समझ जायें, तो आप एक या डेढ़ साल से ज़्यादा समय की अपनी नक़द ज़रूरतों के लिए ऋण फंड्स को छोड़कर बैलेंस्ड या सन्तुलित फंड भी ख़रीद सकते हैं।

लम्बी अवधि के ऋण फंड का लाभ आपको अल्पावधि में मिल जाये, ऐसा सोचना कुछ वैसा ही होगा कि आप हवाई जहाज़ में बैठकर लोकल मार्केट जाने की कल्पना कर रहे हैं। वित्त मन्त्रालय के एक सीनियर अफ़सर से हुई बात मुझे याद आ रही है। उपभोक्ता सुरक्षा और ग़लत उत्पाद बेचने की प्रक्रिया को जाँचने के लिए सरकार ने बोस कमेटी का गठन किया था। मैं उस कमेटी की सदस्य थी। हम निवेशक–सुरक्षा पर बात कर रहे थे।

वित्त मन्त्रालय के महाशय जानना चाह रहे थे कि उनके ऋण फंड उनको लाभ क्यों नहीं दे रहे हैं? मैंने पूछा उन्होंने कहाँ निवेश किया हुआ है? उन्होंने लम्बी अवधि का बॉन्ड फंड ख़रीदा था। एक साल बाद ही घाटा उठाकर उसे वापिस कर दिया। वे लम्बी अवधि उत्पाद से अल्प अवधि में लाभ की अपेक्षा रख रहे थे। ये फ़ाइनेंस मिनिस्ट्री के अफ़सर का हाल है!

शायद आपको याद होगा, बचपन में स्कूल में पहाड़े सिखाते समय टीचर पहाड़ा बोलते फिर बच्चों से उसे दोहराने को कहते। बार–बार दोहराने से बच्चों को पहाड़ा याद हो जाता था। आज मैं भी वही प्रक्रिया करने जा रही हूँ। मेरे बाद दोहरायें–*अपनी अल्प अवधि ज़रूरतों के लिए मुझे अल्प अवधि उत्पाद ख़रीदना है। मँझली अवधि की ज़रूरत के लिए मँझोले टर्म उत्पाद की ज़रूरत है। लम्बी अवधि की ज़रूरतों के लिए मुझे लम्बी अवधि उत्पाद ख़रीदने की ज़रूरत है*

मैं निवेश से जिस लाभ की अपेक्षा रखती हूँ, वह तभी सम्भव है जब मैं फंड भी वही ख़रीदूँ जो उतना लाभ देता हो। मेरी सारी गतिविधि का परिणाम इस बात पर निर्भर करता है कि जो उत्पाद मैं ख़रीद रही हूँ उसे मैंने कितनी गहराई से समझा है। अगर मुझे लम्बी यात्रा पर जाना है तो मैं बैलगाड़ी में तो नहीं बैठूँगी। अगर मुझे शहर के आसपास जाना है तो मैं जहाज़ में नहीं बैठूँगी। ऋण फंड के प्रत्येक वर्ग का अपना–अपना उद्देश्य है। जो उत्पाद हमारे पास हैं हम उन्हें कभी भी बदल सकते हैं।

पर हम बदलना क्यों चाहेंगे? अगर दूसरी जगह हमें थोड़े–बहुत जोखिम के साथ कर पश्चात अच्छा रिटर्न मिल रहा है तो क्यों न बदल लें? आपको याद ही होगा कि ऋण–फंड्स में जोखिम बना रहता है। आपने जिस जोखिम का ध्यान रखना है उसे 'क्रेडिट–रिस्क' कहते हैं। ऊँचे जोखिम वाले उत्पाद में ब्याज भी ऊँचा मिलता है।

यह फंड इस तरह के उत्पाद (पेपर) इसलिए ख़रीदता है कि वह आकर्षक लगे। जब तक इसमें कोई बेईमानी न हो, या उधार लेने वाली फर्म ब्याज और मूल धन समय से वापिस करती हो, सब कुछ अच्छा ही रहता है। पर अगर वे बेईमानी करते हैं और फंड ने उस फर्म में बड़ी धनराशि निवेश की हुई है तो आपको घाटा हो सकता है।

मैं आपात् स्थिति के लिए ऋण फंड का इस्तेमाल करती हूँ। अगले अठारह महीनों में अगर मुझे पैसे की ज़रूरत है तो मेरे लिए यही ठीक रास्ता है। उससे बड़ी सीमा के लिए मैं बैलेंस्ड फंड्स में जाती हूँ। बैलेंस्ड फंड्स की बात आगे करेंगे।

गोल्ड फंड्स

ये फंड्स सोने में निवेश करते हैं। ये सोना ख़रीदते हैं और समय के साथ–साथ सोने की क़ीमत के उतार–चढ़ाव पर नज़र रखते हैं। यह उत्पाद 'गोल्ड एक्सचेंज ट्रेडेड फंड' (ई.टी.एफ.) कहलाता है। इस वक़्त ई.टी.एफ. की बारीक़ियों में जाने की बजाय बस इतना जान लेना काफ़ी रहेगा कि सोना ख़रीदने की जगह आप गोल्ड म्युचुअल फंड ख़रीद सकते हैं। म्युचुअल फंड ई.टी.एफ. की मार्फ़त सोना ख़रीदते हैं।

गोल्ड ई.टी.एफ. स्कीम 2007 में शुरू हुई। अच्छा फ़ायदा देख यह स्कीम जल्दी ही लोकप्रिय हो गयी। फ़ायदे भी तो अनेक हैं...बाज़ार से ख़रीदे सोने से यह कम क़ीमत पर मिलता है, इसकी शुद्धता की चिन्ता करने की आपको ज़रूरत नहीं, बनवायी की क़ीमत नहीं देनी पड़ती और पूर्ण सुरक्षित भी है। एक और फ़यदे की बात, सोना संग्रह करने के लिए आपको लॉकर किराये पर लेने की भी ज़रूरत नहीं।

आप गोल्ड ई.टी.एफ. के यूनिट बाज़ार भाव पर ख़रीदते हैं। ई.टी.एफ. सर्राफ़ा में 99.55 प्रतिशत की शुद्धता से पैसा निवेश कर देता है। ई. टी.एफ. का एक यूनिट एक ग्राम सोने के बराबर है। 2008 के वित्तीय संकट के बाद सोने के लिए मची धकापेल के दिनों में गोल्ड फंड एकदम लोकप्रिय हो गये।

इस उत्पाद की क़ीमत क्या है? आप एक डीमैट एकाउंट और उसकी ब्रोक्रेज की क़ीमत दे रहे हैं। छोटा धन्धा करने वाला खुदरा निवेशक इसके लिए एक लाख पर एक रुपया देता है। फंड हाउस भी सालाना चार्ज करता है और इसको एक्सपेंस रेशो कहते हैं। आपका सम्पत्ति प्रबन्धन या गोल्ड ई.टी.एफ. इसके लिए 0.9% से एक प्रतिशत चार्ज करता है। अच्छी तरह समझने के लिए अंडरस्टैंडिंग एक्सपेंस रेशो वाला भाग पढ़कर देखिए।

सोने की क़ीमतों में गिरावट और बाज़ार में आये एक नये उत्पाद के कारण लोगों का रुझान गोल्ड ई.टी.एफ. में कम हो गया। देश में सोना ख़रीद के लिए भारत सरकार ने एक नया विकल्प शुरू किया। गोल्ड बॉन्ड्स। सोने का आयात बहुत बड़ा बोझ है। कभी–कभी इससे बैलेन्स ऑफ़ पेमेंट की समस्या आ जाती है। लोगों के सोना ख़रीदने से विदेशी मुद्रा का नुक़सान न हो, इस स्थिति को सुधारने के लिए सरकार ने सॉवरेन गोल्ड बॉन्ड स्कीम शुरू की।

इस उत्पाद की कोई लागत नहीं है साथ ही एक फ़ायदा भी है कि निवेशक को सर्वश्रेष्ठ शुद्धता की गारंटी के साथ ही ब्याज भी मिलता है। *याद है न...हमारे मनी–बॉक्स में सोना मुद्रास्फीति प्रभाव को रोकने के लिए और विविधता लाने के लिए रखा जाता है।*

इक्विटी फंड्स

मुझे इक्विटी फंड बहुत पसन्द हैं। इसी फंड से मैं अपने घर का नवीनीकरण कर सकी, इन्हीं के सहारे मेरी बेटी की उच्च शिक्षा सम्भव हो सकेगी और सेवानिवृत्ति के बाद ये ही मेरे सहायक रहेंगे। इस वर्ग का पूरा फ़ायदा उठाने के लिए ज़रूरी है कि आप इसे बख़ूबी समझ लें। इस क़िस्म के म्युचुअल फंड से आप भली–भाँति परिचित हैं। शेयर बाज़ार की लिस्ट में शामिल कम्पनियों के शेयर ही इक्विटी फंड ख़रीदते हैं।

आप स्वयं शेयर क्यों नहीं ख़रीदते? सबसे पहले तो आप कैसे फ़ैसला करेंगे कि कौन से शेयर ख़रीदें? हमने ग़लत शेयर तो नहीं ख़रीद लिया यह चिन्ता आपकी रातों की नींद उड़ा देगी। जब आप म्युचुअल फंड ख़रीदते हैं तो शेयर चुनने का फ़ैसला विशेषज्ञ को सौंप देते हैं। फंड हाउस के यहाँ विश्लेषकों की पूरी टीम रहती है। उनका काम ही है कि कम्पनियों, बाज़ारों, अन्तरराष्ट्रीय घटनाओं, राजनीति और ब्याज दरों के उतार–चढ़ाव को बराबर आँकते रहें। इस प्रक्रिया से किसी शेयर का भविष्य क्या होगा, इसका अन्दाज़ा लगाने में मदद मिलती है।

उनकी रिपोर्ट के आधार पर ही ए.एम.सी. आपके शेयरों का पोर्टफोलियो तैयार करती है।

ज़्यादा माथापच्ची करने की बजाय एक, दो, तीन ब्लू–चिप स्टॉक ख़रीद लें; औरों की चिन्ता छोड़ दें। आप ऐसा कर तो सकते हैं, पर आपको नज़र रखनी होगी कि आपके ख़रीदे स्टॉक कब ब्लू–चिप नहीं रहते। एक और बात हो सकती है कि ब्लू–चिप की वृद्धि छोटी और ज़्यादा आक्रामक फर्मों के मुक़ाबले धीमी हो; यह तथ्य भी जोखिम भरा है। कभी–कभी ब्लू–चिप धोखा भी दे देते हैं।

ऋण फंड्स के लिए जो विविधता काम आयी थी, वही यहाँ भी उपयोगी हो सकती है। आपका पैसा अगर तीन स्टॉक्स में है तो एक तिहाई पैसा मारे जाने का जोखिम बहुत बड़ा है। जब आप इक्विटी फंड ख़रीदते हैं तो वहाँ कम–से–कम पच्चीस–तीस स्टॉक्स होते हैं। एक स्टॉक के मुक़ाबले इसमें नुक़सान ज़्यादा नहीं होगा।

विविधता के कारण गिरते शेयर का नकारात्मक प्रभाव कम हो जाता है। उसी तरह ऊँचे जाते शेयर का सकारात्मक प्रभाव भी कम होता है।

एक तरह से यह योग की तरह है–आप सन्तुलित रहते हैं–न बहुत अच्छे न बहुत ख़राब। यह बहुत अच्छी स्थिति है। ऐसा सिर्फ़ पैसे के साथ ही नहीं है।

एक्टिव एंड पैसिव फंड्स

ऋण फंड्स की तरह बाज़ार में अनेक प्रकार के इक्विटी फंड्स उपलब्ध हैं। वे किस तरह ऋण फंड्स से फ़र्क़ हैं इसके लिए पहले एक्टिव और पैसिव फंड्स के अन्तर को जानना होगा। इसको यूँ समझा जा सकता है–काम पर जाने के लिए आप टैक्सी बुलाते हैं या सार्वजनिक परिवहन (पब्लिक ट्रांसपोर्ट)–मेट्रो/लोकल ट्रेन– से जाते हैं?

टैक्सी से जाना कैसा रहा–यह कई बातों पर निर्भर करता है। आपने किस कम्पनी की टैक्सी बुलायी, कौन–सी कार है, आपको मिला ड्राइवर कैसा है?

सम्भव है आप अपने गन्तव्य तक कम समय में पहुँच जायें, पर डर इस बात का भी बना रहता है कि ड्राइवर लाल बत्ती पर न रुके या बहुत तेज़ गाड़ी चला रहा हो, तो या ऐसे छोटे रास्तों से ले जाये जिन रास्तों से आप परिचित नहीं हैं। आप बेशक कम समय में पहुँच गये पर यह

जोखिम तो बना ही रहता है कि कहीं पुलिस न पकड़ ले; आपको बेवजह देर होगी और दुर्घटना होने का जोखिम भी बना रहता है। इसके विपरीत आप ऐसा ड्राइवर भी नहीं चाहेंगे जो बहुत ही सँभलकर गाड़ी चला रहा हो...ट्रैफिक लाइट अभी नारंगी भी नहीं हुई और उसने गाड़ी रोक दी। मुझे एक दफ़ा ऐसा ड्राइवर मिला था। तीस की स्पीड से तेज़ गाड़ी चलाता ही नहीं था और सामने सिग्नल अभी हरा है और उसने गाड़ी की स्पीड कम करनी शुरू कर दी।

मैं स्वयं बहुत सँभलकर गाड़ी चलाती हूँ। अपने ड्राइवर को मेरा स्पष्ट निर्देश रहता है कि मेरे पास काफ़ी वक़्त है, गाड़ी तेज़ भगाने की ज़रूरत नहीं है। पर यह ड्राइवर कुछ अजीब ही क़िस्म का इन्सान था। सँभलकर चलाने वाला ड्राइवर जिस दूरी को तीस मिनट में कवर करता है, यह महाशय पचास मिनट लगाते थे। निस्सन्देह जल्दी ही मैंने ड्राइवर बदल दिया।

वापिस म्युचुअल फंड पर लौटें–आप सुरक्षा चाहते हैं, पर बेवक़ूफ़ी भरी सुरक्षा नहीं। आप मेट्रो से जाते हैं तो उसमें सब कुछ समझा बूझा है। ड्राइवर की कुशलता परखने की ज़रूरत नहीं, मेट्रो हर दिन एक–सा समय ही लगाती है, और टैक्सी से बहुत सस्ती है।

एक्टिव फंड ठीक एक टैक्सी की तरह हैं जहाँ आपने वह म्युचुअल फंड चुना है जिसमें फंड मैनेजर बाज़ार की नब्ज़ जाँचता रहता है। वह उसी तरह के शेयर चुनता है जैसे निवेशक चाहता है और प्रतिदिन के क्रय–विक्रय के हिसाब से पैसे की देखभाल करता है। टैक्सी से सफ़र का आपका अनुभव ड्राइवर पर निर्भर करता है, उसी तरह एक्टिव फंड की ऊँच–नीच फंड मैनेजर पर निर्भर रहती है। टैक्सी ड्राइवर एक टैक्सी फर्म–जैसे ऊबर के सामूहिक वातावरण और नियमों के अनुसार टैक्सी चलाता है–वैसे ही एक फंड मैनेजर फंड के नियमों के अनुसार चलता है।

एक फर्म का ड्राइवर सवारी की सुरक्षा को सर्वोपरि समझता है। वह टैक्सी में पूर्ण सुरक्षा के उपकरण लगवा लेता है। दूसरी ऐसी फर्म है जो सुरक्षा के प्रति चिन्तित नहीं है, उसके मापदण्ड ऊँची कोटि के नहीं होंगे। ठीक उसी तरह एक फंड हाउस का सुरक्षा प्रबन्धन उच्च कोटि का है। नतीजतन फंड मैनेजर पूर्ण सुरक्षा नियमों के अनुसार फंड की देखभाल करता है। उधर, एक दूसरा फंड हाउस जो सुरक्षा के प्रति बिल्कुल भी चिन्तित न हो, इसके अलावा, बाज़ार कितना ऊपर–नीचे जा रहा है

या कितना अस्थिर है, इस जोखिम के अलावा आपका वास्ता एक और स्थिति से भी पड़ता है–आपका फंड मैनेजर कहीं बहुत ज़्यादा जोखिम तो नहीं उठा रहा है या फिर बहुत थोड़े जोखिम से ही तो सन्तुष्ट नहीं हो जाता है?

पैसिव फंड मेट्रो की तरह है। आपको मेट्रो का किराया पता है, फ़ासला पता है, यह भी पता है कि आप कब अपने गन्तव्य पर पहुँचेंगे। आपको देखभाल कर ड्राइवर चुनने की ज़रूरत नहीं है। बस आपको स्टेशन पहुँचकर सही ट्रेन में सवार होना है। पैसिव फंड्स क्योंकि इंडेक्स ख़रीद कर उसके साथ ही रहते हैं इसलिए उन्हें रिसर्च पर ख़र्च नहीं करना पड़ता, न ही बहुत सारे ब्रोकर्स और डीलर्स पर। इसमें कोई बदलाव तभी आता है, जब इंडेक्स के रूप में बदलाव आता है। तब आप ख़त्म होते शेयर्स बेच कर वे नये आने वाले शेयर्स ख़रीद लेते हैं। इसीलिए पैसिव फंड्स एक्टिव फंड्स के मुक़ाबले सस्ते होते हैं।

इंडेक्स रिटर्न्स

अगर पैसिव फंड्स सस्ते भी हैं और उनमें जोखिम भी कम है तो हम एक्टिव फंड्स ख़रीदते ही क्यों हैं? कारण है कि बाज़ार ने एक्टिव फंड के साथ कुछ अल्फ़ा अभी भी छोड़ा हुआ है। यह अल्फ़ा क्या है? फंड मैनेजर इंडेक्स के साथ कुछ अतिरिक्त लाभ भी दे देता है, वह अल्फ़ा है। भारत में एक्टिव फंड मैनेजर्स बहुत सफलता से काम करते रहे हैं। एक्टिव प्रबन्धन पर किये गये ज़्यादा ख़र्च की भरपाई उनसे मिलने वाले ऊँचे लाभ से हो जाती है।

आप सोच रहे होंगे कि इंडेक्स से लाभ कैसे मिलता है? आपने सेंसेक्स रिटर्न के बारे में सुना होगा? या शायद किसी के मुँह से सुना हो कि पिछले तीस सालों में सेंसेक्स पन्द्रह प्रतिशत सालाना का लाभ देता रहा है। इसका क्या मतलब है? सेंसेक्स जो एक इंडेक्स है–लाभ कैसे दे सकता है?

हम पिछले चैप्टर में श्रीमान सेंसेक्स से मिल चुके हैं। किसी तरह उसे ख़रीदने की हमने कोशिश भी की थी। ऐसा सिर्फ़ पैसिव फंड की मार्फ़त ही हो सकता है। पैसिव फंड्स भी दो प्रकार के हैं–एक इंडेक्स फंड और दूसरा एक्सचेंज ट्रेडेड फंड। दोनों ही एक इंडेक्स चुनकर उसकी नक़ल कर लेते हैं।

चलिए, हम सेंसेक्स में इंडेक्स फंड के बारे में सोचते हैं। हम जान चुके हैं कि सेंसेक्स में तीस कम्पनियों के शेयर हैं। तीस में से किसका महत्त्व ज़्यादा है इसका एक फ़ॉर्मूला है। तीस शेयरों में से किस शेयर की संख्या अधिक है, यह इस पर निर्भर करता है कि इंडेक्स में कौन–सा शेयर ऊँचा जा रहा है।

उदाहरण के लिए–अगर हम आम की क़ीमत के इंडेक्स को लें, तो हम आम की तीसों क़िस्मों को लेंगे। जो क़िस्म सबसे ज़्यादा बिकती है, उसको ऊँचा भाव दिया जायेगा। आमों की बिक्री की आधी खेप अगर अलफांसो की है तो उस क़िस्म के आम को इंडेक्स में आधा महत्त्व मिलेगा। मैं मानती हूँ यह काफ़ी बचकाना उदाहरण है, पर इससे हमें यह समझने में मदद मिलती है कि तीस शेयरों की क़ीमत का औसत ही सेंसेक्स है।

सेंसेक्स में तीसों शेयरों का जो हिस्सा है या कहें अनुपात है, इंडेक्स उसी अनुपात से शेयर ख़रीदेगा। फिर इंडेक्स इस निवेश के साथ ही रहेगा। अगर सेंसेक्स एक प्रतिशत गिरता है तो इंडेक्स फंड का एन.ए.वी. (नेट असेट वैल्यू, मतलब–म्युचुअल फंड के एक यूनिट की क़ीमत) भी लगभग एक प्रतिशत गिर जाती है। सेंसेक्स को जो लाभ होगा आपका लाभ भी वही होगा; उसमें से एक्सपेंस रेशो या फंड चलने की क़ीमत निकालकर। इसे और अच्छी तरह समझने के लिए एन.ए.वी. पर चर्चा को देखें।

एक ई.टी.एफ. भी सेंसेक्स की तरह इंडेक्स पर नज़र रखता है। पर यह अपनी यूनिट्स को एक स्टॉक एक्सचेंज में लिस्ट कराता है। म्युचुअल फंड ऐसा नहीं करते। म्युचुअल फंड ख़रीदने और बेचने के लिए डीमैट एकाउंट का होना ज़रूरी नहीं है। उधर ई.टी.एफ. में निवेश के लिए डीमैट एकाउंट का होना अनिवार्य है। इंडेक्स फंड और ई.टी.एफ. का दूसरा फ़र्क़ यह है–इंडेक्स फंड को दिन की समाप्ति पर एक क़ीमत देकर आप ख़रीद सकते हैं; पर एक ई.टी.एफ. को दिन में कभी भी ख़रीदा जा सकता है। इनकी क़ीमत के अन्तर हम जैसे खुदरा निवेशकों के लिए प्रासंगिक नहीं है।

इंडेक्स फंड के मुक़ाबले ई.टी.एफ. में कम क़ीमत देनी होती है। औसत इंडेक्स फंड की क़ीमत दस (बेसिस) बुनियादी पॉइंट्स से एक प्रतिशत या निवेश किये गये प्रति 1,000 रुपयों के लिए दस पैसे से लेकर दस रुपये तक होती है। ई.टी.एफ. की क़ीमत बस मामूली–सी है। आप उसे तीन बुनियादी पॉइंट्स जैसी कम क़ीमत में ख़रीद सकते हैं।

ई.टी.एफ. में कई बार लिक्विडिटी कम होती है, अतः मैं इंडेक्स फंड के साथ ही रहती हूँ। मतलब यह हुआ कि जब आप बड़ी मात्रा में बेचने जायें तो सम्भवतः आपको उस समय की बाज़ार क़ीमत न मिले। हमेशा याद रखें, बाज़ार के भाव बदलते रहते हैं। ज़रूरत है कि आप बदलते भावों पर नज़र रखें। आप ऐसा नहीं कर सकते तो एक फ़ाइनेंशल प्लानर ढूँढ़ लें।

बाज़ार में बड़ी संख्या में इंडेक्स मौजूद हैं–ब्रॉड मार्केट इंडेक्स, मिड–कैप इंडेक्स, स्मॉल–कैप इंडेक्स, तकनीकी इंडेक्स, पी.एस.यू. इंडेक्स आदि आदि–परिणामतः इंडेक्स फंड भी बड़ी संख्या में होंगे। आप जिस वर्ग का इंडेक्स फंड ख़रीदते हैं, उसमें जितना जोखिम है, आपका जोखिम भी उतना ही होगा। एक मिड–कैप इंडेक्स फंड में सेंसेक्स या निफ्टी के मुक़ाबले ज़्यादा जोखिम होगा।

इक्विटी म्युचुअल फंड्स की अलग–अलग श्रेणियों को मार्केट कैप के माध्यम से जाना जा सकता है। यूँ बुनियादी तौर पर तीन तरह के इक्विटी फंड्स हैं–लार्ज कैप, मिड कैप और स्मॉल कैप फंड्स।

लार्ज–कैप फंड्स ज़्यादा परिपक्व और स्थिर हैं–क्योंकि जो बड़ी कम्पनियाँ शेयर बाज़ार की लिस्ट में हैं, वे उन्हीं में निवेश करते हैं। मिड–कैप फंड्स मध्यम आकार की फर्मों में और स्मॉल–कैप फंड्स छोटी फर्मों में निवेश करती हैं। एक पोर्टफोलियो में वृद्धि के लिए स्मॉल और मिड–कैप फंड्स एक इंजन की तरह हैं।

मँझोली और छोटी फर्में आक्रामक और ऊँची वृद्धि वाली फर्में हैं। इनमें लाभांश लॉर्ज–कैप से बहुत ज़्यादा होता है। पर इस सम्भावित ऊँचे लाभांश के साथ एक बड़ा जोखिम जुड़ा हुआ है। मार्केट गिरता है तो लार्ज कैप शेयरों के मुक़ाबले इन फर्मों के शयरों की क़ीमत बहुत ज़्यादा गिरती है।

दूसरी श्रेणी सेक्टर–फंड्स कहलाती है। इन स्कीम्स में आप एक वर्ग विशेष के शेयरों में निवेश कर सकते हैं–टेक्नोलॉजी, बैंकिंग, फार्मा, एफ.एम.जी.जी. और ख़ुदरा। इनके अलावा थीम आधारित फंड है। ये कई सैक्टर्स को कवर करते हैं। जैसे–आधारभूत ढाँचा थीम। इस थीम में निर्माण, टेलीकॉम, पावर आदि सेक्टर आते हैं। मतलब है कि सेक्टर–फंड बाज़ार का कम/छोटा कट है, और थीम आधारित फंड का क्षेत्र व्यापक है।

अब आप मुझसे पूछेंगे–किसमें ज़्यादा जोखिम है?

हाँ, सेक्टर फंड्स में ज़्यादा जोखिम है। इसके प्रत्येक वर्ग में एक्टिव या पैसिव दोनों फंड हो सकते हैं। विविध इक्विटी फंड क्या है?

अगर आपने अख़बार के पर्सनल फ़ाइनेस पृष्ठों को कभी पढ़ा है या बिज़नेस चैनल को टी.वी. पर देखा है, तो यह टर्म आपने ज़रूर पढ़ा या सुना होगा। जैसा टर्म से स्पष्ट है—यह फंड मुख्यतः लार्ज—कैप शेयरों की विविधता में विभक्त है। इन फंड्स का लक्ष्य इंडेक्स से थोड़ा ज़्यादा लाभ देना है।

एक और श्रेणी के बारे में आप बहुत सुनेंगे, जो है—ओपन—एंडेड और क्लोज़्ड—एंड फंड्स। ओपन—एंड फंड्स एक लम्बे, न ख़त्म होने वाले एस्केलेटर की तरह हैं और क्लोज़्ड—एंड फंड एक लिफ्ट की तरह। एस्केलेटर से आप जब चाहें उतर—चढ़ सकते हैं। पर लिफ्ट वहीं रुकेगी जिस मंज़िल का बटन आपने दबाया होगा।

ओपन—एंड फंड्स में निवेशक कभी भी ख़रीद—बेच सकता है। क्लोज़्ड—एंड फंड एक निश्चित अवधि के लिए उपलब्ध होता है। क्लोज़्ड—एंड इक्विटी फंड तीन से पाँच साल की समय सीमा के लिए उपलब्ध होते हैं। मुझे वो ओपन एंड फंड्स पसन्द हैं जो बाज़ार में पाँच साल से ज़्यादा उपलब्ध हों। इससे उनकी परफ़ॉर्मेन्स का पता चलता है। मैं इन्हें पसन्द करती हूँ। यहाँ मैं इनकी पुरानी रिपोर्ट देख सकती हूँ। इससे मुझे निर्णय करने में आसानी हो जाती है कि मैं फंड मैनेजर और फंड हाउस पर भरोसा करके अपना पैसा इसमें लगा सकती हूँ या नहीं?

मैं जानती हूँ इस काम में बहुत मेहनत है। पर एक दफ़ा आप इन टर्म्स से परिचित हो जायें तो मुश्किल आसान हो जायेगी। आप पूरी ज़िन्दगी के निवेश की तैयारी कर रहे हैं, न कि एक दफ़ा का हल्ला बोल। कुछ साल पहले मैंने अपनी गतिशीलता के इलाज के लिए आयंगर योगा में जाना शुरू किया था, पहले कुछ महीने मैं भयाक्रान्त रही। योग—टीचर जिन मुद्राओं और आसनों का नाम बताती थीं, मुझे वे याद ही नहीं रहते थे।

मैं जानती थी कि मैं सिर्फ़ योग से ही ठीक हो सकती हूँ, मुझे लम्बे समय तक यह करना होगा; यह सोचकर मैं कोशिश करती रही। जैसे—जैसे वक़्त गुज़रता गया, मुश्किलें आसान होती चली गयीं। अब उन आसनों के नाम मुझे वैसे ही याद हैं जैसे वित्त से जुड़े शब्द।

आप भी कोशिश करते रहें। एक दफ़ा आप इन टर्म्स को समझ लेंगे तो अपने वित्तीय फ़ैसले करना आपके लिए आसान हो जायेगा।

ग्रोथ या डिविडेंड

प्रत्येक म्युचुअल फंड स्कीम आपके सामने तीन विकल्प रखती है–वृद्धि, लाभांश और लाभांश का पुनः निवेश। वृद्धि विकल्प में निवेश करके आप लम्बी अवधि की वृद्धि का लाभ उठाते हैं। क़ीमतें जितनी बढ़ती हैं, उन्हीं से आपको होने वाले लाभ का पता लगता है; जैसे शेयर की क़ीमत बढ़ने पर होता है। आप जब तक बेचते नहीं, लाभ की उगाही नहीं होती। वृद्धि विकल्प इक्विटी फंड्स के लिए ख़ास फ़ायदेमन्द है, क्योंकि इसमें आपका निवेश किया गया पैसा बाज़ार में निवेशित रह सकता है। आपके फंड को मिलने वाला लाभ बाज़ार में ही रहता है। सालों बाद उसके संयोजित लाभ का फ़ायदा आपको मिलता है। आपके द्वारा ख़रीदे गये यूनिट्स की संख्या वही रहती है पर उनकी क़ीमत या एन.ए.वी. बढ़ती रहती है।

मुझे याद है...बीस साल पहले जब म्युचुअल फंड्स नये–नये बाज़ार में आये थे, मैं उनमें निवेश करने में हिचकिचा रही थी। अब मुझे लगता है उन दिनों की किसी एक स्कीम में मुझे एक लाख रुपया निवेश कर देना चाहिए था। 1993 में निवेश किये गये एक लाख रुपये 21.6 प्रतिशत की वृद्धि से आज एक करोड़ से ज़्यादा हो चुके होते। जिन लोगों को निवेश से होने वाली आय की वर्तमान में ज़रूरत नहीं है, पर वे भविष्य में एक बड़ी रक़म चाहते हैं, यह विकल्प उनके लिए बहुत अच्छा है।

लाभांश विकल्प में आप समय–समय पर लाभ को 'बुक' करा सकते हैं। यूनिट संख्या उतनी ही रहती है पर एन.ए.वी. में आपका 'बुक' लाभांश प्रतिलक्षित होता रहता है। यह सही है कि उसी स्कीम में वृद्धि विकल्प का एन.ए.वी. लाभांश विकल्प से ऊँचा होगा। जो लोग निवेश से समय–समय पर एक आय चाहते हैं, यह विकल्प उनके लिए अच्छा है। जैसा सेवानिवृत्त लोग चाहते हैं। लाभांश पुनः निवेश विकल्प भी ख़ासा अजीब है, जो वृद्धि तो चाहता है पर लाभ को 'बुक' न करने से डरता है।

यह पहले से चली आयी परम्परा है। लाभांश पुनः निवेश विकल्प भारत में ही है। इसमें होता यह है कि लाभ 'बुक' तो होता है पर लाभांश के वितरण की जगह फंड हाउस वर्तमान क़ीमत में और यूनिट्स ख़रीद लेता है। आपके यूनिट्स की संख्या तो बढ़ गयी, पर एन.ए.वी. लाभांश

विकल्प के एन.ए.वी. के बराबर ही रहता है। वास्तव में आपके पास वृद्धि विकल्प समूह है। जो लोग ऋण फंड्स में टैक्स में अदल–बदल चाहते हैं, यह विकल्प उनके लिए अच्छा है। इसे कैसे इस्तेमाल करें, इस विषय में अपने कर सलाहकार से मशविरा करें।

ई.एल.एस.एस. क्या है?

अगर आप इनकम–टैक्स देते हैं तो 'इक्विटी–लिंक्ड–सेविंग–स्कीम' शब्द आपने ज़रूर सुना होगा। अगर आप इन उत्पादों, जैसे–जीवन बीमा का प्रीमियम, या पब्लिक प्रॉविडेन्ट फंड (पी.पी.एफ.) या ई.एल.एस.एस. की स्कीम...इनमें कंट्रीब्यूट करते हैं, तो आपकी कर योग्य आय पर छूट मिलती है। जून 2018 में 1.5 लाख रुपये तक इनमें निवेश कर सकते थे।

ई.एल.एस.एस. एक ऐसा इक्विटी फंड है जिसमें कर लाभ मिलता है। यह फंड तीन साल के लिए प्रतिबन्धित होता है। तीन साल से पहले आप इसे नहीं छोड़ सकते। एक बात याद रखें–आपने लाभांश या लाभांश पुनः निवेश के साथ *नहीं* जाना है (ई.एल.एस.एस. में) आप वृद्धि में जायें। सोचकर देखें, यह क्यों अच्छा है?

सन्तुलित फंड्स

जैसा इसका नाम है, यह एक मिश्रित फंड है। जैसे–मैंगो डूएट आइसक्रीम। आम का मज़ा वनीला आइसक्रीम के साथ। यह आइसक्रीम बार हमेशा मेरी सबसे ज़्यादा पसन्दीदा रही है; न...न, पहले नम्बर पर रही ऑरेंज बार। ऑरेंज बार के तो क्या कहने...ओह!

हम तो फंड्स की बात कर रहे थे।

आजकल तीन तरह के सन्तुलित फंड्स उपलब्ध हैं–कंज़र्वेटिव, बैलेंस्ड और एग्रेसिव। कंज़र्वेटिव फंड्स में दस से पच्चीस प्रतिशत इक्विटी में रहता है, बैलेंस्ड फंड्स में 40 से 60 प्रतिशत और एग्रेसिव फंड्स में 65 से 80 प्रतिशत इक्विटी में रहता है। कंज़र्वेटिव बैलेंस्ड फंड्स को मंथली–इनकम–प्लान (एम.आई.पी.) भी कहा जाता है।

याद रखें कि एम.आई.पी. विश्वसनीय आय स्कीम नहीं है। ये सिर्फ़ ऋण फंड्स हैं, जिन पर एक झीनी–सी परत इक्विटी की चढ़ी रहती है। इसका फ़ायदा यह है कि यह शुद्ध ऋण फंड से कुछ अधिक रिटर्न देते हैं। इक्विटी फंड्स के फ़ायदे का स्वाद चखने के लिए पहला निवेश

सन्तुलित फंड्स में करें। बाज़ार में तो और भी अनेक प्रकार के फंड्स उपलब्ध हैं। शुरुआत के लिए उनका ज़िक्र ही काफ़ी है।

हो सकता है, भविष्य में मैं सिर्फ़ म्युचुअल फंड्स पर ही एक पुस्तक लिखूँ, ताकि फंड्स में स्मार्ट निवेश के लिए जानने लायक जो कुछ भी है, उसको सब जान लें।

एन.ए.वी.

एन.ए.वी. है क्या? यह किसी स्कीम की एक यूनिट की क़ीमत है। इसका पूरा नाम है नेट ऐसेट वैल्यू। पर यह पूरी वैल्यू नहीं है। इसकी क़ीमत में से ख़र्चे निकाल दिये गये हैं। आपके हाथ में क़ीमत निकाल के वैल्यू आती है।

कल्पना करें...सौ निवेशकों ने इक्विटी म्युचुअल फंड में 1,000 रुपये प्रति व्यक्ति निवेश किया हुआ है। प्रत्येक व्यक्ति ने दस रुपये प्रति यूनिट के हिसाब से यूनिट ख़रीदे हैं। परिणामतः प्रत्येक निवेशक के पास सौ–सौ यूनिट हैं। म्युचुअल फंड ने अलग–अलग शेयरों में एक लाख रुपया निवेश किया है। एक साल बाद पोर्टफोलियो 1.5 लाख का हो गया। मतलब 50,000 का मुनाफ़ा। इसमें से ख़र्च निकालकर, शेष सभी यूनिट्स में बाँट दिया जायेगा। अगर ख़र्चे दस हज़ार के हुए हैं, तो निवेशकों का लाभ हुआ चालीस हज़ार। यही तथ्य एन.ए.वी. में प्रतिलक्षित होता है जब दस रुपये चौदह रुपये हो जाते हैं। एक निवेशक के सौ यूनिट्स अब चौदह सौ रुपये के हो गये। प्रत्येक स्कीम में आपकी म्युचुअल फंड होल्डिंग की क़ीमत क्या है जानने के लिए एन.ए.वी. को अपनी यूनिट्स से गुणा कर लें।

म्युचुअल फंड्स अपना प्रॉफ़िट कैसे बनाते हैं?

यह बहुत प्रासंगिक प्रश्न है। यहाँ कोई परोपकार करने नहीं आया है। उपभोक्ता को अच्छी डील (सौदा) मिले और स्पर्द्धा भली–भाँति पुष्पित हो, अर्थात, उसमें अच्छा लाभ हो उसके लिए पूरी रेग्युलेशन के साथ लाभ का लक्ष्य रखना ज़रूरी है। हम ख़र्च की उपेक्षा नहीं कर सकते। आप ख़र्च की बारीक़ियों को अच्छी तरह समझ लेंगे तो आप सिर्फ़ म्युचुअल फंड्स ही नहीं, अन्य उत्पादों की गहराइयों को भी समझ पायेंगे।

हाँ, यह ख़्याल रखें कि फ़िक्स्ड रिटर्न उत्पाद में ख़र्च जानने की कोई

ज़रूरत नहीं है। उत्पाद जैसे फिक्स्ड डिपॉज़िट या बॉन्ड। दस प्रतिशत वाली एफ.डी. मूल धन पर दस प्रतिशत ही देगी। बैंक अपने ख़र्च और लाभ को अलग रखकर ही एफ.डी. का ब्याज तय करते हैं।

बॉन्ड्स और पारम्परिक इंश्योरेंस पॉलिसीज़ (सिर्फ़ नॉन पार्टिसिपेटिंग योजनाएँ) बेचते समय बीमा कम्पनियाँ भी इसी लॉजिक से काम करती हैं। समय पर या दस–पन्द्रह साल बाद पूर्व निश्चित पूरी रक़म मिल जाती है। आप बस इन बातों का ख़याल रखें–ब्याज दर, अन्त में कितना मिलेगा और तात्कालिक मुद्रास्फीति रेट क्या है?

जिन उत्पादों में रिटर्न किसी असेट जैसे शेयर, बॉन्ड्स, ज़मीन–जायदाद, सोना या उपयोगी वस्तुएँ हैं तो आप ख़र्चे पर ध्यान दें।

एकदम सीधी बात करें–बाज़ार से जुड़े निवेश–उत्पाद में तीन तरह के ख़र्चे होते हैं।

पहला सवाल–उत्पाद में लिप्त होने का ख़र्च, फ्रंट–लोड। आपने सौ रुपये का निवेश किया। उसमें से दो रुपये काट लिए गये। अब आपका निवेश होगा 98 रुपये; दो रुपये लोड या फ्रंट कमीशन कहलायेगा।

किसी भी उत्पाद की क़ीमत लोड कहलाती है, या फिर, वह ख़र्च उत्पाद की क़ीमत से ही जोड़ दिया जाता है। यह एक अदृश्य वसूली है, क्योंकि इसे बताया या दिखाया नहीं जाता। म्युचुअल फंड्स शून्य लोड उत्पाद हैं और इसीलिए ये पूरी तरह निवेशक को फ़ायदा पहुँचाते हैं। बाज़ार से जुड़े निवेश उत्पाद ख़रीदते समय सबसे अहम सवाल यह पूछा जाना चाहिए कि जो पैसा मैंने निवेश किया है, उसमें से कितना लोड में निकल जायेगा?

दूसरा सवाल–आपके पैसे के प्रबन्धन का विशेषज्ञ सालाना कितनी फ़ीस लेगा? निवेश प्रबन्धक आपके निवेश किये पैसे की देखभाल में जो रोज़मर्रा के ख़र्च आते हैं और जो लाभ होता है, उस काम के लिए सालाना फ़ीस चार्ज करते हैं। कुछ फ़ीस आपके पैसे में से निकाल ली जाती है। इस काम के लिए जो फ़ीस आप देते हैं, वह 'एक्सपेंस रेशो' नम्बर में आ जाती है। म्युचुअल फंड निवेशक से यही फ़ीस चार्ज करते हैं।

फंड आपसे कितनी फ़ीस ले सकते हैं, मार्केट रेग्यूलेटर ने इसकी सीमा तय कर दी है। फंड किस वर्ग का है–फ़ीस इस पर निर्भर करती है। उदाहरण के लिए, एक लिक्विड फंड निवेश किये गये प्रति सौ रुपये पर सालाना चौदह पैसे से एक रुपया चार्ज करेंगे। ऋण फंड ज़्यादा

चार्ज करते हैं। स्कीम के मुताबिक़, प्रत्येक सौ रुपये के लिए ये 25 पैसे से 1.5 रुपया तक वसूल करते हैं। इक्विटी फंड्स का रेट बढ़कर दो से तीन रुपये तक है। यह रेग्युलर योजनाओं का रेट है। इंडेक्स फंड्स, ई.टी.एफ. और डायरेक्ट प्लान के रेट कम हैं। अभी आगे हम डायरेक्ट योजनाओं पर चर्चा करेंगे।

यह संख्या देखने में छोटी–सी लगती है, पर सालों बाद यह संख्या काफ़ी बड़ी हो जाती है–आपके लिए और फंड–दोनों के लिए। बीस साल में 0.5 प्रतिशत और 1.5 प्रतिशत का एक्सपेंस रेशो बहुत बड़ा हो जाता है।

आपने इक्विटी फंड ख़रीदा और आपको बीस साल का प्री–कॉस्ट–रिटर्न 15 प्रतिशत सालाना मिला तो कम एक्सपेंस रेशो वाला फंड आपको 14.5 प्रतिशत रिटर्न देगा, उधर ऊँचे एक्सपेंस रेशो वाला फंड आपको देगा 13.5 प्रतिशत। दोनों का फ़र्क़ कितना होगा? आपने दोनों में एक–एक लाख रुपये का निवेश किया। एक स्कीम में आपको पन्द्रह लाख और दूसरी स्कीम में 12.58 लाख रुपये मिलेंगे। यह फ़ीस का फ़र्क़ है। फंड ख़रीदते वक़्त एक्सपेंस रेशो ज़रूर जान लें।

तीसरा सवाल–फंड से निकलने की फ़ीस। निवेश किये गये पैसे के उत्पाद को बेचने में जो ख़र्च आता है, यह उसकी फ़ीस है। आप बार–बार उत्पाद बेचें–ख़रीदें, फिर बेचें–ख़रीदें। यह उस पर रोक लगाने की क़ीमत है। आपकी समूची धनराशि का यह प्रतिशत, प्रायः एक या दो साल में नगण्य हो जाता है। यहाँ आप एक सवाल कर सकते हैं–उत्पाद को एक, दो, तीन साल, या उत्पाद की समय अवधि से पहले मुक्त कराने में क्या ख़र्च आयेगा?

डायरेक्ट प्लान क्या है?

म्युचुअल फंड बेचने वालों की कमीशन एक्सपेंस रेशो में मिली हुई रहती है। बाज़ार में दो तरह की हस्तियाँ हैं–सलाहकार और वितरक। वितरक उत्पाद को बस बेचता है–जैसे केमिस्ट दवाई बेचता है, नुस्ख़ा नहीं लिखता। नुस्ख़ा लेने के लिए आप डॉक्टर के पास जाते हैं। डॉक्टर उसकी फ़ीस लेता है।

वित्त सेक्टर में सलाहकार एक डॉक्टर की भाँति आपसे फ़ीस लेता है। उनका काम आपको कम क़ीमत वाले डायरेक्ट–प्लान लेने की सलाह देना है। डायरेक्ट प्लान आपको सस्ते बैठते हैं, क्योंकि अन्य प्लानों में जो कमीशन ख़रीद क़ीमत में ही जुड़ी होती है, इसमें वह चक्कर नहीं है।

अगर आपको एन.ए.वी. और एक्सपेंस रेशो अच्छी तरह समझ आ गया है, तो आप जान जायेंगे कि रेग्युलर प्लान के मुक़ाबले डायरेक्ट प्लान का एन.ए.वी. ऊँचा क्यों हो जाता है। अगर समझ नहीं आया है तो इस हिस्से को दोबारा पढ़ें। अच्छी तरह समझने के लिए कुछ संख्याओं के साथ अभ्यास करें।

एस.आई.पी. तथा अन्य

मैं जिन लोगों से भी मिलती हूँ, वे सब एस.आई.पी. की ही चर्चा करते हैं। बाज़ार में आयी यह नयी चीज़ है क्या? क्या मैं भी एस.आई.पी. के साथ चलूँ? एस.आई.पी. का मतलब है सिस्टमैटिक इनवेस्टमेंट प्लान अर्थात निवेश की एक सिलसिलेवार योजना। जैसे आप समय–समय पर खाते में जमा कराते रहते हैं, समझो, यह वैसा ही है। फ़र्क़ बस इतना है कि एफ.डी. में पैसा जमा कराने की जगह आप म्युचुअल फंड में समय–समय पर निवेश करते हैं।

एस.आई.पी. के साथ चलने के दो फायदे हैं। एक–प्रायः महीने में हमें एक निश्चित रक़म मिलती रहती है, और ख़र्चों के बाद भी महीने में कुछ बच जाता है। यह बचा हुआ पैसा वह एस.आई.पी. के माध्यम से निवेश करते हैं।

कुछ लोग तो एस.आई.पी. में कितनी बचत करनी है, यह लक्ष्य रखकर, बाक़ी ख़र्च कर लेते हैं। वे एस.आई.पी. के माध्यम से निवेश करते हैं, न कि यह सोचकर कि जो बचेगा, उसे निवेश करेंगे।

एस.आई.पी. लोगों की आय के मुताबिक़ काम करती है; साथ ही, नियमित निवेश की आदत भी हो जाती है।

दूसरे–आप एक साल में मासिक, पन्द्रह दिनों में या एक सप्ताह में जो निवेश करते हैं, एस.आई.पी. से आप औसत क़ीमत का लाभ ले सकते हैं। बाज़ार के मूड को पहले से भाँपा नहीं जा सकता, ऐसे में एक साथ बहुत बड़ी रक़म लगाना जोखिम भरा है...क्योंकि बाज़ार कभी भी औंधे मुँह गिर सकता है। साल–भर में अलग–अलग वक़्त पर निवेश करने से यह फ़ायदा रहता है कि जब बाज़ार नीचे जा रहा हो तो ज़्यादा ख़रीद लें, जब ऊँचा हो तो कम ख़रीदें।

क्या आपको पता है कि हम जैसे लोग एस.आई.पी. के ज़रिये हर माह 6,500 करोड़, (78,000 करोड़ सालाना) इक्विटी मार्केट में डाल रहे हैं। और हम जैसे लोगों की वजह से ही विदेशी निवेशकों के बेचने के

बावजूद भारतीय बाज़ार बैठ नहीं जाता। *यहाँ एक बात अच्छी तरह याद रखें कि एस.आई.पी. लक्ष्य नहीं है, लक्ष्य तक पहुँचने का साधन है। आप म्युचुअल फंड में निवेश करने के लिए एस.आई.पी. का इस्तेमाल करते हैं।* एस.आई.पी. के सहारे आप कोई भी स्कीम चुन सकते हैं। चुनने का काम या तो आप ख़ुद करें या किसी वित्त सलाहकार से सलाह ले सकते हैं।

सिस्टमैटिक ट्रांसफर प्लान (एस.टी.पी.) में आप एक बड़े निवेश को वक़्त–वक़्त पर अलग हिस्सों में बाँट सकते हैं। आपको याद होगा, हम पहले बता चुके हैं कि एक बड़ी रक़म एक साथ निवेश करने की जगह हर महीने थोड़ा–थोड़ा निवेश करना लाभदायक है। अगर अचानक आपको बड़ा बोनस या एरियर मिल जाये या बड़ी रक़म विरासत में मिल जाये : सारी रक़म को एक साथ, एक जगह निवेश न करें। उस पैसे को लिक्विड फंड में लगाकर किसी इक्विटी स्कीम में पाक्षिक, साप्ताहिक या मासिक रूप से स्थानान्तरण करते रहें। आप एस.टी.पी. के मार्फ़त जिस फंड हाउस का इक्विटी फंड ख़रीदना चाहते हैं; उसी फंड का लिक्विड फंड आपको चुनना होगा।

सिस्टमैटिक विद्ड्रॉल प्लान (एस.डब्ल्यू.पी.) से आप समय–समय पर अपनी यूनिट्स को छुड़ाकर आय का स्रोत बना सकते हैं। आप ठीक सोच रहे हैं, यह प्लान लाभांश प्लान की ही तरह है। आप समय–समय पर अपने फंड से कितना पैसा लेना चाहते हैं, यहाँ यह फ़ैसला आपको लेना होता है। एस.डब्ल्यू.पी. में बस एक ही जोखिम है कि यह आपकी बड़ी धनराशि में सेंध लगा देता है। मेरे सेवानिवृत्त पिता, जिन्होंने कंज़र्वेटिव बैलेंस्ड फंड में निवेश किया हुआ है, मैं उनके लिए इस प्लान को उपयुक्त मानती हूँ।

म्युचुअल फंड्स के बारे में मैं बहुत बातें बता सकती हूँ। पर हमें अभी रुकना होगा। म्युचुअल फंड्स के ज़रिये आप एक सशक्त पोर्टफोलियो कैसे बना सकते हैं, यह जानकारी आपको हो गयी है। हम उस क्षेत्र में पहुँच गये हैं, जहाँ हम यह फ़ैसला कर सकते हैं कि अपने मनी–बॉक्स को किन–किन चीज़ों (फंड्स) से भरा जाये। बहुत मेहनत के बाद ही हम यहाँ तक पहुँचे हैं। इस लम्बे रास्ते पर चलते हुए, हम बैंक मैनेजर की चालाकी भरी बिक्री योजनाओं से ख़ुद को बचाते आये हैं। चलो, अब अपने मनी–बॉक्स को अच्छी–अच्छी चीज़ों से भर लें।

एक औसत गृहस्थी के लिए म्युचुअल फंड्स में कम अवधि, मँझोले और लम्बी अवधि निवेश के लिए अलग–अलग उत्पादों की बड़ी संख्या उपलब्ध है। सिर्फ़ इक्विटी फंड निवेश ही नहीं ऋण और सोना फंड निवेश के उत्पाद भी हैं।

आपने सही मार्ग चुना है, अगर...

1. अगर आप समझ गये हैं कि म्युचुअल फंड्स के ज़रिये ऋण, इक्विटी और सोने में आप निवेश कर सकते हैं।
2. आपने समझ लिया है कि मैनेज्ड फंड्स में ख़र्च ज़्यादा है, जोखिम भी ज़्यादा है, पर रिटर्न ऊँचा मिल सकता है।
3. आपने जान लिया है कि इक्विटी को पूरी तरह जानने का सबसे सस्ता और सुरक्षित रास्ता इंडेक्स फंड्स हैं, या सेंसेक्स अथवा निफ़्टी 50 की गतिविधि पर नज़र रखने वाले ई.टी.एफ. भी आपका मार्गदर्शन कर सकते हैं।
4. आप अब तक यह भी अच्छी तरह समझ चुके होंगे कि अपने म्युचुअल फंड पोर्टफोलियो को बार–बार बदलने का फ़ायदा आपको नहीं बेचने वाले को मिलता है। अतः सोच–समझ कर (उत्पाद) ख़रीदें और लम्बी अवधि तक उसी में निवेश करें।

लक्ष्य निर्मित निवेश शास्त्र

आपके ख़रीदे सभी उत्पादों को आपके मनी–बॉक्स में जगह मिलनी ही चाहिए।

आहा! पूरा खाना पक चुका है। रोटी, चावल, दाल, सब्ज़ियाँ, मछली, चिकन, दही, अचार, पापड़ और मीठा सभी अपने–अपने डब्बे में भरे जा चुके हैं। कौन क्या और कितना खायेगा...यह अलग–अलग लोगों के स्वाद और ज़रूरत पर निर्भर है। पन्द्रह साल का बच्चा जो चाहे, जितना चाहे खा सकता है। घरेलू खाने की जगह वह बच्चा पिज़्ज़ा खाना पसन्द करेगा। बच्चों को उनके हाल पर छोड़ हम खाने की थाली की बात करते हैं। थाली में हर तरह के खाने की अपनी एक जगह होती है।

सोचकर देखें...सिर्फ़ पापड़–अचार पूरा खाना नहीं होता। कार्बोहाइड्रेट के लिए आपको रोटी–चावल की ज़रूरत है। प्रोटीन के लिए मांस और दाल चाहिए। विटामिन और मिनरल सब्ज़ियों में मिलेंगे। दही प्रोबायोटिक्स की कमी दूर करेगा। और पापड़, अचार खाने में जैसे स्वाद का छौंक लगा देते हैं।

क़िस्म–क़िस्म के वित्तीय उत्पाद भी समझो, अलग–अलग खाने की तरह हैं। प्रत्येक उत्पाद का अपना रोल है और वह किसी विशेष समस्या का समाधान प्रस्तुत करता है। आप कोई भी उत्पाद इसलिए तो नहीं ख़रीद लेते कि कोई आपको वह उत्पाद बेच रहा है। *आपके मनी–बॉक्स का प्रत्येक उत्पाद कोई ख़ास ज़रूरत पूरी करने के लिए ही वहाँ है। बाज़ार में तो ढेरों उत्पाद उपलब्ध हैं; पर आपके मनी–बॉक्स में सिर्फ़ वही उत्पाद आयेगा जो आपकी कोई ख़ास ज़रूरत पूरी करता हो।*

अब वक़्त आ गया है कि मनी–बॉक्स में उत्पाद भरना शुरू कर दें।

प्रत्येक वित्तीय उत्पाद की अपनी–अपनी विशेषता है। हमारे दिमाग़ में वित्त सम्बन्धी बातों का डर जमा बैठा है। सच तो यह है कि यह कोई

मुश्किल विषय नहीं है। हमें रॉकेट साइंस उत्पाद की ज़रूरत नहीं है। जिन्हें हम समझते हैं, बस वे ही हमारी ज़रूरत पूरी करते हैं।

जो चीज़ दिखाई नहीं देती, उसे कैसे समझें? वित्तीय उत्पाद आपको दिखाई नहीं देता। यह तब आकार ग्रहण करता है जब बेचने वाला उसके बारे में आपको बताता है, या ब्रोशर व वेबसाइट पर इसकी जानकारी दी जाती है। हमें करना यह है कि वित्तीय उत्पादों की विशेषताओं को समझकर उनका मूल्यांकन करें। सवाल यह है कि सबसे महत्त्वपूर्ण विशेषताएँ कौन–कौन सी हैं? बेचने वाला तो उत्पादों की विशेषताओं की झड़ी लगा देगा। पर उसकी बातों में न आकर, निवेश के दृष्टिकोण से किसी वित्तीय उत्पाद को छह बातों से जाँचना चाहिए–

क़ीमत

हम जब बीमा या म्युचुअल फंड ख़रीदते हैं तो यह स्पष्ट नहीं होता कि हमें इसकी क़ीमत भी देनी होगी। पर क़ीमत तो देनी ही होगी। सवाल उठता है, हमें कितनी क़ीमत चुकानी होगी? आपके लिए यह जानना ज़रूरी है कि वित्तीय उत्पादों में तीन तरह की क़ीमतें हैं। सबसे पहले तो उत्पाद ख़रीदने की क़ीमत है। आप बस में चढ़ने से पहले टिकट ख़रीदते हैं उत्पाद ख़रीदना बस का टिकट ख़रीदने की तरह है। एक से उद्देश्य वाले भिन्न–भिन्न उत्पादों का 'प्रवेश टिकट' भी अलग–अलग होता है। इसे लोड भी कहते हैं। बेचने वाला वित्तीय उत्पाद के निर्माता से कमीशन वसूल करता है।

यहाँ एक बात समझनी ज़रूरी है...कुछ बीमा उत्पाद जैसे एनडाउमेंट और पैसा वापिस योजना–इनकी क़ीमत 42% तक ऊँची हो सकती है। आप एक लाख प्रीमियम देते हैं। उसमें से 42,000 सीधा आपको बेचने वाले एजेंट की जेब में चला जाता है। इसके अलावा वे 'पॉलिसी एडमिनिस्ट्रेशन चार्ज' भी आपसे वसूल करते हैं। यह क़ीमत इंश्योरेंस कम्पनी को जाती है। अब आप समझ गये होंगे कि बीमा उत्पाद बेचने की होड़ क्यों लगती है।

एक यू.एल.आई.पी. में फ्रंट लोड 8–9 प्रतिशत है। म्युचुअल फंड में निवेश करने की कोई क़ीमत नहीं है। 2009 में इसका फ्रंट–लोड शून्य आ गया था। बैंक एफ.डी., पी.पी.एफ. और पी.एफ. में कुछ भी फ्रंट लोड नहीं है। नेशनल पेंशन स्कीम (एन.पी.एस.) में आप अपने हिस्से पर 0.25 प्रतिशत फ्रंट लोड देते हैं। एक लाख निवेश पर 250 रुपये। फ्रंट लोड

के कारण किसी वित्तीय उत्पाद में आप जो पैसा लगाते हैं, वह घट जाता है। फ्रंट लोड्स के (लालच) कारण ही उत्पाद बेचने वाला आपको पुराना उत्पाद बेचकर नया उत्पाद ख़रीदने के लिए आपके पीछे पड़ा रहता है।*

दूसरा...एक ऐसी क़ीमत भी है, जो चलती रहती है। यह पैसा आप किसी उत्पाद के साथ बने रहने के लिए देते हैं, साल-दर-साल। इसे एक्सपेंस रेशो कहा जाता है। यह प्रायः आप द्वारा निवेश किये गये पैसे का कुछ प्रतिशत होता है। आपने एक लाख का निवेश किया। अब वह पैसा दो लाख हो गया है। आप दो लाख पर एक्सपेंस रेशो देंगे। आप जैसा उत्पाद ख़रीदते हैं, उसी के हिसाब से एक्सपेंस रेशो देते हैं। ऋण अभिमुख उत्पादों में यह रेशो कम है। इक्विटी अभिमुख उत्पादों में ज़्यादा।

उत्पाद बेचने वाले से ज़रूर पूछें कि उत्पाद में बने रहने का वार्षिक ख़र्च कितना होगा? याद रखें...उत्पाद में आपको घाटा होने पर भी फंड मैनेजर पैसा बनाते हैं। वित्तीय उत्पादों में ऐसा ही होता है।

तीसरा...उत्पाद से बाहर निकलने की क़ीमत 'एग्ज़िट लोड'। फंड मैनेजर उत्पाद छोड़ने की क़ीमत आप से वसूल करते हैं। अधिकांश ऋण फंड में कोई एक्ज़िट लोड नहीं होता। अधिकांश इक्विटी फंड में अगर आप एक साल से पहले उत्पाद छोड़ते हैं, तो एग्ज़िट लोड एक प्रतिशत होता है। बीमा उत्पादों का एग्ज़िट-लोड बहुत ज़्यादा है। अगर आप निर्धारित समय से पहले छोड़ते हैं तो आपके पैसे का बड़ा हिस्सा मारा जायेगा। मनी बैक प्लान में आप पहले तीन सालों में उत्पाद छोड़ देते हैं तो, आपका सारा पैसा मारा जायेगा। आप यह समझ लें कि उसने आपको ठग लिया। आपकी पुरानी पॉलिसी के पहले साल का कमीशन तो वह जेब में डाल ही चुका है; अब नयी पॉलिसी की (भारी) कमीशन भी झटक लेगा। जीवन बीमा उत्पादों का कमीशन वक़्त के साथ-साथ कम होता जाता है, इसीलिए एजेंट नया उत्पाद बेचने के लिए पीछे पड़े रहते हैं। शेयर में सीधे निवेश करने वालों से शेयर दलाल भी ख़ूब वसूलते हैं...जब

---

* जब बीमा बेचने वाला आपको पुरानी पॉलिसी बेचकर नयी ख़रीदने को कहे तो यह मान लें कि उसने अपनी कमाई पुरानी पॉलिसी से कर ली है। ऐसा इसलिए क्योंकि कमीशन की दर साल-दर-साल कम होती है। एजेंट को सबसे ज़्यादा फ़ायदा पहले साल में होता है। उसके बाद वह आपको फिर से नयी पॉलिसी बेचना चाहता है। स्टॉक ब्रोकर को भी फ़ायदा तब होता है जब आप ज़्यादा ख़रीद-बेच करते हैं।

भी आप ख़रीदें या बेचें। इसीलिए दलालों या बेचने वाले से पूछना न भूलें कि उत्पाद छोड़ने की क़ीमत क्या होगी?

वित्तीय उत्पादों की क़ीमत का हिसाब किसी कार या चिप्स की क़ीमत के हिसाब से फ़र्क़ है। आप जब चिप्स (प्रत्यक्ष) ख़रीदते हैं। या मोबाइल प्लान (अप्रत्यक्ष), उसमें कमीशन क़ीमत में पहले से ही मिला हुआ होता है। ये कमीशन आपको परेशान नहीं करता, क्योंकि अगर आपको ख़रीदी चीज़ पसन्द नहीं आती, अगला पैकेट आप किसी और ब्रांड का ख़रीद लेंगे।

पर वित्तीय उत्पाद लम्बी अवधि का सौदा होते हैं। यह उत्पाद आपके लिए अच्छा है या नहीं, इसे आप पाँच, दस या तीस साल बाद ही जान पायेंगे (जैसे पेंशन उत्पाद)। बेचने वाला कमीशन के लालच में अपनी आय बढ़ाने के चक्कर में रहता है। आपके वित्तीय लाभ की उसे चिन्ता नहीं रहती। आप ऐसा उत्पाद ख़रीदें जिसकी फ्रंट–क़ीमत शून्य या बहुत कम है। क्योंकि यह आपको साल–दर–साल चुकानी पड़ती है, आप पर वह भी बहुत भारी पड़ती है।

इसे देखें...एक प्रतिशत का फ़र्क़ भी चालीस साल में आपकी बड़ी धनराशि को 25 प्रतिशत घटा देता है। एफ.डी. जैसे निश्चित रिटर्न उत्पाद में हम क़ीमत की फ़िक्र नहीं करते। क्योंकि उत्पाद ख़रीदते समय ही आपको बता दिया जाता है कि आपको एक निश्चित अवधि के बाद क्या रिटर्न मिलेगा।

रिटर्न

आपको वापिस या रिटर्न क्या मिलता है? आप किसी भी उत्पाद में निवेश इसीलिए करते हैं कि आपको लाभ मिलेगा। उत्पाद ख़रीदने से पहले आप जान लें कि इसमें लाभ की उम्मीद कितनी है। एक गारंटी–स्कीम में एक निश्चित लाभ बता दिया जाता है और बाज़ार से जुड़े उत्पाद में अन्दाज़न बता देते हैं। जिन उत्पादों में आपको पूरा भरोसा दिलाया जाता है कि इतनी रक़म तो आपको अवश्य मिलेगी...एक लाख लगायेंगे तो पाँच लाख मिलेंगे...उनसे दूर ही रहें। सुनने में तो बहुत आकर्षक लगता है कि पैसा पाँच गुना बढ़ जायेगा–पर जब आपको पता लगता कि यह बढ़त तीस साल में होगी तो गुब्बारे की हवा निकल जाती है, रिटर्न सिर्फ़ 5.5 प्रतिशत ही होगा।

लाभ और जोखिम दोनों एक–दूसरे से जुड़े हैं। कम लाभ में लाभ की

गारंटी होती है। ज़्यादा लाभ पाना चाहते हैं तो ख़ूब जोखिम उठाने के लिए तैयार रहिए। पार्टिसिपेटिंग बीमा योजनाओं, जैसे बाज़ार से जुड़े (मार्केट लिंक्ड) उत्पादों से दूर रहें। हमेशा याद रखें कि रिटर्न आपके निवेश के अनुरूप होना चाहिए। बीमा कम्पनियों ने आपको धोखा देने के लिए एक तरीक़ा बना लिया है...वे लाभ को तीसरे नम्बर से जोड़कर बताती हैं।

एजेंट आपके सामने पासा फेंकेगा...आप जितनी राशि लगायेंगे उस पर 105 प्रतिशत का रिटर्न मिलेगा। आप इस चाल में फँस जाते हैं, क्योंकि 105 प्रतिशत बहुत आकर्षक रिटर्न है। पर ये रिटर्न आपके निवेश पर नहीं है, सम एश्योर्ड पर है, जोकि बीमा रक़म है! बेचते समय जो लुभावने आँकड़े आपके सामने रखे जाते हैं, उनसे सावधान रहें।

आप बताये गये रिटर्न की एफ.डी. से तुलना कर देखें। बाज़ार से जुड़े उत्पाद और 'पार्टिसिपेटिंग' इंश्योरेंस प्लान्स भविष्य में होने वाले लाभ की गारंटी दे ही नहीं सकते। उस उत्पाद ने गुज़रे सालों में कितना रिटर्न दिया है, आप उस रिकॉर्ड को देखने की माँग करें। बेचने वाला आपको अधिक लाभ देने वाले वर्षों का रिकॉर्ड दिखाना चाहेगा। उसके झाँसे में न आयें।

एक रिसर्च पेपर के लिए मैंने अर्थशास्त्री रेणुका साने के साथ मिलकर एक प्रयोग किया। हमने दिल्ली के बैंकों में 400 नक़ली ख़रीदारों को भेजा। हमने देखा कि निवेशकों को लुभाने के लिए बैंक मैनेजरों ने सिर्फ़ वही आँकड़े प्रस्तुत किये, जिनमें उनको सबसे ज़्यादा कमीशन या दलाली मिल रही थी।

आप पिछले तीन, पाँच या दस साल का औसत सालाना रिटर्न देखने की माँग करें। फिर बेंचमार्क रिटर्न देखें। फिर यह देखें कि किस वर्ग में कितना रिटर्न मिला?

वर्ग रिटर्न किसी भी वर्ग के उत्पाद का औसत रिटर्न है। उत्पाद बेचने वाला अगर आपसे कहे कि एक बीमा योजना में भी आपको पैसा लार्ज–कैप फंड में जायेगा। आप इस फंड के पिछले सालों का रिकॉर्ड देखने की माँग करें। फिर तुलना करें कि फंड को बेचा कैसे गया है?

जो पार्टिसिपेटिंग प्लान 'बोनस' देने का वायदा करते हैं, क्या उन पर भरोसा किया जा सकता है? मैं पहले भी आपको बता चुकी हूँ कि 'बोनस' ग्राहक को फँसाने की एक ट्रिक है। इस ट्रिक से आपको कम लाभ वाले उत्पाद बेच दिये जाते हैं। ख़रीदने से पहले आप यह ज़रूर

पूछें कि इसी तरह की योजनाओं में, पिछले सालों में निवेश की गयी कुल राशि पर कितना लाभ मिला? बेचने वाला अगर यह न बताये, तो उस उत्पाद से किनारा कर लें।

ताला लगा देना (लॉक-इन)

क्या किसी उत्पाद पर ताला लगाया जा सकता है? इसे जानना बहुत ज़रूरी है। लॉक–इन (हम यहाँ इसी शब्द का इस्तेमाल करेंगे) का मतलब है कि आप अपना पैसा एक विशेष समय अवधि तक नहीं निकाल सकते। जैसे–पी.पी.एफ. का लॉक–इन का समय पन्द्रह साल है। पाँच साल की बैंक एफ.डी. का लॉक इन पीरियड पाँच साल ही है।

म्युचुअल फंड दो तरह के होते हैं। बन्द और खुले सिस्टम वाले। इनको ओपन और क्लोज़्ड–एंड भी बोलते हैं। खुले सिस्टम में लॉक–इन पीरियड नहीं होता। बन्द सिस्टम इक्विटी फंड्स में तीन से पाँच साल का लॉक–इन होता है। ई.एल.एस.एस. फंड्स तीन साल के लिए लॉक–इन होते हैं। खुले सिस्टम फंड्स में लॉक–इन पीरियड तो नहीं होता, पर, एक निश्चित अवधि से पहले छोड़ने पर एक क़ीमत देनी होती है (इस पर अगले सेक्शन में विस्तार से बात करेंगे)। यू.एल.आई.पी. में पाँच साल का लॉक–इन है।

पारम्परिक प्लान में लॉक–इन नहीं होता। आप जब चाहें पॉलिसी का पैसा देना बन्द कर सकते हैं, पर पॉलिसी की अवधि दस, पन्द्रह या तीस साल की होती है। प्रीमियम कब तक देना है और पॉलिसी कितने समय की है, ये दोनों अलग–अलग बातें हैं।

बीमा बेचने वाले इसी बात पर झूठ बोलते हैं। वे आपको इस तरह बताते हैं...आपको लगता है पाँच साल तक की प्रीमियम अवधि, पॉलिसी की अवधि है। प्रायः यह अवधि बहुत लम्बी होती है। एन.पी.एस. में लॉक–इन अवधि आपकी उम्र से जुड़ी होती है। साठ साल की उम्र से पहले आप उसे छोड़ नहीं सकते। मुझे लम्बी अवधि के लिए निवेश करना पसन्द है, पर लॉक–इन पसन्द नहीं हैं। लॉक–इन में आप ख़राब काम करने वाले फंड मैनेजर से जुड़े रहने को बाध्य हो जाते हैं।

मैं समय से पहले छोड़ दूँ, तो क्या होगा।

जल्दी छोड़ने की क़ीमत

जल्दी दो तरीक़ों से छोड़ा जा सकता है। एक– लॉक–इन अवधि ख़त्म

होने से पहले आप छोड़ना चाहें। जैसे–पी.पी.एफ. में आप उत्पाद को बीच में ही रोककर अपना पैसा लेना चाहें, या ई.एल.एस.एस. फंड में आप तीन साल से पहले पैसा वापिस चाहें; या यू.एल.आई.पी. से पाँच साल से पहले अपना पैसा निकालना चाहें, या एन.पी.एस. अथवा अपने पी.एफ. से निकलना चाहें?

आप ऐसा नहीं कर सकते। अपने एन.पी.एस. या पी.एफ. से किन्हीं विशेष परिस्थितियों में ही आप कुछ पैसा निकाल सकते हैं। एक क्लोज़्ड–एंड म्युचुअल फंड क्योंकि स्टॉक एक्सचेंज की लिस्ट में है, इसलिए, समय अवधि (टैनर) से पहले निकल जाने का प्रावधान उसमें है। अगर आप अपना फंड एक्सचेंज को ही बेचते हैं तो तत्कालीन एन.ए.वी. आपको मिल सकता है। पर, अगर पुराने आँकड़े देखे जायें तो पायेंगे कि लिस्टेड क्लोज़्ड–एंड फंड्स एन.ए.वी. से कम में ही बिक पाते हैं। अधिकांश निवेशक अवधि पूरी होने तक बने रहते हैं। तो भी, अगर आपका आपात्कालीन फंड पर्याप्त है, तो बीच में ही आपकी ज़रूरत के लायक राशि आपको मिल जानी चाहिए।

दो–लॉन्ग–टर्म उत्पाद छोड़ें तो क्या होगा? आप पता कर लें कि जल्दी निकलने की क्या क़ीमत चुकानी पड़ेगी? जैसे–बैंक में तीन साल के लिए जमा किये पैसे को आप दो साल में निकालना चाहें–आप ऐसा कर सकते हैं, पर आपको 0.5% (पॉइंट फ़ाइव परसेंट) ब्याज से हाथ धोना पड़ेगा। इक्विटी म्युचुअल फंड, यू.एल.आई.पी. और एनडाउमेंट प्लान जैसे उत्पादों में कम–से–कम पाँच से तीस साल का लक्ष्य रखकर ही निवेश करें।

उत्पाद-टर्म ख़त्म होने से पहले छोड़ने पर क्या होगा?

ओपन–एंडेड म्युचुअल फंड में एग्ज़िट लोड के ज़रिये निवेशक को एक समय के लिए जोड़ा जा सकता है। जैसे–लिक्विड फंड्स सेविंग्स डिपॉज़िट की तरह होते हैं, उनमें कोई एग्ज़िट लोड नहीं होता। अधिकांश कम समय के टर्म वाले फंड्स में एग्ज़िट लोड नहीं होता। क्रेडिट रिस्क फंड्स और ऋण फंड्स रिटर्न के लालच से लोअर क्वालिटी पेपर ख़रीदते हैं, उनमें 365 दिन के होल्डिंग पीरियड से पहले बाहर निकलने पर 1% या 1.5% चार्ज है (मतलब–उत्पाद बीच में छोड़ने पर आपको 1 से 1.5% क़ीमत चुकानी होती है। अगर किसी फंड में 1% एग्ज़िट लोड की शर्त के साथ पाँच लाख रुपया लगा हुआ है, और आप एक साल से पहले उत्पाद

छोड़ देते हैं तो आपको 5,000 रुपये क़ीमत चुकानी पड़ेगी। इस स्थिति में आपको वापिस 4,95,000 रुपया मिलेगा)

अगर आप 540 दिन से पहले उत्पाद छोड़ देते हैं, तो कुछ आय (ऋण) फंड्स में 2 प्रतिशत देना पड़ता है। इक्विटी फंड्स में अगर आप एक साल से पहले छोड़ते हैं, तो, प्रायः एक प्रतिशत देना होता है। उत्पाद ख़रीदने से पहले पूछ लें कि एग्ज़िट–लोड कितना है और कितना समय पहले छोड़ने को जल्दी एग्ज़िट माना जायेगा? जवाब आपको ऑनलाइन भी मिल जायेंगे। valueresearchonline.com वेबसाइट डाटाबेस यह जानने के लिए अच्छा ज़रिया है।

यू.एल.आई.पी. में पाँच साल से पहले छोड़ने पर अधिकतम 6,000 रुपये लगते हैं। आपका पैसा 'डिस्कंटीन्यूएशन फंड' में चला जायेगा, फिर भी आपको थोड़ा–बहुत ब्याज मिल ही जायेगा। अगर आप पाँच साल के बाद प्रीमियम देना बन्द कर देते हैं और अपना निवेश ख़त्म कर देते हैं, तो आपको अपने फंड का एन.ए.वी. उस समय के रेट से मिल जायेगा।

पारम्परिक योजनाओं (ट्रेडिशनल प्लान्स) में सबसे ऊँची क़ीमत चुकानी पड़ती है। आपने कोई भी पॉलिसी ख़रीदी हुई हो–मनी बैक, एनडाउमेंट, लाइफ़ इंश्योरेंस प्लान, चाइल्ड प्लान–उत्पाद ख़रीदने के पहले तीन सालों में अगर आप प्रीमियम देना बन्द कर देते हैं, तो आपका निवेश किया सारा पैसा मारा जायेगा।

भारत के विद्वान बीमा नियन्त्रक (रेग्यूलेटर) ने बीमा कम्पनियों को छूट दे रखी है कि वे आपके पैसे को 'क़ीमत' के नाम पर हथिया लें। कुछ समय पहले तक, दो साल के बाद इस पैसे को अपना लाभ घोषित कर दिया जाता था। शायद आपने 'लैप्सेशन प्रॉफ़िट' जुमला सुना हो। आप अपने बीमा का प्रीमियम देना भूल गये, या आपने देना बन्द कर दिया, तो आपका पैसा मारा गया और वही पैसा बीमा कम्पनियों का लाभ होता है। पहले तीन साल में अगर आप उत्पाद छोड़ना चाहते हैं तो आपको कुछ पैसा मिल जायेगा। पूरा पैसा नहीं। आपका कितना नुक़सान हुआ यह इस पर निर्भर करता है कि आप उसे कब छोड़ रहे हैं? आप यह ज़रूर पता कर लें कि उत्पाद का टर्म ख़त्म होने से पहले उसे छोड़ने की क्या क़ीमत होगी? ऊपर हमने नक़ली ख़रीदारों को बैंक भेजने के प्रयोग के बारे में बताया था तो उन ख़रीदारों (ऑडिटर्स) ने जब बैंक मैनेजरों से 'एग्ज़िट कॉस्ट' के बारे में पूछा, तो दो तिहाई मैनेजरों ने जवाब ही नहीं दिया।

या तो उन्हें ख़ुद भी पता नहीं था, या वे बताना नहीं चाहते थे। बीमा बेचने वाले से लिखवा लें कि इसकी एग्ज़िट–कॉस्ट कितने समय में कितनी होगी?

होल्डिंग पीरियड

आप दूध उबाल रहे हैं और मन–ही–मन योजना बना रहे हैं कि इतने वक़्त में ही खीर भी बन जाये। आप जानते ही हैं कि दूध पाँच मिनट में उबल जायेगा और खीर बनने में काफ़ी ज़्यादा समय लगेगा। प्रत्येक वित्तीय उत्पाद की परिपक्वता की भी एक समय सीमा होती है। दुर्भाग्य की बात है कि नियन्त्रक प्रत्येक उत्पाद पर उसकी परिपक्वता तिथि लिखने की बाध्यता न उत्पाद बनाने वाले के लिए करते हैं न बेचने वाले के लिए।

जिस वित्तीय उत्पाद का पूरा लाभ कई सालों बाद मिलना होता है, उसे आप थोड़े समय बाद ही इस्तेमाल करने लगें तो समझ लीजिए आप आर्थिक संकट को न्योता दे रहे हैं। इसीलिए तीन साल की अवधि से कम समय में, वित्तीय लक्ष्य रखकर चलने वालों को नियोजक प्योर इक्विटी उत्पाद ख़रीदने की सलाह नहीं देते।

आपके मनी–बॉक्स में जगह पाने वाले प्रत्येक उत्पाद के बारे में आपको भली–भाँति पता होना चाहिए कि उसे कितने समय तक होल्ड करने से आपको पूरा लाभ मिलेगा।

इसका जान लेना आपके लिए बहुत महत्त्वपूर्ण है। किसी वित्तीय उत्पाद की सफलता या असफलता इस बात पर भी निर्भर करती है कि ख़रीदा गया उत्पाद आपके निवेश लक्ष्य को पूरा करता है कि नहीं।

हाँ, कुछ ऐसे उत्पाद भी हैं, जो पूरा टर्म आपके पास रहने के बावजूद भी आपके मनी–बॉक्स के लिए फ़ायदेमन्द नहीं हैं। मैं यू.एल.आई.पी. और पारम्परिक योजनाओं को इसी श्रेणी में रखूँगी। *निवेश और बीमा दो अलग–अलग चीज़ें हैं। उन्हें मिलाये नहीं।* अपने मनी–बॉक्स में 'बंडल लाइफ़ इंश्योरेंस प्लान' की विपत्ति को जगह मत दें।

कर

किसी उत्पाद के पूरे और वास्तविक लाभ का आकलन उससे जुड़ी हर क़ीमत को निकालने के बाद ही किया जाना चाहिए। हाँ, मुद्रास्फीति और कर को भी क़ीमत में शामिल किया जाता है। इन तीन बड़े ख़र्चों को लाभ में से निकाल दें तो अधिकांश उत्पादों का लाभ नगण्य हो जाता है।

किसी भी उत्पाद पर अनेक बिन्दुओं पर कर लगाया जा सकता है। हाँ, कुछ उत्पाद ऐसे हैं, जिनमें निवेश करने पर आपको कर से छूट मिल जाती है।

सेक्शन 80C सर्वविदित कर छूट देने वाला है। अगर आप उपयुक्त उत्पाद में निवेश करें, तो इसमें 1.5 लाख रुपये तक की छूट मिल जाती है (2018 में)। अगर आप अपने पी.पी.एफ., पी.एफ., जीवन बीमा प्रीमियम, ई.एल.एस.एस., म्युचुअल फंड्स, एन.पी.एस. स्पेशल पाँच वर्षीय एफ.डी. और भी ऐसे अनेक ख़र्चों में अपना हिस्सा देते हैं, तो यह छूट मिलती हैं।

1.5 लाख रुपये निवेश का सर्वोत्तम समय वित्तीय वर्ष का प्रारम्भ है, न कि साल पूरा होने के क़रीब फ़रवरी या मार्च। इस 1.5 लाख के निवेश को अपने पी.एफ. में इस्तेमाल करना फ़ायदेमन्द है। अगर पी.एफ. नहीं है तो एन.पी.एस. में कर लें। इसके अलावा पी.पी.एफ. टर्म बीमा प्रीमियम और ई.एल.एस.एस. फंड्स में भी इसका इस्तेमाल किया जा सकता है।

यह जानना भी ज़रूरी है कि रिटर्न पर टैक्स तो नहीं लगता। किसी उत्पाद विशेष के ब्याज, डिविडेंड और लाभ पर क्या टैक्स देना पड़ेगा? अन्त में एक और ज़रूरी तथ्य...क्या एक्ज़िट पर भी टैक्स है? जैसे, बैंक एफ.डी. से मिला ब्याज आपकी आय में शामिल होकर आपकी आय–कोटि (इनकम–स्लैब) में आ जाता है और उस पर टैक्स देना होता है। आपके ऋण म्युचुअल फंड से मिलने वाला लाभ 38.83 प्रतिशत 'डिविडेंड डिस्ट्रीब्यूशन टैक्स देता है– यह टैक्स आपको नहीं देना होता; एन.ए.वी. घोषित करने से पहले ही फंड यह टैक्स दे देता है।

आपको एक और बात का ख़याल रखना है, पूँजी–वृद्धि (कैपिटल गेन) दो तरह की है। शॉर्ट–टर्म और लॉन्ग टर्म पूँजी वृद्धि। जैसे–ऋण फंड में अगर आप फंड को तीन साल से पहले बेच देते हैं, तो आपको अल्प अवधि पूँजी वृद्धि टैक्स उससे मिले लाभ पर देना होगा। यह लाभ आपकी आय के साथ जुड़ जाता है, और उस आय स्तर के अनुरूप आप टैक्स देंगे। आप फंड को तीन या उससे ज़्यादा वर्षों तक रखते हैं, तो लाभ लम्बी अवधि सीमा में आ जाता है। आप सीधे–सीधे 20.8 प्रतिशत टैक्स देते हैं।

इक्विटी और कर का रिश्ता थोड़ा फ़र्क़ है। आप एक साल तक इसे रखते हैं तो इसे लम्बी अवधि उत्पाद माना जाता है और यह कर–मुक्त हो जाता है। पर एक अप्रैल 2018 से यह नियम बदल गया है। अब लम्बी अवधि पूँजी वृद्धि पर इक्विटी में भी दस प्रतिशत कर देना होता है।

अगर आप इक्विटी फंड, जिसे एक साल के अन्दर नहीं बेचना चाहिए था, बेच देते हैं, और उस पर लाभ भी कमा लेते हैं, तो लाभ पर 15.6 प्रतिशत के हिसाब से अल्प अवधि पूँजी वृद्धि कर आपको देना होगा। जनवरी 2018 से पहले तो अगर आपने इक्विटी फंड 365 दिन रख लिया तो आपकी पूँजी वृद्धि शून्य होती थी।

एक अप्रैल 2018 से इसमें बदलाव आया है। आपको इक्विटी या इक्विटी से जुड़े उत्पादों जैसे म्युचुअल फंड्स में एक लाख से ज़्यादा लाभ होता है, तो आपको 10.4 प्रतिशत के हिसाब से लम्बी अवधि पूँजी वृद्धि टैक्स देना होगा।

जिन जीवन बीमा पॉलिसीज़ में निवेश उसमें जुड़ा रहता है, उसे आप छोड़ भी दें तो कोई कर नहीं देना पड़ता। 2018 के परिवर्तनों के बाद भी इक्विटी, यू.एल.आई.पी. कर–मुक्त हैं। इस फ़ायदे के बावजूद अधिकांश बीमा योजनाएँ पी.पी.एफ., बैंक डिपॉज़िट और म्युचुअल फंड्स की तुलना में पसन्द नहीं की जातीं।

सम्पत्ति विनियोजन/विविधता

अब हमें सब सवालों के जवाब मिल चुके हैं। हम जो उत्पाद चाहते हैं, हमने उनकी लिस्ट भी बना ली है। तो, क्या अब हम अपने मनी–बॉक्स में निवेश उत्पाद भर सकते हैं? भर सकते हैं, पर यह समझने के बाद कि असेट एलोकेशन या सम्पत्ति विविधता का क्या मतलब है? आप यूँ समझ लें कि सम्पत्ति विविधता जोखिम कम करने का एक तरीक़ा है। सम्पत्ति सम्बन्धी विविधता से ही पोर्टफोलियो में विविधता लायी जा सकती है। ओह...बहुत सारे विशिष्ट शब्द!!

अब ज़रा सोचिए, एक दिन में आप क्या–क्या खाते हैं? सिर्फ़ एक चीज़ या एक सन्तुलित भोजन? रोटी, चावल, मांस, सब्ज़ी, फल, दूध, दही, जूस, पिज़्ज़ा, शराब आदि–आदि...एक औसत व्यक्ति एक दिन में इनमें से बहुत कुछ खाता है। वैसे, हम बहुत ज़्यादा खाते हैं न? रुको, रुको...मैं फिर मार्ग से भटक रही हूँ। वापिस वित्त पर चलते हैं।

आप सुबह, दोपहर, शाम बस पिज़्ज़ा ही पिज़्ज़ा खायें तो अंजाम क्या होगा? एक तो, एक सप्ताह में ही आप ऊब जायेंगे, साथ ही शरीर में भोजन की विविधता की कमी महसूस होने लगेगी। आपका वित्त संसार भी ऐसा ही है। सिर्फ़ एक तरह के उत्पाद पोर्टफोलियो के लिए हानिकारक हैं,

क्योंकि सारा जोखिम उस एक चीज़ से जुड़ जाता है। अरे...रे...आपने क्या कहा–'मेरे पिता तो एफ.डी. पर ही भरोसा करते थे। मैं भी एफ.डी. पर ही भरोसा कर सकता हूँ। एफ.डी. में भला कैसा जोखिम!'

ठीक है, एफ.डी. में बाज़ार गिरने का ख़तरा नहीं है, आपका मूलधन और ब्याज, बदस्तूर आपको मिल जायेंगे। पर, मुद्रास्फीति के कारण आपको जो नुक़सान होगा उसका क्या? अब तक आप यह बात जान चुके हैं कि जब सरकारें बहुत अधिक पैसा उधार लेती हैं, तो अपने क़र्ज़ की वास्तविक स्थिति को कम करने के लिए मुद्रास्फीति का इस्तेमाल करती हैं।

अपने ऋण का बोझ कम करने के लिए वे आपके पैसे की क्रय शक्ति को कम कर देती हैं। 2009 में किसानों द्वारा लिए गये लोन को सरकार ने माफ़ कर दिया था, तो मुद्रास्फीति एकदम बढ़कर दोहरे अंक तक जा पहुँची, क्योंकि अपनी देनदारी कम करने के लिए सरकार ने मुद्रास्फीति का इस्तेमाल किया। अगर आपका सारा पैसा एफ.डी. में लगा हुआ है तो आपके लिए मुद्रास्फीति बहुत बड़ा जोखिम है।

आपके पिता ने सिर्फ़ एफ.डी. में पैसा रखा था। आज उनकी हालत क्या है? बच्चों की मदद के बिना क्या उनका गुज़ारा सम्भव है? अगर उन्हें सरकारी पेंशन मिलती है, तो बात और है। हो सकता है स्थिति ऐसी न हो। आपके पिता ने जो किया, ज़रूरी नहीं वह आपके लिए भी ठीक हो।

ज़रूरत है कि आपके पोर्टफोलियो में भाँति–भाँति की सम्पत्ति हो। ऋण फंड उसको स्थायित्व प्रदान करते हैं। अपने पोर्टफोलियो के ऋण हिस्से में पी.एफ., पी.पी.एफ., एफ.डी., बॉन्ड्स और ऋण फंड्स को शामिल कर लें। इक्विटी से रिटर्न मिलने की उम्मीद होती है। मुद्रास्फीति का असर सबसे कम क़ीमत पर बेअसर करके यह सम्पत्ति क्लास आपको रिटर्न देती है। आप सोने को भी इसी क्लास में शामिल कर सकते हैं, पर मैं ऋण और इक्विटी के साथ ही रहना चाहूँगी।

आप अगर सोने को इसमें लाना ही चाहते हैं, तो अपने कुल धन का सिर्फ़ पाँच से दस प्रतिशत ही इसमें रखें। उधर ऋण और इक्विटी में कितना–कितना रखा जाये, यह अलग–अलग लोगों का अलग–अलग फ़ैसला होता है। *इक्विटी का बेसिक नियम है...सौ को आपकी उम्र से घटा दें।* आपकी उम्र तीस साल है, तो आप इक्विटी में सत्तर प्रतिशत रखें। चालीस साल के हैं, तो साठ प्रतिशत रखें। हाँ, सेवानिवृत्ति के बाद भी आपको इक्विटी की ज़रूरत रहती है।

ऋण और इक्विटी में कितना–कितना रखा जाये, यह आपके लक्ष्य पर निर्भर है। आप सेवानिवृत्ति के बाद इसे लेना चाहेंगे जो अभी तीस साल दूर है, तो सौ प्रतिशत इक्विटी में डालें। उधर, पाँच साल बाद आपको बच्चों की शिक्षा के लिए पैसे की ज़रूरत पड़ेगी तो सत्तर प्रतिशत ऋण और तीस प्रतिशत इक्विटी में रखें। इसके इलावा, आप जोखिम के प्रति कितने संवेदनशील हैं, कितना जोखिम उठाने को तैयार हैं सम्पत्ति विविधता इस पर भी निर्भर है। इसका सीधा–सा नियम है–आप अपने लक्ष्य के जितना नज़दीक हैं, पोर्टफोलियो में इक्विटी का हिस्सा उतना ही कम होना चाहिए। हमारी आदत है कि हम ज़मीन में बहुत निवेश कर लेते हैं या बैंक डिपॉज़िट ज़्यादा कर लेते हैं, इक्विटी में कम निवेश करते हैं।

प्रत्येक कक्ष के लिए एक उत्पाद

अब उचित समय आ गया है कि प्रत्येक कक्ष में एक उत्पाद रख दिया जाये। मैं आपको उत्पादों के नाम तो नहीं बताऊँगी, हाँ, उत्पाद किस क़िस्म के हैं, यह बता रही हूँ। वित्तीय उत्पाद गतिशील हैं। समय–समय पर उन पर नज़र रखना ज़रूरी है। आप स्वयं भी इस बारे में खोज कर सकते हैं या उत्पाद का नाम ज़ानने के लिए वित्त नियोजक (फ़ाइनेंशल प्लानर) की सहायता ले सकते हैं।

कैश–फ्लो कक्ष

आपको निवेश शुरू करने के लिए तीन बैंक खातों की ज़रूरत है। जैसे–जैसे आप कैश–फ्लो सिस्टम के अभ्यस्त होते जायेंगे, आपका काम दो खातों से भी चल जायेगा। आपका वेतन जिस खाते में जाता है, वह आपका आय खाता है। आपके पास जो भी पैसा आता है, वह इसी खाते में जायेगा।

ख़र्च खाता सम्मिलित खाता भी हो सकता है। आपका पार्टनर, माता पिता या बच्चे–इनमें से जो भी घर ख़र्च में आपका भागीदार है, उसके साथ साझा खाता हो सकता है।

घर के रोज़मर्रा के ख़र्च में पति–पत्नी दोनों की भागीदारी एक अच्छा क़दम है। अधिकांशतः स्त्री की वेतन से घर का ख़र्च चलता है और पुरुष के वेतन से सम्पत्ति बनती है। इस सिस्टम का एक दुर्भाग्यपूर्ण पहलू है। पति–पत्नी में अगर नौबत तलाक़ की आती है, तो क़ानून सम्पत्ति पर पति का हक़ मानता है, क्योंकि उसने अपना पैसा ख़र्च किया है। सँभल जायें...घर ख़र्च और सम्पत्ति ख़रीदने में दोनों की भागीदारी सुनिश्चित कर लें।

तीसरा खाता निवेश खाता है। ख़र्चे से जो पैसा महीने में बच जाता है, जो आपकी बचत है, वह या हर महीने जितने निवेश का लक्ष्य आपने सोच रखा है, वह पैसा इस खाते में जाता है। खाते के लिए ऐसा बैंक चुनें, जिसमें मोबाइल और ऑनलाइन बैकिंग की सुविधा श्रेष्ठ कोटि की हो और सुरक्षा सिस्टम भी मज़बूत हों।

आजकल कई तरह के मनी ट्रांसफर एप्लिकेशन उपलब्ध हैं, आपका खाता उनसे लिंक्ड होने की अनुमति देने वाला हो। आपका मनी–बॉक्स निर्बाध रूप से काम करे, इसके लिए ज़रूरी है कि आप ऑनलाइन हों और 'निवेश करें' (इनवेस्ट इट) खाता विभिन्न वित्तीय उत्पाद बेचने वाले प्लेटफॉर्म्स से जुड़ा हुआ हो।

इस सिस्टम को पूरी तरह कार्यशील बनाने में मुझे छह महीने लगे। शुरू में कई अड़चनें आती हैं...कभी पासवर्ड नहीं मिलते थे, बैंक में मैं अपना पैसा ट्रांसफर कर सकूँ, इसके लिए बैंक को अतिरिक्त सुरक्षा उपायों की ज़रूरत महसूस हुई, आदि...आदि। सारी कमियों को दूर करने के लिए कुछ महीने उसको टैस्ट करना आपका काम आसान और परफ़ेक्ट कर देता है। आज कोई निवेश करने के लिए या किसी उत्पाद से निकलने में मुझे तीस सेकेंड से भी कम समय लगता है। हम यह सारी मेहनत इसलिए कर रहे हैं कि आपका समय बर्बाद न हो।

म्युचुअल फंड्स में निवेश करने के अभ्यस्त लोग हो सकता है अपने ख़र्च के लिए कुछ पैसा लिक्विड फॉर्म में रखना चाहें। कुछ ऐसे फंड्स हैं, जो 50,000 रुपये तक लिक्विड फंड से आपके बचत खाते में तुरन्त स्थानान्तरित कर देते हैं या डेबिट कार्ड से आप उसे ले सकते हैं। अगर आपके ख़र्च बड़े हैं और महीने की पन्द्रह तारीख़ तक आपकी बचत काफ़ी है–तो ख़र्च–पैसे का कुछ हिस्सा लिक्विड फंड में रख दें।

आपात्कालीन कक्ष

यह कक्ष ऐसा हो जिसमें से धन आसानी से निकाला जा सके। आपकी नौकरी छूट जाये, तो भी आपको कम–से–कम तीन महीने का वेतन मिलता रहे। इसलिए हमें ऐसे उत्पाद चाहिए जो बचत डिपॉज़िट से कुछ ज़्यादा रिटर्न दें और उन्हें तुड़वाना आसान हो।

आप दो उत्पादों में से चुन सकते हैं। पहला तो सदा की भरोसेमन्द एफ.डी. ही है। वे सुरक्षित हैं और हम उनमें निवेश करने और उनसे पैसा

निकलवाने के तरीक़े जानते हैं। हम एफ.डी. से अच्छी तरह परिचित हैं, इसे बनवाने और तुड़वाने में भी आसानी रहती है, अतः आपात् फंड कक्ष के लिए यह सबसे प्रबल उम्मीदवार है। बस, आप एफ.डी. कराते समय यह ध्यान रखें कि कितने समय की एफ.डी. कराने में हमें सबसे ज़्यादा ब्याज मिलेगा।

कुछ ऐसी एफ.डी. हैं जो तीन साल में पाँच साल की एफ.डी. से ज़्यादा फ़ायदा देती हैं। एफ.डी. को वक़्त से पहले तुड़वाने में 0.5% ब्याज की क़ीमत चुकानी होती है। जो बचत डिपॉज़िट 3.5% ब्याज देते हैं, उनसे अच्छा है कि 0.5% ब्याज का नुक़सान उठाकर हम पैसा एफ.डी. में रखें। कुछ बैंक फ्लेक्सी खाते की सुविधा देते हैं जिससे आप एफ.डी. का पैसा तुरन्त बचत डिपॉज़िट में स्थानान्तरित कर सकते हैं। इस सुविधा से आप किसी आवश्यक ख़रीदारी के लिए आपात् फंड्स से पैसा निकालने के लालच से बच सकते हैं।

दूसरा उत्पाद म्युचुअल फंड है। मैं, अपना आपात्कालीन पैसा बहुत शॉर्ट टर्म वाले ऋण फंड में रखती हूँ। अगर आप भूल गये हों कि ये सब क्या और कैसे होगा, तो याद करने के लिए म्युचुअल फंड चैप्टर पर एक नज़र डाल लें। ऐसा फंड चुनें जो एग्रेसिव न हो, पर कंज़र्वेटिव बैलेंस्ड हो। मतलब यह है कि अपने आपात् कक्ष के लिए कोई ऐसा फंड न चुन लें, जिसने भूतकाल में अधिक रिटर्न दिया हो।

कुछ फंड्स के मैनेजर, अधिक रिटर्न दिलवाने के लिए 'क्रेडिट रिस्क' उठा लेते हैं–मतलब वे अपेक्षाकृत घटिया श्रेणी के बांड्स ख़रीद लेते हैं। आप जब स्वयं ख़रीदने जा रहे हैं, तो यह ज़रूर देख लें कि आपके ऋण फंड की 'होल्डिंग' ट्रिपल–ए रेट वाले बॉन्ड्स में है। अगर आप किसी एजेंट के मार्फ़त निवेश कर रहे हैं तो उसे अच्छी तरह समझा दें कि ज़्यादा रिटर्न के लालच में वे सुरक्षा की अनदेखी न कर दे।

एक दफ़ा आप म्युचुअल फंड्स को अच्छी तरह समझकर उसमें निवेश करने के अभ्यस्त हो जायेंगे, तो सम्भव है आप अपना आपात् धन किसी कंज़र्वेटिव बैलेंस्ड फंड में शिफ्ट कर दें। पर ऐसा अपने पार्टनर से बात करने के बाद ही करें। मैं अपने आपात् फंड को ज़्यादा जोखिम वाले फंड में शिफ्ट करना पसन्द करूँगी, पर मेरे पति जोखिम के एकदम ख़िलाफ़ हैं। पारिवारिक शान्ति बनाये रखने के लिए हम अत्यधिक अल्प अवधि फंड में ही इस कक्ष का पैसा रखते हैं।

वित्त सिर्फ़ अंकों का गणित मात्र नहीं है। इसका लाभ परिवार के सभी सदस्यों को मिलना चाहिए...प्रत्येक सदस्य की रुचि, डर और लक्ष्य का ध्यान रखना चाहिए। अगर एक सदस्य को भी असुरक्षा का अहसास हो तो वह उत्पाद मत ख़रीदें। या तो अपने पार्टनर को भरोसा दिला दें, वरना सबसे कम जोखिम वाले उत्पाद के साथ ही रहें।

स्वास्थ्य बीमा कक्ष

यह सचमुच मुश्किल काम है। आपका फ़ाइनेंशल प्लानर ऐसा (क़ाबिल) हो जो आपके लिए सही उत्पाद चुन सके। या आप किसी की मदद से चुनकर सही पॉलिसी तक पहुँचें। स्वास्थ्य बीमा चैप्टर में मैं बता चुकी हूँ कि स्वास्थ्य पॉलिसीज़ को जाँचने के लिए '*मिंट*' ने 'सिक्योर नाऊ इंश्योरेंस ब्रोकर्स' के साथ सहयोग किया है? सबसे अच्छी स्वास्थ्य पॉलिसी तक पहुँचने के लिए आप '*मिंट* सिक्योर नाऊ मेडीक्लेम रेटिंग्स' के साथ तीस मिनट लगाकर तलाश करें, तो आप जान जायेंगे कि कौन–सी पॉलिसी अच्छी है। आप https://bit.ly/2reeTTN में भी देख सकते हैं।

अस्पताल में भर्ती होने का ख़र्च आसमान छूने लगा है। अतः स्वास्थ्य कवर आपके लिए अनिवार्य है। दुर्भाग्यवश, भारत में अस्पताल अनियन्त्रित हैं, फलतः जो चाहे वसूल कर लेते हैं। इस कारण आपको एक बड़ा बिल ही नहीं भरना है, आपको प्रीमियम भी ऊँचे देने पड़ते हैं। आपकी ज़रूरत के मुताबिक़, इस कक्ष में जगह पाने वाली बीमा पॉलिसी आप और आपके परिवार को अस्पताल के ऊँचे बिल की मार से बचा लेती है।

जीवन बीमा कक्ष

जीवन बीमा कक्ष में एक भी यू.एल.आई.पी., मनी बैक, एंडाउमेंट और लाइफ़ इंश्योरेंस पॉलिसी मैं बर्दाश्त नहीं कर सकती। जीवन बीमा चैप्टर में हमने विस्तार से समझाया था कि आपकी असामयिक मृत्यु की स्थिति में सिर्फ़ टर्म–प्लान ही आपके परिवार को पूर्ण सुरक्षा देता है।

निवेश और जीवन बीमा दोनों एक साथ मिलकर बहुत महँगे उत्पाद बन जाते हैं। उनसे आपको नहीं, बल्कि एजेंट्स, बैंक और जीवन बीमा फर्म्स को ही लाभ होता है।

ऐसे उत्पाद बेचने वालों की एक न सुनें; या अपने नुक़सान को कम करने के लिए ऐसी पॉलिसीज में पैसा देना बन्द कर दें। भारत में किसी फ़ाइनेंशल प्लानर से पूछकर देखें, वे यही कहते नज़र आयेंगे कि उनके

पास जो भी ग्राहक आता है, उसके पोर्टफोलियो मे ऐसे निकम्मे उत्पादों की भरमार होती है।

असामयिक मृत्यु से उत्पन्न त्रासदी से बचने के लिए आपको टर्म प्लान की ज़रूरत है। परिवार सुरक्षित रहे, इसलिए ज़रूरी है कि कवर के लिए आपकी सालाना आय से आठ–दस गुणा का टर्म–प्लान अनिवार्य है। आपने कार, क्रेडिट कार्ड, व्यक्तिगत, शिक्षा या घर के लिए लोन लिया हुआ है, उसको भी आप कवर करें। इन सबके लिए इकट्ठा ही एक अतिरिक्त टर्म प्लान ख़रीदना श्रेयस्कर होगा। आपने होम लोन लिया और उसे कवर नहीं किया। आपकी पत्नी को उसकी ई.एम.आई. देनी पड़ेगी। उसको किस मुश्किल का सामना करना पड़ेगा, सोचकर देखिए।

जिस फर्म ने 95 प्रतिशत क्लेम्स का भुगतान किया हुआ है, ऐसी फर्म के कम प्रीमियम वाले उत्पाद की ज़रूरत है आपको। जो फर्म अधिकांश क्लेम्स का भुगतान नहीं करती, उसके सस्ते से सस्ते प्लान के लालच में कभी न फँसें। एजेंट को कमीशन न देना पड़े, इसके लिए आप ऑनलाइन ही ख़रीदें।

टर्म–प्लान एक फ्रिल फ्री उत्पाद है। आप यह चिन्ता न करें कि बेचारा एजेंट कैसे गुज़ारा करेगा। अब तो अधिकांश बीमा कम्पनियाँ ही आपको याद दिला देती हैं कि आपका प्रीमियम कब देय है। अब आपके मनी–बॉक्स के चौथे कक्ष में भी एक उत्पाद पहुँच गया है।

पहले से उपलब्ध कक्ष

अगर अगले दो–तीन साल में आपको पैसे की ज़रूरत पड़ेगी, तो उसके लिए निवेश इस कक्ष में रहेगा। इस कक्ष के उत्पाद और आपात् कक्ष के उत्पाद एक से हैं। अपनी छोटी अवधि की ज़रूरतों के लिए अगर आप ज़्यादा जोखिम उठाना नहीं चाहते, तो एफ.डी. के साथ ही रहें, या बहुत छोटी अवधि के ऋण फंड, अथवा कंज़र्वेटिव हाइब्रिड म्युचुअल फंड के साथ। इनमें 25 प्रतिशत तक का इक्विटी निवेश रहता है। शेष रक़म बॉन्ड में होती है। इस कक्ष में शुद्ध इक्विटी फंड न रखें। इक्विटी अस्थिर होती हैं, उसमें उतार–चढ़ाव आते रहते हैं, और हमें समय पर पैसे की अनिवार्यता है। अब आपका पाँचवाँ कक्ष भी अच्छे उत्पाद से भर गया है।

कुछ समय बाद की ज़रूरतों के लिए निवेश

यह निवेश तीन से सात साल बाद आने वाली ज़रूरतों के लिए है।

अलग–अलग आयु के लोगों के लक्ष्य भी अलग–अलग होते हैं। इस कक्ष में इक्विटी का होना महत्त्वपूर्ण है। मैं इक्विटी पर पहले ही विस्तार से चर्चा कर चुकी हूँ। सुरक्षित रहने के लिए नियमों का पालन करें। सीधे शेयर ख़रीदने की तुलना में म्युचुअल फंड्स सुरक्षित हैं। इन तथ्यों को समझने के अलावा आपके पास कोई दूसरा रास्ता नहीं है।

आपका लक्ष्य अगर तीन साल के अन्दर है तो सुरक्षित उत्पादों का हिस्सा बड़ा होना चाहिए। सात साल के क़रीब वाले लक्ष्य में आपका पोर्टफोलियो अधिक जोखिम उठाने में समर्थ है।

सात साल के लक्ष्य के लिए आप पूरी तरह कंज़र्वेटिव हाइब्रिड म्युचुअल फंड्स और विविध इक्विटी फंड्स के साथ जायें। मुझे कोई ज़रूरत सात साल बाद पड़ने वाली है, तो मैं एग्रेसिव हाइब्रिड फंड्स और विविध इक्विटी फंड्स के मिले–जुले निवेश पर भरोसा करूँगी।

अब हमारा छठा कक्ष भी भर गया है।

सुदूर भविष्य के लिए निवेश

सेवानिवृत्ति के अलावा और सभी ज़रूरतों के लिए यह निवेश किया जाता है। सेवानिवृत्ति का तो अपना अलग कक्ष है। आप बच्चों की शिक्षा के लिए पैसा बचा रहे हैं, या अपने मकान के लिए, आपकी ज़रूरत सात साल के बाद ही आने वाली है...ऐसे में मैं 100 प्रतिशत इक्विटी म्युचुअल फंड्स के साथ जाऊँगी।

इस कक्ष में आप एग्रेसिव इक्विटी को ज़्यादा हिस्सों में ले सकते हैं। आपका लक्ष्य सात से दस साल बाद का है, तो एग्रेसिव हाइब्रिड फंड्स, विविध इक्विटी और मल्टी–कैप म्युचुअल फंड्स का हिस्सा ज़्यादा रखें। मिड–कैप, स्मॉल–कैप और सेक्टर फंड्स में छोटा भाग रखें।

दस साल के बाद की ज़रूरतों के लिए आप मिड और स्मॉल–कैप फंड्स का हिस्सा बढ़ा सकते हैं। इक्विटी फंड पोर्टफोलियो, कम जोखिम विविध इक्विटी या मल्टी–कैप म्युचुअल फंड्स के साथ रहना श्रेयस्कर होगा। अगर आप फंड्स की फ़ितरत को अच्छी तरह समझते हैं, तभी मिड–कैप हैवी पोर्टफोलियो का जोखिम उठायें।

यह था आपका सातवाँ कक्ष।

सेवानिवृत्ति फंड

इस कक्ष में मिले–जुले उत्पाद रहते हैं। सबसे महत्त्वपूर्ण तो आपका पी.एफ. और पी.पी.एफ. है; शेष इक्विटी फंड्स में हैं। आपकी सेवानिवृत्ति का समय जितना दूर है, आप उतना ज़्यादा जोखिम उठा सकते हैं। तीस साल की उम्र के आसपास आप हैं, तो मिड या स्मॉल कैप और सेक्टर फंड्स में बड़ा हिस्सा लगा सकते हैं, बशर्ते उन्हें सोच–समझ कर चुनें। पर अगर आप चालीस या पचास के आसपास पहुँच चुके हैं, तो लार्ज कैप विविध इक्विटी और मल्टी–कैप फंड्स जैसे कंज़र्वेटिव फंड्स ही आपके लिए फ़ायदेमन्द होंगे।

अगला पूरा चैप्टर आपको यही बतायेगा कि इस कक्ष में क्या रखा जाये? पर, उससे पहले सवाल यह उठता है कि किस लक्ष्य के लिए कितना और कैसे बचाया जाये...आप इसका फ़ैसला कैसे करेंगे? आप ऑनलाइन कैलकुलेटर्स की मदद ले सकते हैं। इस पुस्तक में मैं सिर्फ़ इसी बात तक रहूँगी कि आप पैसे को किस तरह सँभालें। आपने यहाँ तक जो सीख लिया उसकी सहायता से अपनी–अपनी ज़रूरत के हिसाब से नम्बरों में उलट–फेर कर सकें। अब आपके आठ कक्ष भर गये। पर, रुकिए, अभी भी कुछ कक्ष बाक़ी हैं।

सोना और ज़मीन-जायदाद

सोने का अपना अलग कक्ष है। वह है बहुत छोटा–सा। आपके पोर्टफोलियो का सिर्फ़ 5–10 प्रतिशत ही सोने में है। सोना जो सिर्फ़ कागज़ों (बॉन्ड्स) में है, गहनों की शक्ल में नहीं। सरकारी गोल्ड बॉन्ड्स बहुत भरोसेमन्द हैं। अगले सात साल आपको पैसे की ज़रूरत नहीं है तो स्वर्ण–सोपान बनाना शुरू कर दें। इससे आप मुद्रास्फीति के प्रभाव से बचे रह सकते हैं और बच्चों की शादी में भी सोना काम आ सकता है।

मेरे पोर्टफोलियो में सोना है ही नहीं। मेरे लिए सबसे सुरक्षित और भरोसेमन्द उत्पाद इक्विटी फंड्स हैं। मैं बच्चों की शादी में सोने पर ज़्यादा ज़ोर नहीं दूँगी। मुझे सोने की ज़रूरत नहीं है। पर, प्रत्येक परिवार के विचार अलग–अलग होते हैं। आप बच्चों की शादी में सोना देना चाहते हैं, तो अवश्य सोने में निवेश करें। निवेश गहनों के रूप में न करें। या तो गोल्ड बॉन्ड ख़रीदें या ई.टी.एफ.। यह नौवाँ कक्ष छोटा–सा है। इसमें छोटे–मोटे सोने के गहनों का महत्त्व नहीं है।

ज़मीन–जायदाद का अलग कक्ष है। मैं जिस मकान में रहती हूँ, बस वही एक उत्पाद मेरे इस कक्ष में है। अब तक आप जान चुके होंगे कि मुझे ज़मीन–जायदाद से लगाव नहीं है। इसमें बहुत घपला है। अपने रहने वाले घर तक ही इसे सीमित रखें। ज़मीन–जायदाद से उत्पन्न सिरदर्द को आप झेल सकते हैं तो इस कक्ष में और उत्पाद डाल लें, पर यह ध्यान रखें कि इस कक्ष में आपने कितना हिस्सा डाला है। ज़मीन–जायदाद में आपके कुल निवेश का बड़ा हिस्सा नहीं जाना चाहिए। बाज़ार में ज़मीन–जायदाद निवेश ट्रस्ट या आर.ई.आई.टी. उपलब्ध हो जायें जो ज़मीन–जायदाद अच्छा वित्त उत्पाद बन सकता है। जब भी ऐसा होगा, तो मैं कक्षों के बँटवारे को इधर–उधर कर दूँगी। पर अभी इससे बचें।

कक्ष दस तैयार है।

कक्ष एक दफ़ा तैयार कर लेना ही काफ़ी नहीं है। समय–समय पर उसे साफ़ भी करते रहिए। मनी–बॉक्स के उत्पाद इधर–उधर करने के लिए क्या करें–इसके लिए चैप्टर 12 देखें। मनी–बॉक्स के फ़ायदे अभी पूरी तरह नहीं बताये गये हैं। जायदाद वाला एक कक्ष और है। उसके लिए हम मिलते हैं चैप्टर 12 में।

वित्त प्लान का सबसे मुश्किल काम है सही उत्पाद चुनना। उत्पादों के वर्गीकरण से आपको फंड्स चुनने में मदद मिलती है।

आप सही रास्ते पर हैं, अगर...

1. आप समझ गये हैं कि लक्ष्य जितनी दूर होगा, आप उतना ही बड़ा जोखिम उठा सकते हैं।
2. तीन साल के अन्दर वाले लक्ष्यों के लिए अल्ट्रा शॉर्ट–टर्म या कंज़र्वेटिव हाइब्रिड म्युचुअल फंड्स में ही निवेश करें।
3. तीन से सात साल वाले मीडियम टर्म लक्ष्यों के लिए आप एग्रेसिव हाइब्रिड और विविध इक्विटी म्युचुअल फंड्स में ही निवेश करें।
4. सात या उससे अधिक वर्षों की दूरी के लक्ष्यों के लिए विविध इक्विटी मल्टी–कैप, मिड–कैप और स्मॉल–कैप फंड्स उपयुक्त हैं।

रिटायरमेंट कोष की रणनीति

एक पूरे वर्ष में हमारा जो कुल ख़र्च होता है, साठ साल की उम्र में, अपनी सेवानिवृत्ति के बाद के लिए (जब हम वेतनभोगी नहीं रहेंगे) हमें उससे अठारह से लेकर पैंतीस गुणा ज़्यादा पैसा अपने सेवानिवृत्ति फंड में चाहिए।

मैं कभी रिटायर नहीं होना चाहती। मुझे अपने काम से प्यार है। अगर मैं रोज़ अपने काम पर न जाऊँ, तो मुझे समझ ही नहीं आता मैं क्या करूँ। मैं ऐसे बहुत से लोगों को जानती हूँ, जो साँसें चलने तक काम करते रहना चाहते हैं। यह बहुत अच्छी सोच है, पर इस सोच को दो चीज़ें पूरा होने से रोक सकती हैं। एक...आपका स्वास्थ्य, दूसरे, तब काम मिलेगा या नहीं? युवावस्था में हम अन्दाज़ा भी नहीं लगा सकते कि बढ़ती उम्र के साथ काम करने की क्षमता कितनी कम हो सकती है। ग़लत जीवन–शैली से उपजी बीमारियाँ, कमर दर्द, ख़राब घुटने, गर्दन और कम होती रोग प्रतिरोधक शक्ति (immunity) हमें ज़्यादा काम नहीं करने देती।

इनके अलावा एक और बात है, जब आप काम और सफलता के शिखर पर नहीं रहते तो आय देने वाला काम मिलना भी कम या बन्द हो जाता है। (अतः) समय की प्रगति के साथ–साथ अपने काम के ज्ञान में भी हमें वृद्धि करते रहनी चाहिए। बढ़ती उम्र में नया काम शुरू करना या नया शिल्प सीखना मुश्किल होता है। हम इस बात का अन्दाज़ा भी नहीं लगा सकते कि साठ, सत्तर या अस्सी साल की उम्र में हम ऐसा क्या काम कर सकेंगे, जो हमें आय दे सके। वित्तीय रूप से चिन्तामुक्त रहने के लिए ज़रूरी है कि हम सेवानिवृत्ति फंड बना लें।

वित्तीय रूप से चिन्तामुक्त होने का तात्पर्य क्या है? इसके लिए साठ साल का होने का इन्तज़ार करना क्या ज़रूरी है? *वित्तीय रूप से चिन्तामुक्त आप तभी हो सकते हैं, जब अपने अनेक प्रकार के बिलों के भुगतान के*

लिए आपको काम करने की ज़रूरत न रहे। आपके पास इतनी सम्पत्ति हो जिसकी आय आज से लेकर जीवन पर्यन्त के लिए काफ़ी हो।

कुछ लोग इसे 'गो टू हेल' (भाड़ में जाओ) पैसा कहते हैं। लम्बे समय से आप अपने बॉस को बाय कहकर नौकरी छोड़ना चाह रहे थे। पर, आपको वेतन की ज़रूरत थी...कह नहीं सकते थे। अगर आपके मनी–बॉक्स में इतना पैसा है तो आप यह 'बाय' कभी भी कह सकते हैं। साठ साल का होने का इन्तज़ार क्यों करें?

बात बहुत साल पहले की है। मेरी जान–पहचान का एक अट्ठाइस साल का युवक...उसको बस एक ही धुन सवार थी, 'किसी तरह मेरे पास एक करोड़ रुपया हो जाये...।'

मैं पूछती, 'फिर क्या?'

उसका जवाब होता, 'बस...फिर मौज ही मौज।'

'मौज (चिल)।' सुनने में अच्छा लगता है। पर, ज़रा गहराई से इसके बारे में सोचें...अगर आपके दिन बिना किसी मक़सद के गुजर रहे हैं, तो मौज–मस्ती बहुत उबाऊ हो जाती है। लोग प्रायः रूमानी सपना देखते हैं, '...पहाड़ों में अपनी एक कॉटेज हो...या फिर समुद्र के किनारे कॉटेज हो, हम सारा दिन मस्ती करें...; सच कहूँ, यह सिर्फ़ कपोल कल्पना है, अवास्तविक।

'न बाबा! बिना कुछ करे मैं तो कुछ दिनों में ही ऊब जाऊँगी।' अध्ययन के आँकड़े बताते हैं...अधिकांश लोग काम के महत्त्व को पैसे से बहुत ऊपर मानते हैं। अरे, तुम्हें एक ही तो ज़िन्दगी मिली है। उसे भी मौज–मस्ती में क्यों गँवाया जाये!

वर्षों पहले वाला वह युवक आज अक्लमन्द हो चुका है, उसके बाल सफ़ेद हो गये हैं, उसको पैसा कमाने की कोई ज़रूरत नहीं है, पर वह प्रतिदिन काम पर जाता है।

हाँ, एक बात ज़रूर है...आपके पास इतना पैसा है कि आप काम न भी करें तो आपको कोई परेशानी नहीं होगी–इसका एक सुखद पहलू यह है कि आप जो कुछ भी करना चाहते हैं...कोई हॉबी, कोई और शौक़, जिनके लिए आपके पास अभी तक वक़्त नहीं था, अब आप वह कर सकते हैं जितना चाहे, जब चाहे। मैं धनकुबेर लोगों की बात नहीं कर रही हूँ, जो एक मिनट के नोटिस पर प्राइवेट प्लेन किराये पर लेकर क्रिकेट मैच देखने विदेश उड़ जाते हैं। मेरा तात्पर्य आप और हम जैसे लोगों से है।

हमारे पास अच्छी ज़िन्दगी जीने लायक पैसा है, पर हमारी मध्यवर्गीय सोच फ़िज़ूलख़र्च करने से रोकती रहती है।

मैं आपको वर्षों से चली आ रही नसीहत नहीं दूँगी कि बुढ़ापे में बच्चे आपकी देखभाल नहीं करेंगे, इसलिए तब के लिए पैसा बचाकर रखें। आपने अगर अभिभावक का धर्म पूरी ईमानदारी से निभाया है तो बच्चे आपकी देखभाल अवश्य करेंगे। आप अच्छे माता–पिता नहीं थे, तब भी, अधिकांश बच्चे माता–पिता के प्रति संवेदनशील होते हैं।

पैसे की चिन्ता न हो तो आप एक तरह से बन्धनमुक्त हो जाते हैं अब न अपने बॉस का डर है, न ही वृद्धावस्था में बच्चों पर निर्भर रहना पड़ेगा। यहाँ एक सवाल उठता है कि तब के लिए कितना पैसा पर्याप्त होगा? इस चैप्टर में हम यही जानने की कोशिश करेंगे। हम यह तो समझते हैं कि मुद्रास्फीति के कारण, आज की तरह ज़िन्दगी जीने की क़ीमत बहुत बढ़ चुकी होगी। तो हमारा लक्ष्य क्या हो?

इस लक्ष्य की सम्भावित ज़रूरत का अन्दाज़ा लगाने के लिए मैं दो व्यावहारिक नियमों का सहारा ले रही हूँ...अर्थात यह अन्दाज़ा मात्र है, वास्तविक राशि नहीं। प्रत्येक व्यक्ति की ज़रूरतें अलग–अलग होती हैं, अतः यहाँ लिखी राशि को कम या ज़्यादा करके देख लें।

पहला–वर्तमान समय में आपकी आय पर निर्भर है; मैंने उसे नाम दिया है, 'सेव योर एज।' मतलब, अपनी उम्र जितनी बचत होनी चाहिए। दूसरा–अपने ख़र्चों को गुणा करें (मल्टीप्लाई योर स्पैंड्स)। वर्तमान में आपके ख़र्चों के आधार पर यह बताने का प्रयास है कि भविष्य में आपकी क्या ज़रूरत होगी; उसके लिए आपको कितनी बचत करनी होगी?

तीस साल के अन्तराल में अनेक चीज़ें बदल जाती हैं। इतने लम्बे अरसे के बाद क़ीमतें कितनी बढ़ जायेंगी, ख़र्चे और ख़ुद हमारी ज़रूरतें कितनी बढ़ या बदल जायेंगी–आज हम उसकी कल्पना भी नहीं कर सकते। आज से बीस साल पहले क्या हम सोच सकते थे कि एक छोटा–सा उपकरण जिसे हाथ में लेकर हम फ़ोन कर सकेंगे या हर तीन साल में हम उस पर कितना ख़र्च कर रहे होंगे? क्या हम जानते थे कि रसद और पेट्रोल के अलावा ब्रॉडबैंड का ख़र्च भी हमारे मासिक ख़र्चों में जुड़ जायेगा? डॉक्टर के परामर्श की पचास रुपये फ़ीस बढ़कर पाँच सितारा अस्पताल में पन्द्रह सौ रुपये हो जायेगी, इसकी तो कल्पना भी नहीं थी।

मुद्रास्फीति तो एक निष्ठुर दैत्य की भाँति बढ़ती ही रहती है। अगर मुद्रास्फीति की दर कुछ नीचे आती भी है, तो ज़रूरी नहीं कि क़ीमतें भी नीचे आयेंगी। वे धीरे–धीरे बढ़ती ही रहेंगी। सेवानिवृत्ति के लिए कितना धन काफ़ी रहेगा, यह बहुत टेढ़ा सवाल है। बहुत ऊँचा लक्ष्य रखना, आज की अपनी जीवन–शैली के साथ समझौते करना, या हमारे पास यथेष्ट धन नहीं है–हम ऐसी नकारात्मक बातें नहीं सोचना चाहते।

तो यक्ष प्रश्न–कितना पैसा काफ़ी होगा?

पाश्चात्य नमूने की बात करें तो वे मानते हैं कि सेवानिवृत्ति के बाद के लिए किया गया धनसंग्रह नब्बे से निन्यानवे की उम्र तक पहुँचते–पहुँचते शून्य हो जायेगा (लोग उस पैसे को तब तक ख़र्च करते रहते हैं जब तक पैसा ख़त्म न हो जाये या उनकी मृत्यु न हो जाये;) भारत में स्थितियाँ फ़र्क़ है।

मैं जितने वृद्ध लोगों को जानती हूँ उनके पास जो धन है, उसे वे एक तरह से पवित्र मानते हैं। उस धन को ख़र्च करने की योजना बनाना तो वे सपने में भी नहीं सोच सकते। धन, घर और अन्य सम्पत्ति वे बच्चों के लिए विरासत में छोड़ देते हैं। अपनी सांस्कृतिक पृष्ठभूमि में हम अपनी सेवानिवृत्ति की योजना कैसे बनायें? हमें कैसे पता लगे कि हम सही रास्ते जा रहे हैं?

अपनी उम्र के हिसाब से बचायें

पच्चीस साल की उम्र में कर अदा करने के बाद बची आय का पच्चीस प्रतिशत बचायें, तीस साल की उम्र में तीस प्रतिशत और चालीस की उम्र में चालीस प्रतिशत बचायें। अगर चालीस साल की उम्र तक आपने सेवानिवृत्ति के लिए एक रुपया भी नहीं बचाया है, तो यह फ़ार्मूला आपके लिए कारगर है। आपकी उम्र चालीस साल है और आपके प्रॉविडेंट फंड में एक रुपया भी नहीं है, न ज़मीन है न सोना है और न ही म्युचुअल फंड है; तो अपनी सेवानिवृत्ति के लिए आपको कर अदा करने के बाद की आय का चालीस प्रतिशत बचाना ही होगा। अगर कर देने के बाद आपका वेतन एक लाख रुपये मासिक है, तो चालीस की उम्र में आप चालीस हज़ार बचायेंगे। उधर, तीस की उम्र में आप तीस हज़ार ही बचा रहे हैं। ध्यान दें–उम्र के साथ बचत का रेशो कैसे कम हो जाता है। कम उम्र में कम बचत से आपका काम हो जाता है।

आसान से लगने वाले ये आँकड़े वास्तव में बहुत जटिल हैं...अभी मैं उनकी चर्चा नहीं करूँगी। परिशिष्ट में इनका विवरण है।

पर, आप तो सवाल कर रहे हैं। चालीस साल की उम्र के बाद क्या? अगर आप साठ साल की उम्र में रिटायर होने की सोच रहे हैं, तो बचत के लिए आपके पास वक़्त बहुत सीमित है। आपको बचत प्रतिशत बढ़ाना होगा। अगर पचास साल की उम्र तक आपने एक रुपया भी बचत नहीं की है तो कर अदा करने के बाद की आय का अस्सी प्रतिशत आपको बचाना होगा।

सेवानिवृत्ति के लिए आपने कुछ भी बचाकर नहीं रखा है तो पचास की उम्र में यह बचत करना बहुत मुश्किल है। पर घबराइए नहीं, क्योंकि हम सबने कुछ–न–कुछ बचाया ही होता है। बचत के लिए जो ज़रूरत है, उसमें इस बचत को मिला दें। भार कुछ कम हो जायेगा।

अपने ख़र्च को गुणा करें

सेवानिवृत्ति के लिए कितना बचाया जाये इसके लिए आप देखें कि एक माह और एक साल में आप कितना ख़र्च कर रहे हैं? उपरोक्त समस्या को हल करने के लिए ख़र्च को गुणा करके देखना आसान रास्ता है। एक जैसा वेतन पाने वाले प्रत्येक परिवार के ख़र्च का तरीक़ा भिन्न–भिन्न होता है।

मैं ऐसे अनेक परिवारों को जानती हूँ जिनको पता ही नहीं होता कि उनका पैसा कहाँ और कैसे ख़र्च हो गया। ऐसे परिवार भी हैं, जिनकी जीवन–शैली कम ख़र्च वाली है। ख़र्च गुणा से आपको पता रहता है कि आप कितना ख़र्च कर रहे हैं। उधर, अनेक ऐसे भी परिवार हैं जिन्हें अपने वार्षिक ख़र्चों का आभास तक नहीं है–पैसा आता है–चला जाता है।

अगर आप अपने कैश–फ्लो का हिसाब रखते हैं, तो आपको पता रहता है कि एक साल में आप कितना ख़र्च कर रहे हैं। आज आपको कितने पैसे की ज़रूरत है, यह जानने के लिए आप आसान–से फ्यूचर–वैल्यू कैलकुलेटर का प्रयोग कर सकते हैं। मान लें–तीस साल की उम्र में आपका वार्षिक ख़र्च छह लाख रुपये है, और (मान लें) मुद्रास्फीति छह प्रतिशत के हिसाब से बढ़ेगी, तो तीस साल बाद, साठ साल की उम्र में आपको वार्षिक 34.46 लाख रुपये चाहिए।

आपकी सेवानिवृत्ति के आख़िरी साल में जो ख़र्च हुआ, उसका सत्तर प्रतिशत आपको सेवानिवृत्ति के बाद के पहले साल में चाहिए। उसके बाद यह ख़र्च छह प्रतिशत वार्षिक की दर से बढ़ता रहेगा–आपके सौ साल के होने तक...मैं मानकर चल रही हूँ कि आपकी उम्र सौ साल होगी ही।

इसका मतलब यह है कि सेवानिवृत्ति के समय आप एक महीने में एक लाख ख़र्च कर रहे थे, तो सेवानिवृत्ति के बाद के पहले साल में यह ख़र्च घटकर 70,000/– रह जायेगा।

कारण भी मैं आपको बता दूँ.... ऑफ़िस आने–जाने वाला ख़र्च, कपड़ों पर होने वाला ख़र्च, अतिथि–सत्कार, खाना और ऐसे अनेक ख़र्च ऑफ़िस न जाने के कारण ख़त्म हो जायेंगे। पर आपका मासिक ख़र्च 70,000/– पर ही नहीं रुका रहेगा। मुद्रास्फीति के कारण यह बढ़ने लगेगा। अब ये 70,000/– बढ़कर कितने सालों में दुगना हो जायेगा? अगर मुद्रास्फीति छह प्रतिशत की दर से बढ़ रही है तो बहत्तर साल की उम्र में आपका ख़र्च 1.4 लाख हो जायेगा।

इस गणित को समझने के लिए उसी नियम 72 का इस्तेमाल करें। यहाँ जिस दर से मुद्रास्फीति बढ़ने की सम्भावना है, 72 को उससे भाग करें। उदाहरण के लिए, अगर हमें लगता है कि भविष्य में मुद्रास्फीति छह प्रतिशत के हिसाब से बढ़ेगी तो 72 को छह से भाग करें। स्पष्ट हो जायेगा कि बारह साल में आप आज से दुगना ख़र्च करेंगे। आप अगर एक लाख ख़र्च कर रहे थे तो बारह साल में यह मासिक ख़र्च बढ़कर दो लाख हो जायेगा। उससे अगले बारह साल में चार लाख; उससे अगले बारह साल में यह ख़र्च बढ़कर आठ लाख हो जायेगा। 72 को मुद्रास्फीति की दर से भाग देकर आप जान जायेंगे कि आज का ख़र्च कितने सालों में दुगना हो जायेगा।

अब आप जान गये हैं कि सेवानिवृत्ति के बाद के पहले साल में आपका ख़र्च क्या होगा? पर, इसका सेवानिवृत्ति की बचत (पूँजी) से क्या सम्बन्ध है? सेवानिवृत्ति के बाद आपको कितना पैसा चाहिए? *साठ साल की उम्र में, सेवानिवृत्ति के समय आपकी जो जीवन–शैली थी, उसी जीवन–शैली को क़ायम रखने के लिए, उस समय के वार्षिक ख़र्च से अठारह से पैंतीस गुणा अधिक की ज़रूरत होगी।*

आप अगर साठ साल की उम्र में बारह लाख सालाना ख़र्च कर रहे थे, तो सेवानिवृत्ति बचत राशि के लिए कम–से–कम 2.2 करोड़ आपको चाहिए होगा। 2.2 करोड़ उस हालत में काफ़ी रहेगा, अगर आप बच्चों के लिए कुछ भी न छोड़कर, सारा पैसा ख़ुद ख़र्च करना चाहें। अगर आप पूरी पूँजी उत्तराधिकारी के लिए छोड़ना चाहते हैं, तो ज़रूरत होगी

4.2 करोड़ की। अगर आप आधा पैसा उत्तराधिकारी के लिए छोड़ना चाहते हैं तो लगभग तीन करोड़ आपकी बचत होनी चाहिए।

इस नतीजे पर पहुँचने के लिए आपने जो गुणा–मार्ग चुना है वह अठारह और पैंतीस का लगभग–लगभग आधा है, अन्दाज़न छब्बीस। बारह लाख को छब्बीस से गुणा करें तो आप पायेंगे तीन करोड़। आज आप जितनी छोटी उम्र के हैं, भविष्य में वह फंड उतना ही विशाल होगा, पर गुणा–मार्ग वही रहेगा। अनेक शून्यों वाला यह आँकड़ा आपको फ़ौरन निवेश करने के लिए प्रेरित करेगा।

इन परियोजनाओं (प्रोजेक्शंस) को बनाने के लिए मैंने बहुत से पूर्व अनुमानों का सहारा लिया। उनको जानने के लिए परिशिष्ट देखे। भविष्य तो सामने फैला हुआ है, विशाल। समय के साथ–साथ बहुत–सी चीज़ें बदल सकती हैं। मैक्रो स्तर पर मुद्रास्फीति की दरें कम हो सकती हैं, विकास में तेज़ी से वृद्धि हो सकती है, जिसके परिणामस्वरूप न सिर्फ़ वेतन–वृद्धि अनुमान से ज़्यादा होगी, बल्कि, इक्विटी रिटर्न भी अनुमान से कहीं ज़्यादा होंगे।

पर, भविष्य में इससे उलटा भी हो सकता है। व्यक्तिगत ज़िन्दगी में आपके साथ अच्छा भी हो सकता है, बुरा भी। आपका स्वास्थ्य ठीक रह सकता है, या आपको कोई ख़तरनाक बीमारी भी हो सकती है, जो, आपके पैसे के गणित को उलटकर रख दे। भविष्य में क्या होगा, इसे कोई नहीं जान सकता। हम एक ही बात पूरी तरह ज़ान सकते हैं कि हम आज क्या कर रहे हैं। इस सच्चाई को समझकर ही हम यह योजना बना सकते हैं कि भविष्य में हमें कितने (धन) की ज़रूरत पड़ेगी।

आपकी सेवानिवृत्ति से पहले और बाद के लिए मैंने छह प्रतिशत की मुद्रास्फीति के अनुमान से आँकड़े तय किये हैं। सेवानिवृत्ति के बाद, आपके निवेश पर आठ प्रतिशत रिटर्न का कंज़र्वेटिव अनुमान लगाया है।

इस रूल ऑफ़ थम्ब को आप कैसे इस्तेमाल कर सकते हैं? पहली बात अच्छी तरह समझ लें कि तब आपकी कितनी ज़रूरत होगी, यह उसका पूर्वानुमान भर है। उदाहरण के लिए, आप साठ साल की उम्र के बाद भी काम करते रहना चाहते हैं, तो आपका पूँजी संग्रह कुछ छोटा हो सकता है। सेवानिवृत्ति के बाद भी आपकी आय का कोई और स्रोत है, जैसे कहीं से किराया आता है, तो संग्रह और छोटा हो सकता है।

सेवानिवृत्ति के महत्त्वपूर्ण मोड़

सेवानिवृत्ति का वक़्त तो अभी बहुत दूर है...पाँच, दस, पन्द्रह या बीस साल बाद! उस वक़्त की ज़रूरतों के लिए हम योजना तो बना सकते हैं, पर यह नहीं जान सकते कि हम ठीक रास्ते पर चल रहे हैं या नहीं। अगर हम यह लक्ष्य बनाकर योजना बनाते हैं कि साठ साल की उम्र में हमारे पास यथेष्ट पूँजी हो, तो क्या कोई ऐसा नियम भी है जो हमारी बढ़ती उम्र के साथ बदलती ज़रूरतों आदि को अभी इंगित कर सके? अक्लमन्दी से किये निवेश में सेवानिवृत्ति मार्गदर्शिता है कि इतने सालों बाद सेवानिवृत्ति फंड कितना होना चाहिए? फ़िडेलिटी इनवेस्टमेंट्स के कुछ आँकड़े हैं जो उन्होंने अमरीकी लोगों के लिए बनाये हैं। यह हैं :

चालीस साल की उम्र में सेवानिवृत्ति पूँजी वर्तमान सालाना आय की तिगुनी होनी चाहिए।

यदि चालीस साल की उम्र में अगर आपकी सालाना आय पन्द्रह लाख रुपये है, तो सेवानिवृत्ति फंड में आपके पास 45 लाख रुपये होने चाहिए। *पचास साल की उम्र में यह आपकी सालाना आय की हछ गुनी होनी चाहिए।* पचास साल की उम्र में आपकी सालाना आय 40 लाख रुपये है, तो आपके सेवानिवृत्ति फंड में 2.4 करोड़ होने चाहिए। *साठ साल की उम्र में या सेवानिवृत्ति के समय आपकी सालाना आय से आठ गुना ज़्यादा फंड होना चाहिए।* साठ साल की उम्र में सालाना आय एक करोड़ हो तो आपके फंड में आठ करोड़ होने ही चाहिए।'

फंड के लिए पैसा कैसे जुटायें?

यह बहुत मुश्किल काम लगता है। छोटी उम्र में कौन इतना बचा सकता है? फिर ज़िन्दगी में और भी तो ख़र्चे हैं–बच्चों की शिक्षा, उनका विवाह, अपना घर, छुट्टियों में बाहर जाना आदि। चलिए, इन आँकड़ों को अलग–अलग करके देखा जाये।

पहली बात, अपने फंड में इतना पैसा आपको तब चाहिए, अगर आपके पास इसके अलावा एक पैसे की बचत भी नहीं है। अगर कुछ बचत है और कुछ सम्पत्ति भी है, तो यह आँकड़ा कम हो जायेगा। आप साठ साल के बाद भी काम करते रहना चाहते हैं, तो आँकड़ा और नीचे आ जायेगा। प्रायः लोगों के पास उनकी सोच से ज़्यादा पैसा होता है।

इधर–उधर रखे अपने पैसे को इकट्ठा करें। अपात् स्थिति के लिए, अक्सर लोग बचत खाते में कुछ पैसा अवश्य रखते हैं। निकट भविष्य में हमें किसी भी स्थिति के लिए पैसे की ज़रूरत पड़ सकती है, सोचकर हम कुछ पैसा जोड़कर रख लेते हैं। मेरे परिचित एक परिवार ने किसी 'अचानक आयी ज़रूरत' के लिए सात लाख रुपये बचत खाते में रखे हुए हैं।

हम यह समझ चुके हैं कि आपात् स्थिति कवर और सुरक्षा के लिए प्योर–टर्म–कवर कैसे बनायें। ये तीनों बातें आप पूरी करें तो ज़्यादा नक़द राशि की ज़रूरत कम हो जायेगी।

पहला क़दम–अपने पी.एफ., पी.पी.एफ., एफ.डी., सोना और कोई भी ज़मीन या मकान...उस मकान के अलावा जिसमें आप रहते हैं–इन सबके बैलेंस को जोड़ें। एंडोमेंट या पैसा वापिस पॉलिसी की इस समय वैल्यू क्या है, आपके पास कोई म्युचुअल फंड है, तो उनको भी गिन लें। आपकी यह बचत जितनी ज़्यादा होगी, आपका लक्ष्य उतना ही छोटा हो जायेगा। आपके मनी–बॉक्स में कक्षों के क्रम को कमतर मत आँकें; वे उसी क्रम में फ़ायदेमन्द हैं।

दूसरा–याद रखें कि आप अपने ई.पी.एफ. की कटौती के माध्यम से, अपनी मूल आय का 24 प्रतिशत तो बचा ही रहे हैं। उस फंड में आप 12 प्रतिशत डाल भी रहे हैं। इतना प्रतिशत ही आपका मालिक (एम्प्लायर) डालता है। तीस साल की उम्र तक पहुँचते–पहुँचते अधिकांश लोग ज़्यादा नहीं तो कर बचत निवेश करने ही लगते हैं। अभी ऊपर 'अपनी उम्र के हिसाब से बचायें' सेक्शन में हमने तीस या चालीस प्रतिशत (बचत) के विषय में पढ़ा था, उसे भी इसमें गिन लें।

आप अपना ख़ुद का व्यवसाय करते हैं और ई.पी.एफ. का हिस्सा नहीं हैं तो अनिवार्य सेवानिवृत्ति योजना की सुरक्षा में आने वालों से आप ज़्यादा असुरक्षित हैं। इससे निबटने के लिए आप अपने दिमाग़ में एक अनिवार्य योजना बना लें कि नौकरी वाले लोगों के ई.पी.एफ. के बराबर राशि आपने बचानी ही है। जैसे–जैसे बचत की आदत पुख़्ता होती जाये, उसकी राशि बढ़ाते जायें।

तीसरा– बचत की आदत मज़बूत तब होती है, जब आप बचत करना चाहते हैं, उतनी राशि व्यय राशि में से निकाल दें। बैंक में जमा नक़दी ख़र्च हो ही जाती है। आप ख़र्च उतना ही कर पाते हैं, जितना पैसा

उपलब्ध हो। अपने वेतन या जो पैसा आता है (मनी–इन–फ्लो) उस खाते से बचत वाले पैसे को अलग कर लें। ऐसा करने पर आप समझ जायेंगे कि आपका कैश–फ्लो इतना व्यवस्थित कैसे हो गया।

चौथा–एक दफ़ा आपको बचत और निवेश करने की आदत पड़ जाये तो बुनियादी नियम में थोड़ा हेर–फेर करके निवेश का आसान प्रोग्राम बनाया जा सकता है। एक गृहस्थ की ज़िन्दगी में तीस और चालीस साल की उम्र में बहुत बड़े–बड़े ख़र्चे होते हैं, घर और कार की ई.एम.आई. का ख़र्च बहुत बड़ा है, बच्चे बड़े हो रहे होते हैं; उनकी शिक्षा और विवाह के लिए भी आपको बचत करनी होती है।

अब, जैसे ही आप पचास की उम्र में पहुँचते हैं, तो उस दशक में आपकी आय तो बढ़ जाती है और ख़र्च कम हो जाते हैं। इस दशक में आपकी आय सबसे ऊँचे स्तर पर है। घर की ई.एम.आई. का भुगतान ख़त्म हो चुका है (अगर नहीं, तो देखें कि वह ख़त्म हो जाये।) आपके बच्चे पढ़–लिखकर आर्थिक रूप से स्वतन्त्र हो चुके हैं।

इस दशक में आप आसानी से अपना आधा वेतन बचा सकते हैं। मैं कुछ ऐसे लोगों को जानती हूँ जो इस उम्र में अपनी आय का 70 प्रतिशत बचा लेते हैं। पचास के दशक में अधिक–से–अधिक बचत करने का अनुशासन आप लागू सकते हैं, तो छोटी उम्र में बचत एक सीमा तक कर सकते हैं।

आप इस चिन्ता में घुल रहे हैं कि घर का डाउन पेमेंट करना है, बच्चों की शिक्षा का ख़र्च फिर उनकी शादी करनी है, इतने ख़र्चे? बस, इस चिन्ता से मुक्त करने के लिए मैंने सेवानिवृत्ति पर एक पूरा चैप्टर लिख डाला है। पर उसके लिए आप पहले ऑक्सीजन मास्क पहन लें। हवाई यात्रा के प्रारम्भ में आपने सुरक्षा नियम सुने होंगे–किसी भी तरह की आपात् स्थिति में आप पहले ऑक्सीजन मास्क लगा लें।

बच्चों की शिक्षा और शादी के लिए पैसा जोड़ते वक़्त भी अपने सेवानिवृत्ति फंड का ध्यान रखें। विदेशी डिग्री हासिल करने के लिए धन जोड़ने से ज़्यादा फ़ायदेमन्द विरासत होगी कि आप बच्चों को अच्छे नैतिक मूल्य दें, उन्हें मेहनतकश बनायें और ज़िन्दगी के लिए अच्छे हुनर सिखायें।

आपका सेवानिवृत्ति फंड आपका ऑक्सीजन मास्क है, मौजूदा और निकट भविष्य में आने वाली ज़रूरतों पर ख़र्च करते समय उसकी अनदेखी न करें।

(सुरक्षित) भविष्य के लिए यह सबसे बड़ा लक्ष्य है। जितनी जल्दी बचत फंड शुरू कर दें, उतना ही अच्छा रहेगा। छोटी–छोटी राशि को सही फंड में डालते रहने से एक बड़ी राशि बन जाती है। साठ साल की उम्र के बाद कम–से–कम पच्चीस से तीस साल तक आपका दिन–प्रतिदिन और स्वास्थ्य पर होने वाला ख़र्च बढ़ता रहेगा। आप इन बातों का ध्यान रखते हैं तो ठीक है...

1. सेवानिवृत्ति पूँजी के लिए आप अपने वेतन (कर और पी.एफ. की कटौती के बाद) का 10–15 प्रतिशत बचा रहे हैं।
2. तीस साल की उम्र में अगर आपने सेवानिवृत्ति के लिए कुछ भी नहीं बचाया तो कर चुकाने के बाद की आय का तीस प्रतिशत बचाना शुरू कर दें, चालीस की उम्र में चालीस प्रतिशत और पचास की उम्र में 80 प्रतिशत बचायें।
3. आपकी सेवानिवृत्ति फंड का लक्ष्य है...साठ साल की उम्र में आपका जो सालाना ख़र्च है उसका अठारह और पैंतीस गुना ज़्यादा फंड आपके पास हो।
4. चालीस साल की उम्र में आपकी सालाना आय से तीन गुणा ज़्यादा पचास की उम्र में छह गुना ज़्यादा और साठ की उम्र तक आपकी सालाना आय से आठ गुना ज़्यादा फंड सेवानिवृत्ति फंड में होना चाहिए।

धन पटरी पर नियमित वापसी

हमने पहले कहा था...'भरो, बन्द करो और भूल जाओ' इस नियम के बावजूद मनी–बॉक्स साल में एक दफ़ा नयी सेटिंग माँगता है। हो सकता है आपकी परिस्थिति बदल जाये, उत्पाद पहले से अच्छे या बुरे हो जायें, साल में एक दफ़ा मनी–बॉक्स की सफ़ाई करना यथेष्ट है।

मैंने जब अपना मनी–बॉक्स बनाना शुरू किया तो बैंकों में कैश–फ्लो सही ढंग से होता रहे, इसमें मुझे लगभग 6–8 महीने लगे। कुछ साल बाद मुझे अपने मनी–बॉक्स के कुछ हिस्से की सेटिंग फिर से करनी पड़ी। हमारी वित्तीय ज़िन्दगी बहुत उलझन भरी है। एक से ज़्यादा बैंक खाते, पति, माता–पिता, बच्चों के साथ सम्मिलित खाते। इन सबको एक दफ़ा व्यवस्थित कर लेने से काम ख़त्म नहीं हो जाता। घटनाएँ घटती ही रहती हैं। आपकी नौकरी चली गयी, नौकरी बदल ली, दूसरे शहर में चले गये, बच्चे स्वतन्त्र–स्वावलम्बी हो गये, जीवनसाथी की मृत्यु हो गयी या तलाक़ हो गया, माता–पिता की मृत्यु हो गयी। इन घटनाओं का असर आपके मनी–बॉक्स पर पड़ता है।

ज़िन्दगी का झंझावात एक दफ़ा ख़त्म हो जाये तो निवेश का जो ढाँचा आपने तैयार किया था (मनी–बॉक्स) वह वापिसी में आपकी मदद करता है। मैं अपनी बात बताती हूँ, मेरे पति नयी नौकरी लेकर दूसरे शहर चले गये। हमें अपने बैंक खातों में तब्दीली करनी पड़ी। मनी–बॉक्स निर्धारित रूप से काम करता रहे इसके लिए एक ही बात ज़रूरी है कि आपका कैश–फ्लो सिस्टम सही ढंग से व्यवस्थित हो।

पैसा एक खाते से दूसरे खाते में भेजने और उत्पादों में लगाने के लिए आपको ऑनलाइन बैंकिंग की ज़रूरत है। ज़िन्दगी फिर से पटरी पर वापिस आ जाये, स्वास्थ्य और आपात् फंड चुनकर एस.आई.पी. सेट करने में वक़्त लगेगा। पर एक दफ़ा यह बुनियादी काम सेट हो जाये,

तो आप पूर्ण रूप से आवश्वस्त हो जायेंगे कि आपका पैसा योजना के अनुरूप काम कर रहा है। थोड़े–थोड़े समय अन्तराल के बाद, आपको यह भी सोचना नहीं पड़ेगा– 'अब क्या ख़रीदें?'

हमारी ज़िन्दगी ही नहीं, बाज़ार में उपलब्ध उत्पाद भी गतिशील हैं। कभी–कभी पहले से अच्छा उत्पाद बाज़ार में आ जाता है। आप पुराना उत्पाद छोड़ नया उत्पाद लेना चाहते हैं, अगर परिवर्तन की क़ीमत अधिक नहीं है। उदाहरण के लिए–आज सोने में निवेश के लिए सरकार द्वारा जारी सॉवरेन गोल्ड बॉन्ड सर्वोत्तम उत्पाद है। ये ई.टी.एफ. वाले रास्ते से बेहतर हैं। इनके लिए आपको कोई क़ीमत नहीं देनी होती, बल्कि आपको थोड़ा–बहुत ब्याज भी मिल जाता है। या याद करें–2010 के आसपास जब टर्म जीवन बीमा योजना ऑनलाइन हुई, तो सीधी ख़रीद के कारण एजेंट कमीशन ख़त्म हो गया, तो प्रीमियम घटकर एकदम आधा रह गया। हमने पुरानी योजना को बाय–बाय कर नया उत्पाद ख़रीद लिया; यद्यपि, बड़ी उम्र वर्ग के लिए हमें अधिक प्रीमियम देना पड़ रहा था।

आपका मनी–बॉक्स गतिशील चीज़ है। समय–समय पर इसे चैक करते रहना ज़रूरी है जिससे आपको पता लगता रहे कि आपकी परिस्थिति में कोई बदलाव तो नहीं आया, या बाज़ार में कोई नये अच्छे उत्पाद तो नहीं आ गये हैं?

अपनी बदली परिस्थिति में आप क्या करें?

परिवर्तन कई तरह से आ सकता है। सबसे बड़ा और न रुकने वाला परिवर्तन उम्र है। उम्र बढ़ने के साथ–साथ आपके मनी–बॉक्स का संयोजन भी बदल जाता है। जैसे–आपका सेवानिवृत्ति समय नज़दीक होने पर आपकी सेवानिवृत्ति पूँजी बढ़ती जाती है, आपके बच्चे स्वावलम्बी हो जाते हैं और जीवन बीमा की ज़रूरत ख़त्म हो जाती है। अगर परिवार आपके वेतन पर निर्भर है तो आपको सिर्फ़ लाइफ़ कवर की ज़रूरत होगी। एक दफ़ा आपका सेवानिवृत्ति फंड समुचित हो जाये और आप पर किसी लोन की देनदारी बकाया न हो, तो आपको लाइफ़ कवर की भी ज़रूरत नहीं है।

तीस साल की उम्र में ही आपने एक सस्ता टर्म प्लान ले लिया था, तो उसको जारी रखने में कोई हर्ज़ नहीं है। इंश्योरेंस कवर को न तो बढ़ायें, न ही और ख़रीदें। उम्र बढ़ने के साथ–साथ जोखिम लेने की शक्ति

कम हो जाती है। उस समय अपने एसेट ऐलोकेशन या पूँजी विविधता पर पुनर्विचार करना फ़ायदेमन्द है, उम्र के साथ इक्विटी को कम कर दें।

आप कितनी इक्विटी रखें, इसके लिए एक रूल ऑफ़ थम्ब है : सौ में से अपनी उम्र घटा दें। तीस साल की उम्र में इक्विटी में आपकी होल्डिंग्स 70 प्रतिशत हो और सत्तर साल की उम्र में तीस प्रतिशत। आपका पैसा सही जगह लगा हुआ है, यह देखने के लिए साल में एक दफ़ा अपने पैसे का निरीक्षण करते रहने की आदत डाल लें।

व्यक्तिगत परिवर्तन नौकरी के माध्यम से हो सकता है। आप ऊँचे वेतन पर दूसरी नौकरी में जा सकते हैं, या आपका सहभागी कोई काम करने लग सकता है। नतीजतन परिवार की आय में वृद्धि हो जाती है। मनी–बॉक्स में ज़्यादा पैसा आने से जोखिम लेने की क्षमता बढ़ जाती है।

आय बढ़ने का एक कारण यह भी हो सकता है कि आपके बच्चे स्वावलम्बी हो गये, उनकी शिक्षा और शादी की ज़िम्मेदारियाँ भी पूरी हो गयीं। उन पर होने वाला ख़र्च भी बचने लगा। ध्यान रहे इस बढ़ी आय को अपनी जीवन–शैली का स्तर ऊँचा करने में ही न ख़र्च कर दें, बचत को भी बढ़ायें।

बच्चों की शिक्षा और शादी के ख़र्च के बाद, उन पर ख़र्च होने वाला पैसा 'निवेश करो' बॉक्स में डालकर आप अपनी सेवानिवृत्ति पूँजी को और सुरक्षित कर सकते हैं। हाँ एक बात, और हो सकता है आपको माता–पिता से विरासत में पैसा या/और जायदाद मिल जाये। इस वृद्धि से अपने मनी–बॉक्स को दोबारा सेट ज़रूर कर लें।

उत्पादों में परिवर्तन हो तो क्या करें?

बाज़ार में आया नया उत्पाद अगर पहले उत्पाद से बेहतर है, तभी अपने मनी–बॉक्स में उसे पुराने के बदले लायें, या आपकी बदली परिस्थितियों के कारण परिवर्तन अनिवार्य हो गया हो। *जो उत्पाद पहले से सस्ता हो या अधिक लाभ दे रहा हो–वही पहले से बेहतर उत्पाद कहलाता है।*

अगर आपने ई.टी.एफ. और इंडेक्स फंड की जगह मैनेज्ड फंड्स में निवेश किया हुआ है तो यह जाँच लें कि आप द्वारा चयनित फंड्स अभी भी फ़ायदेमन्द हैं। कभी–कभी फंड्स हाउस की क्षमता ख़त्म हो जाती है, वे बिक जाते हैं, फंड मैनेजर छोड़कर चले जाते हैं या कम्पनी कुछ सालों से सही काम नहीं कर रही हो। कारण कुछ भी हो सकता है।

आपको अपने मनी–बॉक्स के पैसे के उतार–चढ़ाव का ध्यान बराबर रखना है। अगर वे फंड्स लाभ नहीं दे रहे हैं तो भलाई इसी में है कि उन्हें छोड़कर नया ले लें। अगर यह सब करने की क्षमता आप में नहीं है तो अच्छा होगा आप ई.टी.एफ. या इंडेक्स फंड्स को ही अपनायें।

क्या ज़रूरी है कि बाज़ार के उठने (लाभ) गिरने (हानि) के साथ साथ आप अपने मनी–बॉक्स की सेटिंग भी दोबारा करें?

बहुत ऊँची उछाल या धम्म से गिरना–अधिकांशतः लोग झुण्ड मानसिकता से प्रभावित होकर शेयर बाज़ार के गिरने के समय बेचना और ऊँचा उठने के समय ख़रीदना चाहते हैं। अभी हाल ही में एक पारिवारिक मित्र का पत्र मुझे मिला। वह अपने पिता, बहनों और अपने लिए निवेश करना चाहता था। जिस प्लानर के साथ वह काम कर रहा था, उसने परिवार के प्रोफ़ाइल को देखते हुए बैलेंस्ड म्युचुअल फंड्स की सलाह दी। उस समय बाज़ार तेज़ी से ऊँचा जा रहा था। निवेश की रक़म बहुत बड़ी थी और प्लानर यह नहीं चाहता था कि निवेश करते ही, अगर बाज़ार नीचे आ गया तो उसके मुवक्किल को नुक़सान हो जाये।

मित्र ने लिखा कि उसका परिवार प्लानर के बताये जोखिम के ख़तरे से ज़्यादा जोखिम उठाना चाहता है। वह क्या करे? ऊँचे जाते बाज़ार से लालायित लोग, अक्सर ज़रूरत से ज़्यादा जोखिम उठाने के लालच में आ जाते हैं। मैंने मित्र को यही सलाह दी कि वह प्लानर की सलाह मान ले। परिवार की उम्र और स्थिति देखते हुए उसे कंज़र्वेटिव पोर्टफोलियो के साथ रहना चाहिए।

अपने मनी–बॉक्स की सेटिंग दोबारा ज़रूर करें, पर बाज़ार जिस ओर जा रहा है, उस दिशा में नहीं, उससे विपरीत दिशा में। आपने अपनी पूँजी की विविधता अपनी ख़ुशी से की थी, पर ऊँचा जाता बाज़ार आपके मन में खलबली पैदा करके उसे बदलने की ओर प्रेरित करने लगता है। बाज़ार में जब मन्दी थी, तो इक्विटी और ऋण फंड में किये गये आधे–आधे बँटवारे से आप सन्तुष्ट थे, तो बाज़ार के ऊपर उठने से वह सन्तुष्टि क्यों बरक़रार नहीं रहती?

अगर बढ़ता बाज़ार आपकी 50/50 पूँजी को 60/40 बना देता है, तो आपको इक्विटी बेचकर वापस 50/50 पर आना है। मन्दी की ओर जाते बाज़ार में इससे ठीक उल्टा करें। जब बाज़ार नीचे जा रहा है,

तो भला उस समय बेचने में आपको क्या फ़ायदा? उस समय तो आप और ख़रीद कर अपनी पूर्व विविधता की स्थिति में आ जायें। ध्यान रहे कि बाज़ार उन्माद या अवसाद आपको अपने वेग में बहाकर न ले जाये।

साल में एक दफ़ा बॉक्स खोलकर देखते रहना ज़रूरी है कि उसमें किसी बदलाव की ज़रूरत तो नहीं है।

अगर आपका निवेश मैनेज्ड फंड्स में है, तो यह देखने के लिए कि आपके उत्पाद ठीक स्थिति में हैं या नहीं, बॉक्स को साल में दो बार जाँच लें। अगर आपका निवेश इंडेक्स फंड या ई.टी.एफ. में है, तो साल में एक दफ़ा की जाँच काफ़ी है। इस पुस्तक का उद्देश्य यही है कि आप अपनी वित्तीय सुरक्षा की चिन्ता से मुक्त होकर सार्थक कामों पर ध्यान दे सकें।

हालात और चीज़ें बदलती रहती हैं–आपकी आयु बढ़ रही है, व्यक्तिगत परिस्थितियाँ बदल जाती हैं, आर्थिक वातावरण बदल जाता है, वित्तीय उत्पाद बदल जाते हैं। इतने परिवर्तनों के कारण आपका मनी–बॉक्स भी ज़रूरत के हिसाब से बदलता रहे, इसके लिए समय–समय पर इसकी जाँच करते रहना ज़रूरी है।

आप सही मार्ग पर हैं, अगर...

1. आप शेयर बाज़ार की धड़कन के हिसाब से मनी–बॉक्स में परिवर्तन नहीं करते।
2. साल में दो दफ़ा बॉक्स की जाँच करने के लिए तिथि निश्चित कर लेते हैं, जन्मदिन या त्यौहारों...उनमें प्रायः छह माह का फ़ासला होता है–के साथ उन्हें जोड़ लें।
3. अपने पोर्टफोलियो को उलट–फेर के पूर्व स्थिति वाले ऐलोकेशन या विविधता में ले आयें–मतलब जब शेयर बाज़ार उठ रहा है उस समय अपनी कुछ इक्विटी बेच दें।
4. अपने व्यक्तिगत परिवर्तन के चलते, परिवर्तन के अनुरूप मनी–बॉक्स में उलट–फेर कर लेते हैं।

आपका धन आपके बाद

आपने अगर वसीयत नहीं बनायी है तो आपका मनी–बॉक्स अधूरा है। नामित भर करना काफ़ी नहीं है। आप अपनों की चिन्ता करते हैं, तो वसीयत बनायें।

जीवन बीमा चैप्टर में, 'आँखें बन्द करके कल्पना करें कि आपकी मृत्यु हो गयी है' वाले प्रयोग के विषय में लिखने के बाद मैंने सबसे पहले उन लोगों की लिस्ट बनायी, जो मेरे बाद बचे होंगे।

मैंने पहली वसीयत तब लिखी जब मेरी बेटी नाबालिग थी। मेरे पति और मैं, दोनों ही शिक्षा के प्रबल समर्थक हैं। अपनी बेटी को हमने रेग्युलर शिक्षा सिस्टम में नहीं पढ़ाया। वह ऑल्टर्नेट सिस्टम में पढ़ी है। आज ग्रेजुएट है, पर न दसवीं न बारहवीं की परीक्षा का बोझ उसने उठाया है। वह ऐसे स्कूल में थी जहाँ पाँच साल की उम्र में अपने आप खाना लक्ष्य था। पेड़ों पर चढ़ना, दीवारों से कूदना, ये सब लक्ष्य थे इस स्कूल में।

जब वह नौ साल की थी, तब दोनों को यह फ़िक्र थी कि अगर हम दोनों का जहाज़ दुर्घटनाग्रस्त हो जाता है, तो उसका क्या होगा। जिस ज़िन्दगी की वह हमारे साथ अभ्यस्त है उसका क्या...? सोच–विचार कर हमने दो लीगल अभिभावक या गार्डियन बनाये। हम क्या चाहते हैं, वे अच्छी तरह समझ गये। अपनी वसीयत में हमने सब कुछ विस्तार से लिखा। अब ज़रूरी था कि बेटी को यह सब बताया जाये। पर नौ साल का बच्चा क्या इस बात की चिन्ता करता है?

फिर एक दिन पता लगा कि बच्चे इस बारे में सोचते हैं। हुआ कुछ यूँ...एक दिन हम दोनों जंक–फूड खाने निकले हुए थे। मैंने सहज भाव से पूछा– 'क्या तुम्हें इस बात की फ़िक्र है कि कभी तुम अकेली रह गयीं तो क्या होगा?'

लगभग बीस सेकेंड की चुप्पी के बाद उसने 'हाँ' में सिर हिलाया।

उसकी क्लास के एक बच्चे के पिता की मृत्यु हो गयी थी। उसके दिमाग़ में एक चिन्ता उभरी कि अगर उसके माता–पिता दोनों की मृत्यु हो गयी, तो...? तब मैंने उसे वसीयत और अभिभावकों के बारे में बताया, वे कौन हैं, यह भी बताया। वसीयत के सारे काग़ज़ात कहाँ रखे हैं–यह भी बताया।

मैंने उसे समझाया कि बीमा कवर का पैसा उसके लिए काफ़ी होगा। वित्तीय उतार–चढ़ाव और आवश्यकताओं से अवगत परिवार में पली–बढ़ी बेटी बुनियादी बातों को तो समझती ही थी। इस सूचना को आत्मसात करके वह निश्चिन्त होकर पिज़्ज़ा खाने लगी। सौभाग्यवश उस वसीयत की ज़रूरत ही नहीं पड़ी। अब मेरी बेटी नाबालिग नहीं रही। अतः एक नयी वसीयत तैयार की।

दुनिया का सबसे बड़ा आश्चर्य है–वसीयत न बनाना। चारों ओर हम लोगों को मरता देखते हैं, फिर भी हम सोचते हैं कि हम तो मरेंगे ही नहीं। कुछ लोग वसीयत लिखने को दुर्भाग्यपूर्ण मानते हैं, कुछ सोचते हैं ऐसा करना क़िस्मत को चुनौती देना है, अधिकांश यही सोच लेते हैं कि वे जल्दी मरने वाले नहीं हैं।

कारण कोई भी हो, पर तथ्य तो यह है कि *वसीयत न बनाना, '...ज़िन्दगी में सबसे ज़्यादा ख़ुदगर्जी का काम' के रूप में इस पुस्तक का निचोड़ होगा।* आप अपने परिवार के लिए मुसीबतों का पहाड़ छोड़ रहे हैं; विशेषकर तब, जब विस्तृत परिवार के सदस्यों की मिली–जुली जायदाद हो, या आपने अपने माता–पिता के साथ सम्मिलित जायदाद बनायी। उस जायदाद का वारिस अपने भाई–बहनों को बना दिया और सोच लिया कि आपके बाद वह जायदाद आपके बच्चों को मिल जायेगी। आगे बढ़ने से पहले ज़रूरी है कि कुछ मनगढ़न्त या कल्पित बुनियादी विचारों को स्पष्ट कर लिया जाये।

वसीयत बनाने की ज़रूरत क्या है? मेरी जायदाद मेरे परिवार को ही मिलेगी

आपने वसीयत नहीं बनायी और आपकी मृत्यु हो गयी, तो आपका घर सोना, कार, गहने, म्युचुअल फंड्स–सब कुछ आपके क़ानूनी वारिसों को मिलेगा। आपके क़ानूनी वारिस कौन हैं? भारत में यह इस बात पर निर्भर करता है कि आपका धर्म क्या है, और आप किस व्यक्तिगत क़ानून (पर्सनल लॉ) के दायरे में आते हैं? उदाहरण के लिए, आप हिन्दू हैं और

बिना वसीयत बनाये आपकी मृत्यु हो जाती है–आपकी जायदाद क्लास वन वारिसों में बराबर–बराबर बँटेगी। आपके बारह रिश्तेदार इस श्रेणी में आते हैं; जिनमें पुत्र, बेटियाँ, पति या पत्नी (जो भी जीवित है) और माँ, इस श्रेणी में आते हैं।

संयुक्त परिवार में जायदाद, विशेषतः ज़मीन अगर संयुक्त नाम में है तो स्थिति जटिल हो जाती है। आप अपनी जायदाद में किसको और क्या–क्या देना चाहते हैं, इतना भर लिख देने से आप अपने परिवार को आपकी मृत्यु उपरान्त के बड़े सदमे से बचा सकते हैं। दूसरी बात–आप अपनी मृत्यु के बाद जायदाद का क्या करना चाहते थे...परिवार के लिए यह निर्णय लेना बहुत बड़ा बोझ है।

वसीयत क्यों? मेरे बच्चे जायदाद के लिए आपस में लड़ेंगे नहीं

एक व्यक्ति यही कहा करता था। उसके दो पुत्र और एक पुत्री थी। तीनों विद्वान और शालीन। व्यक्ति एक सार्थक ज़िन्दगी जीकर, लम्बी उम्र के बाद परलोक सिधार गया। सचमुच तीनों बच्चे जायदाद के लिए आपस में लड़े नहीं। पर...जायदाद को विस्तार से समझकर, जायदाद का स्थानान्तरण करने के दस्तावेज़ बनवाना बच्चों के लिए जी का जंजाल बन गया। बच्चे अगर भारत में नहीं हैं, तो हालात और मुश्किल हो जाते हैं। आपके बच्चे बहुत अच्छे हो सकते हैं; वे जायदाद के लिए आपस में लड़ेंगे भी नहीं, पर उनके लिए अपनी इच्छा बताकर न जाना, उनके प्रति निर्दयता ही कहलाएगी।

वसीयत की क्या ज़रूरत? मैंने नियोक्ता बनाये हुए हैं

वसीयत बनवाना टालने का यह प्रचलित कारण है। आप शायद जानते नहीं कि नामित कर देने भर से नामजद व्यक्ति जायदाद का हक़दार नहीं हो जाता। नामित व्यक्ति केवल जायदाद की देखभाल करता है। उसका काम है–जब तक क़ानूनी वारिसों को जायदाद नहीं मिल जाती, तब तक वह पैसे और जायदाद की देखभाल करता रहे। आप यह सोचे बैठे हैं कि नामित व्यक्ति और क़ानूनी वारिस एक ही चीज़ है; पर क़ानून की नज़र में ये दोनों अलग–अलग हो सकते हैं।

वसीयत कैसे बनायें?

सबसे पहले आप अपनी मौजूदा जायदाद की विस्तृत लिस्ट बनायें–बैंक

में जमा, बॉन्ड्स, म्युचुअल फंड्स, शेयर, प्रॉपर्टी, सोना, गहने, वाहन विदेश में ख़रीदी गयी जायदाद पुस्तकें, कलाकृति, वाइन और जो कुछ भी आप अपने वारिसों के लिए छोड़ना चाहते हैं। एक सही तरीक़ा है–चीज़ों की अलग–अलग लिस्ट बना लें कि वे कहाँ रखी हैं, जिनको वे दी जायेंगी, उनके नाम लिखे काग़ज़ कहाँ रखे हैं–सब लिख लें।

इससे अच्छा तरीक़ा है–ऑनलाइन बैंक खातों के पासवर्ड की तरह सब कुछ विस्तार से एक पासवर्ड प्रोटेक्टड शीट पर लिख लें। जायदाद के काग़ज़ और चाबियाँ कहाँ रखी हैं–यह लिख दीजिए।

एक दफ़ा यह काम पूरा हो जाये–तो यह स्पष्ट कर दें कि किसको क्या मिलेगा जैसे–आपके दो फ्लैट हैं। आप दोनों बच्चों को एक–एक देना चाहते हैं–तो स्पष्ट रूप से लिखें कि कौन–सा फ्लैट किसको मिले। कौन–से ज़ेवर किसको मिलें, यह भी स्पष्ट करें। ज़ेवरों की फ़ोटो खींचकर नामों के साथ रख दें, तो अच्छा रहेगा। हाँ, एक और बात का ध्यान रखें–सोशल मीडिया एकाउंट, ई–मेल पते और बौद्धिक सम्पत्ति पर किसका अधिकार होगा, इसे भी लिस्ट में शामिल कर लें।

अनेक लोगों की ज़िन्दगी में किसी मोड़ पर बड़े और ख़ुश परिवार की सोच नष्ट हो जाती है। अपनी पत्नी और बच्चों के भले के लिए आप यह चिन्हित कर दें कि आप अपनी जायदाद का क्या करना चाहते हैं। पति–पत्नी संयुक्त वसीयत बनाने की जगह अलग–अलग वसीयत बनायें।

हो सकता है कि दो बच्चों में से एक ने आपकी बड़ी उम्र में आपका पूरा ध्यान रखा हो, और आप अपनी वसीयत में दोनों को बराबर हिस्सा न देना चाहते हों। ऐसे में वह दूसरा बच्चा क्या वसीयत पर कलह कर सकता है? सम्भवतः हाँ। उससे बचने के लिए आप वसीयत में 'इन–टैरोरम क्लॉज़' जोड़ सकते हैं। वसीयत में अमूमन यह क्लॉज़ तब लगाया जाता है जब वसीयत पर कलह होने की सम्भावना हो।

इस क्लॉज़ के लगने से वसीयत पर कलह करने वाले को जो कुछ दिया जा रहा था, उससे भी हाथ धोने पड़ेंगे।

इसके बाद ज़रूरत है कि आप वसीयत का एक प्रबन्धक नियुक्त करें। वसीयत का लाभ पाने वाला प्रबन्धक न हो तो अच्छा है। वह कोई भी हो सकता है...पारिवारिक मित्र, आपका वकील, आपका फ़ाइनेंशल प्लानर। उसका कर्तव्य होगा कि वसीयत में लिखा बँटवारा अक्षरशः उसी रूप में किया जाये जैसा वसीयत में लिखा है। आप किसी भी काग़ज़ पर वसीयत

लिख सकते हैं। उस पर स्थान और तिथि लिखकर दो गवाहों से दस्तख़त करा लें। गवाह और वसीयत का लाभ पाने वाला दोनों अलग–अलग व्यक्ति हों। प्रबन्धक और गवाह उम्र में वसीयत कराने वाले व्यक्ति से छोटे हों। साधारण–सी बातों का ध्यान रखें...प्रत्येक पृष्ठ पर नम्बर डालें। प्रत्येक पृष्ठ पर तिथि लिखकर हस्ताक्षर करें, जो स्पष्ट हों।

ज़िन्दगी की सबसे मुश्किल बातचीत

मैं अपनी पुराने मित्र से बात कर रही थी। बातचीत घूमते हुए वृद्ध माता–पिता की होने लगी। उसने क़बूल किया कि अपने अस्सी वर्षीय पिता से यह बात करना कितना मुश्किल है कि अपनी जायदाद का विस्तृत ब्योरा बनाकर वसीयत लिख लें। वह बता रहा था कि पिछले डेढ़ दशक में वह कितनी भिन्न–भिन्न मानसिकताओं से गुज़रा है– ध्यान ही मत दो (सब ख़ुद–ब–ख़ुद ठीक हो जायेगा) नकारते रहना (मेरे पिता अभी संसार से जाने वाले नहीं हैं) आत्मग्लानि (मैं अपने ही लोगों की मृत्यु के बारे में सोच रहा हूँ), चिन्ता (हे भगवान! बैंक खातों को दोबारा चालू कराने में जो भागदौड़ करनी पड़ेगी, ज़मीन के मामलों की तो सोचना भी कष्टकर है), फिर हौसला (अगली दफ़ा मिलेंगे तो मैं यह बात करके ही रहूँगा), और अन्त में निराशा (पिता इस बारे में बात करना ही नहीं चाहते)।

वृद्ध माता–पिता से उनकी माली हालत के बारे में बात करना आसान नहीं है। यह पूछना तो और भी मुश्किल है कि उन्होंने वसीयत बनाने के बारे में सोचा है या नहीं...उनके जाने के बाद उनकी पत्नी का क्या होगा, पत्नी और जायदाद की देखभाल किसकी ज़िम्मेदारी होगी? शहरों में रहने वाले, चालीस की उम्र से बड़े धनाढ्य भारतीय अपने माता–पिता की धीरे–धीरे बढ़ती उम्र को महसूस कर रहे हैं।

भारतीय जनसंख्या का यह वर्ग, जिसे मैं शहरी धनाढ्य व्यवसायी कहूँगी–उनके लिए इस परिवर्तन का सामना करना एक नये मोर्चे का सामना करने जैसा है। परम्पराएँ और पुराने उदाहरण इस परिवर्तित स्थिति में काम नहीं आते। तीस–चालीस साल पहले एक अघोषित नियम या रिवाज था कि वृद्ध माता की देखभाल परिवार का सबसे बड़ा बेटा करेगा। अधिकांशतः संयुक्त परिवार होते थे, अतः एक पीढ़ी से दूसरी पीढ़ी के

हाथों में सत्ता धीरे–धीरे स्वतः हस्तान्तरित हो जाती थी। फिर परिवार के छोटे बेटे आहिस्ता–आहिस्ता घर की अन्य ज़िम्मेदारियाँ सँभालने लगते, घर के ख़र्च में हाथ बँटाने लगते। परिणामतः दस्तावेज़ कहाँ रखे हैं, बैंक खाते कौन–कौन से हैं, लॉकर की चाबियाँ कहाँ रखी हैं–जैसे झमेले थे ही नहीं। यह परम्परा आज भी छोटे शहरों और गाँवों में देखी जा सकती है। बेटियों को दहेज के रूप में अपना हिस्सा मिल जाता था (ज़्यादातर बहनें अपने अधिकार भाइयों के नाम करने पर हस्ताक्षर कर देती थीं)। भाई आपस में ही जायदाद के मसले सुलझा लेते थे।

आज़ादी के बाद पैदा हुई शहरी व्यवसायी धनाढ्य पीढ़ी की कहानी बिल्कुल बदल गयी है। माता–पिता अपनी स्वतन्त्र ज़िन्दगी जी रहे हैं। कभी–कभार बच्चों की सहायता ले लेते हैं। रोज़मर्रा की ज़िन्दगी या वित्तीय मामलों में बच्चों की भागीदारी नहीं रहती।

तो भी ज़िन्दगी के अन्तिम चरण के झमेले आज पहले से ज़्यादा ध्यान माँगते हैं। पिछली पीढ़ी तक बात यहीं तक थी कि उनकी देखभाल कौन करेगा? पर, आज की पीढ़ी के बुज़ुर्ग (शहरी) अपनी जीवन–शैली, आज़ादी और स्थान से जुड़े हैं। आज बच्चों को जिन मुद्दों को देखना और सँभालना है–वे माता या पिता की मृत्यु के बाद की अवस्था के हैं माता–पिता में से जो जीवित बचा है, वह जिस जीवन–शैली का अभ्यस्त है, वैसा ही चलता रहे, मृत्यु के बाद की काग़ज़ी कार्रवाई, जायदाद का बँटवारा और ऋण का भुगतान करना।

इस विषय में एक सर्वे से मैंने देखा कि हम जैसे लोगों के लिए बच्चों से अपनी मृत्यु और पैसे की बातचीत उतनी ही झिझक वाली है जैसे बच्चों से सेक्स की बातचीत करना।

'मृत्यु के बाद क्या होगा'–इस बारे में माता–पिता से बात शुरू करना इसलिए भी मुश्किल हो जाता है कि वे यह न समझने लगें कि बेटा/बेटी यह जानने को उत्सुक हैं कि उन्हें विरासत में क्या मिलेगा? प्रोफ़ेसर टूथ मार्शा ए. गोयटिंग और विक्की एल. श्मॉल ने मोनटाना स्टेट यूनिवर्सिटी गाइड में लिखा है :

> माता–पिता से उनके वित्तीय मामलों की बात करना प्रायः इसलिए भी कठिन हो जाता है कि माता–पिता उन्हें 'विरासत में क्या मिलेगा जानने के लिए उत्सुक है' ऐसा न समझने लगें। क्यों न हो–'उनका पैसा किसे मिलेगा', माता–पिता

से यह पूछना ऐसा लगता है कि हम उस परिस्थिति की बात कर रहे हैं, जब उनका पैसा किसी और को हस्तान्तरित होगा। शायद कोई अपवाद ही होगा, जो बातचीत ऐसे शुरू करे, 'पापा! जब, आपकी मृत्यु होगी', या 'माँ! जब आप ख़ुद फ़ैसला नहीं कर सकेंगी...।'

माता–पिता भी अपनी नश्वरता के बारे में सोचकर घबराते हैं। एक पीढ़ी से ज़्यादा पीढ़ियों में जायदाद का बँटवारा हमेशा ही तनाव और परस्पर कलह से भरा होता है।

माता–पिता की चिन्ता यह भी है, 'अगर मैं अपनी जायदाद सब बच्चों में बराबर–बराबर बाँट दूँ, तो जो बच्चा मेरी देखभाल कर रहा है, वह देखभाल करना छोड़ देगा? मैं जिस धार्मिक संस्था से जुड़ा हूँ, यदि अपना सब कुछ उस संस्था को देना चाहूँ तो? क्या बच्चों को यह मान्य होगा?'

पुरानी और नयी दोनों पीढ़ियों के लिए आसानी होगी अगर वे किसी अन्य व्यक्ति के विषय में चर्चा शुरू करें जिसने दुनिया छोड़ने से पहले अपनी जायदाद, पैसे आदि की व्यवस्था नहीं की थी। एक तरीक़ा यह भी हो सकता है कि कोई पारिवारिक मित्र उनसे इस विषय पर चर्चा करें।

वसीयत बनवाकर उसकी रजिस्ट्री करायी या नहीं, इसके अलावा भी कुछ चीज़ों पर चर्चा कर लेना ज़रूरी है। एक मित्र की माँ नहीं चाहती थीं कि उन्हें आख़िरी वक़्त में वेंटिलेटर पर रखा जाये। उनके अन्तिम समय में उनकी इच्छा का सम्मान किया गया।

बहुत ज़रूरी है कि आप अपने माता–पिता से यह चर्चा कर लें। अगर आपको लगता है कि इस तरह की बात करना भावनात्मक तरीक़े से बहुत नाज़ुक है, या आपको अपराध–बोध होता है, परिवार में पहले जो ऊँच–नीच हुई, उस पर बात करना कठिन है, तो किसी विश्वसनीय पारिवारिक मित्र की सहायता लें या किसी फ़ाईनेंशल प्लानर के माध्यम से बात करें। मैंने देखा है कि जो लोग प्लानर के साथ जुड़े हैं, उनके लिए इस मसले को हल करने में आसानी रहती है। (अगस्त 2013 में, *मिंट* के लिखे अपने एक स्तम्भ से मैंने इस लेख का कुछ हिस्सा लिया है।)

अपने मनी–बॉक्स के अन्तिम कक्ष में अपनी वसीयत रखें। अब आपका मनी–बॉक्स पूरा तैयार है। उम्मीद यही है कि बड़ी आयु में स्वाभाविक मृत्यु के बाद ही इसे खोलना पड़े। पहले नहीं।

ज़िन्दगी बहुत नाज़ुक है। ज़िन्दगी मजबूत भी है। हम नहीं जानते हम कल होंगे या नहीं। जीवन बीमा और निवेश की गयी ऐसी रक़म, जिसका लेनदार या क्लेम करने वाला कोई न हो हज़ारों करोड़ है। आप सही मार्ग पर हैं, अगर...

1. आपकी उम्र और परिस्थिति कैसी भी हो, आपने अपनी वसीयत बना रखी है (पैंतीस साल की उम्र में भी वसीयत बनवायी जा सकती है)।
2. आपकी वसीयत में आपकी सम्पूर्ण जायदाद का पूरा वर्णन है। वसीयत में यह भी स्पष्ट लिखा है कि किसको क्या मिलेगा।
3. वसीयत बनाकर कहाँ रखी गयी है, आपने अपने परिवार को बता दिया है।
4. बीमा पॉलिसी और ज़मीन का हस्तान्तरण बिना किसी कठिनाई के हो जाये इसकी योजना भी आपने बना दी है।

मनी-बॉक्स के शत्रु

बिना सोचे ख़रीदते जाना, वापिस आप कर नहीं पायेंगे, फिर भी उधार लेते रहना और लालच...आपके मनी–बॉक्स के सबसे बड़े दुश्मन हैं।

आपके मनी–बॉक्स को ख़तरा सिर्फ़ दुर्घटना, मृत्यु, तलाक़, नौकरी चले जाने से ही नहीं है। एक और भी ख़तरा है। मनी–बॉक्स के लिए जीवन बीमा नहीं ख़रीदा जा सकता। इसके लिए आप किसी और को दोष नहीं दे सकते। वित्तीय उत्पादों से बहुत हानि हो गयी, यह कहकर दोष उस पर डालना बहुत आसान है। पर अगर आप ध्यानपूर्वक जाँच करें तो आप ख़ुद को ही दोषी पायेंगे। अपने मनीबॉक्स के सबसे बड़े दुश्मन तो हम भी हैं।

अत्यधिक ख़र्च कर डालना

स्कूल और यूनिवर्सिटी में मेहनत से पढ़ाई करने के बाद आपको यह नौकरी मिली। अभी आप जवान हैं, सुन्दर हैं, अनन्त समय आपके सामने फैला हुआ है। यह 'आपका' समय है। बूढ़े आपके माता–पिता हो रहे हैं, आप नहीं। दोस्त पीछे पड़े रहते हैं...'अरे भई। बन–ठन कर रहो ताकि अच्छे दिखायी दो, बांड्रेड चीज़ें ख़रीदो, मस्ती करने वाले स्थानों पर जाओ और विदेश घूमो फिरो।'

इन सबके लिए पैसे की ज़रूरत है। अभी आपने किराया भी देना है, रोज़मर्रा की ज़रूरतों का ख़र्च अनिवार्य है, कार भी आप अपने सपनों वाली लेना चाहते हैं। तो...पैसा...पैसा...पैसा। अपनी हैसियत से ज़्यादा ख़र्च आपके मनी–बॉक्स को तहस–नहस कर देता है। पैसे की एक फ़ितरत है–उसे सँभाल कर न रखा जाये तो ख़र्च हो जाता है। इस तथ्य की मैं ख़ुद भुक्तभोगी हूँ। एटीएम से कितना पैसा भी निकाल लूँ...हफ़्ता दस दिन में सब ग़ायब।

बैंक से पैसा निकालकर ख़र्च करने में तकलीफ़ होती है। पर, आपके पास कार्ड है या पर्स में पैसे हैं तो बिना सोचे–समझे हम ख़र्च कर देते हैं। इन सबसे आसान क्रेडिट कार्ड है। यह एक लोन है जो आपको 40 से 50 दिन में वापस देना होता है। क्रेडिट कार्ड के बिल का भुगतान समय पर होता रहे, तो सब ठीक है। पर भुगतान समय पर न हो तो आप क़र्ज़ के जाल में फँस सकते हैं।

2017 की बात है, चेन्नई में मैं एशियन कॉलेज ऑफ़ जर्नलिज़्म में उभरते बिज़नेस पत्रकारों को पढ़ा रही थी। मैंने पूछा, 'क्रेडिट कार्ड का भुगतान समय पर न करने की क़ीमत क्या है?' एक व्यक्ति ने हाथ उठाया और कहा, 'लगभग अठारह प्रतिशत।'

अगर आप अपने क्रेडिट कार्ड के बिल का भुगतान वक़्त पर न करें, तो, जानते हैं आप कितना ब्याज देते हैं? 24 से 36 प्रतिशत तक। आपको याद होगा आपके बचत डिपॉज़िट पर 4 प्रतिशत ब्याज मिलता है। एफ.डी. का रिटर्न 6.5 प्रतिशत है, ऋण फंड लगभग 8–9 प्रतिशत और इक्विटी फंड लगभग 12–15 प्रतिशत (लम्बी अवधि के बाद।) अपने क्रेडिट कार्ड से उधार लेने की क़ीमत इतनी ज़्यादा है। आपने सोचा नहीं होगा।

शादी होने तक ज़्यादातर लोग खुलकर ख़र्च कर लेते हैं। बच्चा होने के बाद तो बहुत सँभल जाते हैं। यूँ कहें कि उसके बाद हमारा और पैसे का रिश्ता बदल जाता है। पर, क्या कोई ऐसा तरीक़ा भी है कि आप युवा हैं और लापरवाह भी, पर अपने शौक़ पूरा करने के लिए अपने मनी–बॉक्स से छेड़छाड़ न करनी पड़े?

तरीक़ा है न! जैसा मैं पहले बता चुकी हूँ, कैश–फ्लो सिस्टम अपनाकर थोड़ी–थोड़ी बचत करनी शुरू कर दें। 'बचाने के लिए जब पैसा होगा बचत करनी तो तब शुरू करेंगे', यह सोचकर बचत योजना को टालिए मत। ऐसा सोचेंगे तो बचत कर ही नहीं पायेंगे। किसी के पास 'इतना पैसा' कभी नहीं होता कि वह बचत करना शुरू करे। शुरुआत एक हज़ार रुपये से ही करें, पर शुरुआत कर दें। दूसरी बात 'ज़रूरत और लालच' में फ़र्क़ को समझ कर ख़र्च करें। आप किसी मॉल में जाते हैं। अन्दर प्रवेश करते ही रोशनी की चकाचौंध, ख़ुशबू, आकर्षक ढंग से सजी वस्तुएँ, आवाज़ें... पूरा वातावरण आपसे यही कहता लगता है, '...ख़र्च करो। ख़र्च करो...।'

आप मोटे हैं या पतले, काले हैं या गोरे, लम्बे हैं या ठिगने–आप कैसे भी हों, जब तक आप ख़रीदारी नहीं कर लेते, आपको चैन नहीं आता।

एक मिनट ठहरिए। रुककर इतना भर सोचें कि अमुक चीज़ की ज़रूरत क्या सचमुच है? आपको दस कलाई घड़ियाँ क्यों चाहिए?

आपकी अलमारी में एक नयी ड्रेस रखने की जगह है भी या नहीं? शू–रैक में नये जूतों की जोड़ी के लिए जगह है क्या?

एक दफ़ा अमेरिका में मेरी मुलाक़ात एक महिला डॉक्टर से हुई। 'येल' न्यू हेवन में मैं एक सेमेस्टर के लिए गयी थी। वह भी वहाँ आयी हुई थी। हम आपस में बातें करने लगे। बात घूमते–घूमते शॉपिंग की होने लगी। उसने बताया कि वह अपने पति के साथ एक बड़े घर में शिफ्ट हुई है। उनके पास सामान बहुत था। पहला घर छोटा पड़ता था। बच्चे थे नहीं। कहने लगी, 'मेरे पास बीस जोड़ी जूते हैं। पर मैं पहनती सिर्फ़ एक ही जोड़ी हूँ। ...वह बहुत आरामदायक है।'

मैंने पूछा, '...फिर और ख़रीदती क्यों हैं? दो–तीन जोड़ी जूतों के बाद एक और क्यों?"

जवाब था, 'क्योंकि मेरे पास "वह वाला" नहीं है।'

ज़िन्दगी में कभी तो ठहरकर सोचें कि जो हम कर रहे हैं...क्यों कर रहे हैं? मैं समझती हूँ कि मित्रों का दबाव परेशान कर देता है। पर ज़रा सोचिए, आप जितनी चीज़ें भी ख़रीद लें बाज़ार में फिर भी ऐसा बहुत कुछ होगा, जो आपके पास नहीं है। आप जो हैं, वैसे ही बने रहिए, जो आप नहीं हैं, वैसा बनने की कोशिश मत करें।

मुझे नहीं लगता कि हम में से कोई भी यह स्वीकार करेगा कि वह लालची है। पर लोग जो पोर्टफोलियो चुनते हैं, उन्हें देखने के बाद तो लगता है...यह लालच ही तो है। निवेश और लालच में क्या सम्बन्ध है भला? सम्बन्ध है...किसी निवेश में लाभ बहुत ऊँचा जा रहा है, बस आप रातोरात अमीर बनना चाहते हैं। एक ऐसी ख़्वाहिश कि बिना ज़्यादा काम किये, फ़ौरन अमीर बन जायें।

जिन्होंने होम ट्रेड की अनेक परतों वाली स्कीमों हॉफलैण्ड फ़ाइनेंस के डिपोज़िट, एमु फार्मिंग में, जिनका वायदा था कि बिना कुछ किये आपको कितना लाभ होगा–उसमें पैसा लगाया था, वे मेरी बात अच्छी तरह समझ गये होंगे। ऐसे उत्पाद आपको यही कहकर अपने जाल में फँसाते हैं कि थोड़े ही समय में आपका पैसा दुगना–तिगना हो जायेगा।

जो लोग इस खेल के शुरुआती दौर में पैसा लगा देते हैं, उनको तो फ़ायदा होता है। बाद में आये निवेशकों से मिले पैसे से पुराने निवेशकों

को भुगतान कर दिया जाता है। एक वक़्त ऐसा आ जाता है, जब नये निवेशक आने बन्द हो जाते हैं, तब पूरा ढाँचा लड़खड़ाकर गिर जाता है। सारदा घोटाला एक ऐसी ही स्कीम में हुआ।

मल्टीलेवल्ड मार्केटिंग (एम.एल.एम.) स्कीमों के अलावा हम लालचवश बहुत बड़े जोखिम वाले उत्पादों में पैसा लगा देते हैं जैसे स्टॉक आई.पी.ओ. (इनिशियल पब्लिक ऑफ़र)। मेरे एक सम्बन्धी भारत के छोटे शहर में रहते थे। उन्होंने शून्य जोखिम वाले एफ.डी. में निवेश किया हुआ था। बहुत साल पहले उनके घर जाना हुआ। बातचीत में उन्होंने स्वीकार किया कि अपनी सारी एफ.डी. तुड़वाकर उन्होंने रिलायंस पावर आई.पी.ओ. में पैसा लगा दिया था। जिन लोगों को उस आई.पी.ओ. की याद है वे जानते होंगे कि इस प्रोजेक्ट में बहुत लम्बे समय तक लाभ की आशा नहीं थी।

यह आई.पी.ओ. जितना ऊँचा प्रीमियम चार्ज कर रहा था, उसके अनुरूप प्रोजेक्ट में कुछ था ही नहीं। बेकार का शोरगुल ज़्यादा मचाया हुआ था। वास्तव में आई.पी.ओ. बेचने वाले दलालों को बहुत ऊँचा कमीशन दिया जा रहा था, फलतः प्रीमियम भी ऊँचा था। मैंने जब भी म्युचुअल फंड्स में निवेश करने की बात की, आपने कहा हम इतना जोखिम नहीं उठा सकते; फिर आप यह आई.पी.ओ. क्यों ख़रीद लेते हैं?

उन सम्बन्धी ने पूरे इत्मीनान से कहा, 'तीन साल में पैसा दोगुना हो जायेगा। अगर नहीं भी होता तो मैं लम्बे समय तक इन्तजार कर लूँगा।' कमरे में चुप्पी छा गयी। मुझे समझ नहीं आया कि मैं कहाँ अपना सिर दे मारूँ! अनेक फ़ाइनेंशल प्लानर्स और वित्तीय सेक्टर से जुड़े लोग मेरी इस बात से सहमत हैं कि अपने सम्बन्धी और संयुक्त परिवार के लोगों को समझाना कि वे सोच–समझ कर अच्छी जगह निवेश करें–सबसे मुश्किल काम है।

कुछ समय पहले मेरी मुलाक़ात एक बहुत मशहूर फिनटेक लेटफॉर्म के मालिक से हुई। वह यह सोचकर कि उसका कज़िन आई.सी.ओ. में निवेश कर रहा है, भयंकर अवसादग्रस्त था।

आई.सी.ओ.? अब यह क्या बला है? यह एक 'इनिशियल कॉयन ऑफ़र' है पिछले दो सालों में बिटकॉयन की क़ीमत बस बढ़ती ही जा रही है, इन श्रीमान का क़िस्सा इसी से जुड़ा हुआ है। अगर आपने बिटकॉयन और उससे मिलने वाले अद्‌भुत रिटर्न के बारे में नहीं सुना, तो आप इस दुनिया में नहीं रहते।

एक गणना के अनुसार 2010 में निवेश किया एक लाख रुपया अब सौ करोड़ हो गया है। पिछले कुछ सालों में बिटकॉयन ख़रीदकर, कुछ लोग रातोरात धनाढ्य बन गये। बिटकॉयन एक तरह की गुप्त करेंसी है। इसका सीधा–सा मतलब है कि डॉलर या रुपये की तरह गुप्त करेंसी को किसी सरकार ने शुरू नहीं किया। रुपये के नोट पर सरकारी वायदा लिखा होता है कि इस नोट को प्रस्तुत करने वाले को उस पर लिखी क़ीमत अदा की जाये। क्रिप्टो करेंसी में ऐसा कोई शासकीय आदेश नहीं है। क्योंकि क्रिप्टो करेंसी किसी व्यक्ति या राज्य द्वारा शुरू किया अनुक्रम नहीं है। यह तो कम्प्यूटर द्वारा बनाया एक प्रोग्राम मात्र है।

यह सब बहुत अटपटा लग रहा है न? फिर भी इसकी क़ीमत आसमान की ऊँचाइयों को क्यों छू रही है? यहाँ ज़रा ठहरकर हम सोचें कि जो मुद्रा हम इस्तेमाल कर रहे हैं, वह क्या है? हमें यह स्पष्ट हो जायेगा कि जो चीज़ अदला बदली का माध्यम बन जाती है, उसकी वैल्यू के कारण वह मुद्रा बन सकती है। अभी तक हम नहीं जानते कि कभी भविष्य में बिटकॉयन विश्व स्तर की मुद्रा बनेगी या नहीं, पर इतना ज़रूर जानते हैं कि कुछ देशों में बिटकॉयन का सौदा करना क़ानूनी है। कुछ देशों ने इस पर प्रतिबन्ध लगा दिया है। अमेरिका जैसे कुछ देशों ने इस पर कर लगा दिया है...इस प्रकार इसे न्यायसंगत बना दिया।

आप और हम जैसे लोग इससे क्या समझें? क्या हम बिटकॉयन ख़रीद लें? मैंने एक महत्त्वपूर्ण नियम बनाया हुआ है, जिसकी वजह से मेरा पैसा कहीं डूबने से बच गया। हो सकता है इस नियम के कारण मैं अनेक लाभ देने वाली योजनाओं से हाथ धो बैठी हूँ। जो भी हो, मेरा दृढ़ निश्चय है कि *जिन योजनाओं को मैं समझती नहीं, मैं उनमें निवेश नहीं करती।*

मैं समझ नहीं पा रही हूँ कि बिटकॉयन का महत्त्व और वैल्यू बढ़ कैसे रही है? इसके जवाब में अगर तर्क यह है कि यह मुद्रा अत्यन्त सीमित मात्रा में उपलब्ध है, अतः इसकी क़ीमत बढ़ती रहेगी, तो इस तर्क को काटने के लिए ज़मीन और सोने की बढ़ती क़ीमतों का हवाला दिया जा सकता है। बहुत समय से एक वैश्विक मुद्रा की ज़रूरत को महसूस किया जा रहा है, जो पैसे के हस्तान्तरण में बैंकों के एकाधिकार को ख़त्म कर सके। बिटकॉयन क्या वैश्विक मुद्रा बन सकेगा, अभी स्पष्ट नहीं है।

मेरे एक सहकर्मी ने पूछा कि एक तरफ़ बिटकॉयन आश्चर्यजनक रिटर्न दे रहा है, दूसरी तरफ़ आप कहती हैं यह अच्छा निवेश नहीं है।

ऐसा क्यों? उसके सवाल के जवाब में मैंने सवाल किया कि, 'सेंसेक्स पर आधारित एक ई.टी.एफ. को अगर सात से दस साल तक रखा जाये तो वह मुद्रास्फीति के बावजूद रिटर्न देगा...आप इस विषय में कितने आश्वस्त हैं?' 'पूर्ण आश्वस्त', उसने कहा।

'बिटकॉयन भी आपको उससे ज़्यादा नहीं तो, उतना रिटर्न तो देगा ही–इसे लेकर आप कितने आश्वस्त हैं?'

'बिल्कुल भी नहीं।'

बिटकॉयन से मेरी सहकर्मी एकदम धनाढ्य बन सकती है, पर सम्भव यह भी है कि उसका निवेश शून्य रह जाये। बिटकॉयन भारी जोखिम वाला उत्पाद है, अतः सम्भावना यही है कि आज इसे ऊँचे रिटर्न वाला निवेश माना जा रहा है। आप इसे ख़रीद ही रहे हैं तो एक दफ़ा में थोड़ा–थोड़ा निवेश करें, वह भी अपने रिस्क पर।

अगर जोखिम के डर से आप म्युचुअल फंड में निवेश नहीं कर रहे हैं और बिटकॉयन में निवेश के लिए तैयार हैं...इसे मूर्खता न कहें, तो क्या कहें? यह तो वैसा ही हुआ कि एक व्यक्ति जिसे पानी से डर लगता है, कम गहरे पानी में जाने से भी घबराता है; उसे गहरे पानी में एक सोने की बतख नज़र आयी और वह पानी में कूद पड़े। हो सकता है वह बतख पकड़ ले, बतख उसे लेकर उड़ जाये और आप सारी ज़िन्दगी ख़ुशी–ख़ुशी गुज़ार दें, या, यह भी सम्भव है कि आप सीधे तालाब की गहराई में खो जायें।

ये आई.सी.ओ. क्या हैं? ये लोग नयी गुप्त मुद्रा (क्रिप्टो करेंसी) बाज़ार में उतार रहे हैं और उम्मीद लगाये बैठे हैं कि यह अगला बिटकॉयन बन जाये। यहाँ आप तीन शब्द याद रखें...उससे दूर रहो। पर अगर लालच आप पर हावी होता ही जा रहा है, तो अपने वार्षिक निवेश का एक या दो प्रतिशत लेकर बिटकॉयन ख़रीद लें। 'आप भी इस चमत्कारी घटना से जुड़े हैं', आपकी यह इच्छा पूरी हो जायेगी और आपके पैसे का बड़ा हिस्सा सुरक्षित भी रहेगा। मैं तो इतना भी नहीं करूँगी। क्योंकि पैसे के बारे में मेरा जो दूसरा स्वर्णिम नियम है, यह व्यवहार उसके अनुकूल नहीं होगा : अगर कोई सौदा इतना अच्छा है कि सच नहीं हो सकता, वास्तव में वह सच नहीं हो सकता।

आपको याद होगा, उपरोक्त किसी पैराग्राफ़ में मैंने मानसिक आघात (ट्रॉमाइज़्ड) शब्द का इस्तेमाल किया था। जो फ़ाइनेंशल प्लानर और

सलाहकार अपने प्रोफ़ेशन के प्रति समर्पित हैं, वे लोगों को इस फन्दे में फँसकर अपना पैसा गँवाते देख ऐसे ही मानसिक आघात को महसूस करते हैं। यह ठीक वैसा है जैसे एक व्यक्ति को पता है कि ज़मीन में बारूदी सुरंगें कहाँ हैं। वह चिल्ला–चिल्ला कर लोगों को वहाँ न जाने के लिए कह रहा है।

फिर भी जो लोग वहाँ चले ही जाते हैं, उनके मनी–बॉक्स टुकड़े–टुकड़े होकर बिखर जाते हैं। जो लोग समझ जाते हैं कि उन्होंने पैसा ग़लत जगह लगाया वे 'लम्बी अवधि' के लिए निवेश करने लगते हैं।

बहुत ज़्यादा ख़र्च करना, ख़र्च करने के लिए उधार लेना और आवेग में आकर जुए की तरह निवेश कर देने से, सालों की मेहनत से बनाया मनी–बॉक्स व्यर्थ हो जाता है। सन्तुलन बनाये रखना अच्छे निवेश का मूल मन्त्र है। इसे हाथ से मत जाने दें।

भय, लालच और बिना सोचे–समझे किये गये अचानक फ़ैसले, यत्नपूर्वक बनाये गये मनी–बॉक्स को बेअसर कर सकते हैं। आप सही मार्ग पर हैं अगर...

1. आप ख़र्च पर अंकुश रखते हैं, और हर महीने क्रेडिट कार्ड के बिल का पूरा भुगतान करते हैं।
2. आप ऋण किसी सार्थक गतिविधि के लिए लेते हैं, जैसे मकान के लिए, अपने रहन–सहन का स्तर बढ़ाने के शौक़ को पूरा करने के लिए नहीं।
3. समय–समय पर निवेश के लिए लालच आकर्षण से भरे (धोखे वाले) उत्पाद बाज़ार में आते रहते हैं, जैसे बिटकॉयन या एमु फार्म्स। आप उनसे दूर ही रहते हैं।
4. बाज़ार लुढ़क जाने पर भी आप अपने एस.आई.पी. को जारी रखते हैं।

अनुबन्ध

सेवानिवृत्ति के बाद के ख़र्च और बचत की गणना और पूर्वकल्पना।

हमें भविष्य के लिए कई बातों को सोचकर रखने की ज़रूरत है। उन पूर्व कल्पनाओं की सूची दे रही हूँ जिनके आधार पर हम आगे की योजना बनायेंगे। अगर आपको लगे कि यह बहुत बड़ी या छोटी है तो आप अपनी ज़रूरत के हिसाब से उसमें बदलाव करें।

पहली पूर्वकल्पना : आपकी आय प्रतिवर्ष दस प्रतिशत के रेट से बढ़ेगी। यह एक तर्कसंगत पूर्व कल्पना है क्योंकि अगर आपकी आय दस प्रतिशत सालाना नहीं भी बढ़ती, तो भी, आप जब भी नौकरी बदलेंगे, उसमें जो बढ़ा वेतन मिलेगा, उससे दो साल बिना वृद्धि के वेतन की भरपाई हो जायेगी।

दूसरी पूर्वकल्पना : आपका ख़र्च और मुद्रास्फीति छह प्रतिशत के हिसाब से बढ़ेगी। मैंने यहाँ मुद्रास्फीति को थोड़ा बढ़ा–चढ़ाकर लिखा है। मुद्रास्फीति का मेरा अनुभव यही कहता है। ग़ैर–ज़िम्मेदाराना सरकारें मुद्रास्फीति बढ़ा देती हैं। आज हम नहीं जान सकते कि हमारा जीवन्त गणतन्त्र पार्लियामेंट में किसको ले आये। मौजूदा सरकार विवेकी है। 2018 में उसने निश्चय किया कि मुद्रास्फीति दर चार प्रतिशत रहे...दो प्रतिशत कम या ज़्यादा की गुंजाइश के साथ। फलतः सेंट्रल बैंक का लक्ष्य रहेगा की मुद्रास्फीति दो से छह के बीच में रहे। अतः उसकी कोशिश उसे चार प्रतिशत तक रखने की होगी। पर कोई ग़ैर–ज़िम्मेदार सरकार आ जाये तो ये सारे लक्ष्य चुटकी बजाते बदल सकते हैं। इसी सोच के परिणाम स्वरूप मैंने छह प्रतिशत की बात रखी है।

तीसरी पूर्वकल्पना : आपके कार्यकाल के वर्षों में आपका निवेश (मान लें) दस प्रतिशत सालाना बढ़ता है। छह प्रतिशत मुद्रास्फीति के समय में

पी.पी.एफ. या ई.पी.एफ. जैसे उत्पादों से प्रायः प्राप्त होने वाला रिटर्न या जोखिम रहित रिटर्न मुद्रास्फीति से एक या दो प्रतिशत ऊँचा होता है।

इस आधार पर जोखिम रहित रिटर्न आठ प्रतिशत हो सकता है। पर आपके पोर्टफोलियो में कुछ इक्विटी उत्पाद भी हैं। लम्बी अवधि में उनमें बारह प्रतिशत की वृद्धि होगी। यहाँ भी इक्विटी का रिटर्न किसी देश की समस्त जी.डी.पी. वृद्धि, मुद्रास्फीति और इक्विटी रिस्क प्रीमियम से जुड़ा है।

जोखिम की भरपाई करने के लिए इक्विटी जोखिम रहित रिटर्न पर जो अतिरिक्त रिटर्न देती है वह इक्विटी रिस्क प्रीमियम है। अगर एक अर्थव्यवस्था छह प्रतिशत मुद्रास्फीति के रहते आठ प्रतिशत वार्षिक के हिसाब से बढ़ रही है, तो हम सोच सकते हैं कि इक्विटी रिटर्न 15–16 प्रतिशत वार्षिक होगा। पर मैं हद में रहते हुए इक्विटी रिटर्न को बारह प्रतिशत ही रखूँगी। समस्त रिटर्न का दस प्रतिशत औसत रखना ही उचित रहेगा।

पुस्तक पढ़कर अगर आप समझ गये हैं कि इक्विटी निवेश कैसे होता है, तो मैं आशा करती हूँ कि आप दस प्रतिशत से ज़्यादा रिटर्न का लक्ष्य रख सकते हैं। अगर आप ऐसा करते हैं तो आपका बचत अनुपात कम हो जायेगा। पर, आपने ध्यान दिया होगा कि आप अपने वेतन में होने वाली वार्षिक वृद्धि को पूरा का पूरा ख़र्च नहीं करते। वेतन दस प्रतिशत बढ़ता है, व्यय छह प्रतिशत। वेतन वृद्धि और व्यय के बीच जो अन्तर है, वही अन्तर अपने अन्य लक्ष्यों की पूर्ति के लिए आप बचायेंगे।

ज़्यादा जटिल लगा? चलो इसे समझते हैं : मान लें आपकी उम्र तीस साल हैं। कर चुकाने के बाद आपकी आय छह लाख सालाना है। इस आय का तीस प्रतिशत आप बचत करते हैं और साल–भर में 4.2 लाख ख़र्च कर देते हैं। बचे हुए 1.8 लाख को आप पी.एफ., पी.पी.एफ. और कुछ इक्विटी फंड्स में निवेश कर देते हैं। आपका लक्ष्य है कि इस निवेश से आपको सालाना 10 प्रतिशत सुरक्षित रिटर्न मिल जाये।

इकतीस साल की उम्र में आपके वेतन में वृद्धि होती है। कर चुकाने के बाद आपकी आय में दस प्रतिशत का इज़ाफ़ा होता है। अब एक साल में आपकी आय है 6.6 लाख। बढ़ी हुई पूरी रक़म आप ख़र्च नहीं करते, पर मुद्रास्फीति के कारण आपका व्यय बढ़ जाता है। हम मानकर चल रहे हैं कि मुद्रास्फीति 6 प्रतिशत की दर से बढ़ी है। दूसरे साल में आपकी बचत 1.98 लाख हो गयी। आपके पिछले साल की बचत और उससे मिलने वाले रिटर्न में यह राशि जुड़ जाती है।

आपकी साठ साल की उम्र तक यही प्रक्रिया दोहरायी जाती है। ऐसा करते रहने से साठ साल की उम्र में आपको कितना पैसा मिलेगा, आपने कभी सोचा? 10.7 करोड़ रुपये। जी हाँ! नियमित कंपाउंडिंग बचत और सन्तुलित रिटर्न की शक्ति आपने देखी? इस समय तक आप वैसे दीखने लगेंगे, आज आपके माता–पिता जैसे दीखते हैं। तीस साल में तो इसकी कल्पना भी नहीं की जा सकती थी, पर यह समय तो आएगा ही।

पूर्वकल्पना एक : साठ साल की उम्र में आपका व्यय कम होगा। कितना कम? 59 साल में जितना था, उसका 70 प्रतिशत। आपको याद ही होगा कि व्यय 6 प्रतिशत के हिसाब से बढ़ रहा है। अब, तीस साल की उम्र में अगर आप सालाना 4.2 लाख ख़र्च कर रहे थे, तो साठ साल की उम्र तक आते–आते आप सालाना 24 लाख ख़र्च कर रहे होंगे। नौकरी में रहते हुए काम से जुड़े अनेक ख़र्चे होते हैं : यात्रा, कपड़े, लंच, कॉफ़ी, काम के सिलसिले में लोगों से मिलना–जुलना आदि...आदि। आपके रिटायर होने पर ये ख़र्च ख़त्म हो जाते हैं; अतः साठ साल की उम्र में आपके ख़र्च का 70 प्रतिशत आप इकसठ साल की उम्र में ख़र्च करेंगे। या यूँ कहें कि इकसठ साल की उम्र में आप सालाना 17 लाख रुपये ख़र्च करेंगे। अगर आपको लगता है कि आप पहले जितना ही ख़र्च करते रहेंगे तो 'रूल ऑफ़ थम्ब' को ज़रा खिसकाकर बचत अनुपात को बढ़ा सकते है या बढ़े हुए रिटर्न अनुपात का लक्ष्य रख सकते हैं।

पूर्वकल्पना दो : सेवानिवृत्ति के बाद आपका ख़र्च छह प्रतिशत सालाना के हिसाब से बढ़ता है। इस तरह पैंसठ साल की उम्र में आप सालाना 21 लाख के क़रीब ख़र्च कर रहे होंगे।

पूर्वकल्पना तीन : आप अपनी सेवानिवृत्ति (फंड) संग्रह में से एक भी पैसा ख़र्च नहीं करेंगे; सारा संग्रह बच्चों के लिए छोड़ देंगे। अगर सेवानिवृत्ति के दौरान आप पूँजी में से ख़र्च करने की सोच रहे हैं, तो आपका बचत अनुपात कम हो जायेगा।

पूर्वकल्पना चार : साठ साल की उम्र में आप सेवानिवृत्ति संग्रह को दो हिस्सों में बाँटते हैं। संग्रह का सत्तर प्रतिशत कंज़र्वेटिव सात प्रतिशत सुरक्षित रिटर्न प्रोडक्ट में जाता है...जैसे एफ.डी. या ऋण फंड।

यहाँ भी, यह सात प्रतिशत 6 प्रतिशत मुद्रास्फीति होने की स्थिति में होगा। अगर आपको लगता है कि मुद्रास्फीति कुछ कम दर से होगी तो सेवानिवृत्ति के बाद की आय से होने वाले निश्चित रिटर्न को एक प्रतिशत

बढ़ा लें। साठ साल की उम्र के बाद के निश्चित रिटर्न के लिए आप सौ में से सत्तर रुपये उसमें लगा देते हैं। अपने संग्रह का तीस प्रतिशत या यूँ कहें कि प्रत्येक सौ रुपये में से तीस रुपये आप कम जोखिम वाले इक्विटी फंड में निवेश कर सकते हैं : जैसे एग्रेसिव हाइब्रिड म्युचुअल फंड। अगले बीस साल तक हमें इस पैसे की ज़रूरत नहीं पड़ेगी। इक्विटी पोर्टफोलियो से मैं समझती हूँ, आपको 10 प्रतिशत रिटर्न मिल ही जायेगा।

साठ साल की उम्र में आपका जितना ख़र्चा होगा, आपकी आय उससे ज़्यादा होगी। ऐसा करने की ज़रूरत इसलिए होगी क्योंकि मुद्रास्फीति के कारण आपको हर साल पहले से ज़्यादा की ज़रूरत पड़ेगी। अतः बजाय इसके कि आप अपने पोर्टफोलियो में फेरबदल करें, हम भविष्य में सिर्फ़ एक बार ही ऐसा कर सकेंगे।

ऐसा करने का एक सांकेतिक और अच्छा तरीक़ा भी है, पर याद रहे, यह सिर्फ़ अनुमानित तरीक़ा भर है। वास्तविक वित्तीय योजना अपने पोर्टफोलियो को केवल एक दफ़ा बदल देने से ज़्यादा गतिशील होगी। अस्सी साल की उम्र तक आपकी आय आपके ख़र्चों से ज़्यादा होती रहेगी। बीस साल तक आपके पोर्टफोलियो में सत्तर प्रतिशत (आय का) जा रहा है; उसमें मुद्रास्फीति से निबटने की पूर्ण क्षमता बन जायेगी। आप मासिक या वार्षिक बचत का क्या करेंगे? आपके संग्रह का तीस प्रतिशत जिस फंड में निवेश किया हुआ है, उसी में यह भी निवेश कर देंगे।

मासिक बचत एक एस.आई.पी. में जाकर उसी फंड में लग जायेगी। इस तरह आपकी वृद्धावस्था के लिए जो संग्रह है, वह लगातार बढ़ रहा है। अस्सी साल की उम्र में इस आय पर मुद्रास्फीति का प्रभाव महसूस होगा। इस समय आप अपने पोर्टफोलियो को निरस्त्र करके सब कुछ सात प्रतिशत के सुरक्षित उत्पाद में निवेश कर दें। अब एक सौ ग्यारह की उम्र तक के लिए आपके पास पर्याप्त धन है। आपका संग्रह तो आपके पास है ही वक़्त के साथ–साथ उसमें वृद्धि भी होगी। यह सात प्रतिशत निवेश ही एकमात्र विकल्प नहीं है। आप दस–बारह प्रतिशत वाले उत्पादों में भी निवेश कर सकते हैं। उनमें कुछ जोखिम है। ऐसा करने से आपका बचत अनुपात भी कम हो जायेगा।

अब आप साठ साल के हैं। आपके कपड़े छोटे पड़ने लगे हैं, विशेष रूप से पेट और कमर के आसपास, सीधे खड़े होकर आप पैर की उँगलियों को नहीं देख पाते; आपको एक अच्छे चश्मे की ज़रूरत है। आप अपने

बच्चों को ठीक वैसी ही सलाह देने लगते हैं, जैसी आपके पिता आपको दिया करते थे, और आप बुरी तरह झल्ला जाया करते थे। यही ज़िन्दगी का चक्र है। मैंने अपने लिए एक नियम बनाया है, कभी यह मत कहिए, '...जब मैं तुम्हारी उम्र की थी...।'

अब आप दस करोड़ के मालिक हैं। साठ साल की उम्र में सेवानिवृत्ति के बाद आपके ख़र्चे पहले से कम हो जायेंगे। पहले आप जितना व्यय कर रहे थे, अब उसके सत्तर प्रतिशत में आपका गुज़ारा हो जायेगा : 16.88 लाख रुपये सालाना या 1.4 लाख मासिक।

आप याद रखें कि आपका सेवानिवृत्ति फंड दस करोड़ है। आपको सात करोड़ से आय हो रही है। तीन करोड़ आपने भविष्य के लिए इक्विटी म्युचुअल फंड्स में लगा दिये हैं। निवेश किये गये सात करोड़ पर सात प्रतिशत रिटर्न के हिसाब से आपको 52 लाख मिलते हैं। पर, आपकी ज़रूरत है 17 लाख रुपये। शेष राशि को आप इक्विटी म्युचुअल फंड्स उत्पादों में निवेश कर देते हैं। इकसठ साल की उम्र में आपका ख़र्च छह प्रतिशत सालाना बढ़ रहा है। अगले सालों में अपनी ज़रूरतों के हिसाब से ख़र्च करने के लिए ज़्यादा धन की ज़रूरत पड़ेगी।

फलतः पैंसठ साल की उम्र तक आते–आते आपको सालाना 21 लाख रुपयों की ज़रूरत पड़ेगी; मतलब 2 लाख मासिक। 75 साल की उम्र में आपकी ज़रूरत होगी तीन लाख रुपये मासिक। नब्बे साल की उम्र में यह राशि हो जायेगी आठ लाख रुपये महीना। अगर यह संख्या आपको बेतुकी लगती है तो एक काम करें : पार्क में बैठे बुज़ुर्गों या पारिवारिक समारोहों में एकत्रित बड़े लोगों की बातों को ग़ौर से सुनें। आपको मुद्रास्फीति की आलोचना ही सुनाई देगी,... 'अरे। बीस रुपये की तनख़्वाह में घर भी चलता था और थोड़ा–बहुत बच भी जाता था। मामीजी ने जो शॉल ओढ़ा हुआ है, वह पाँच रुपये में ख़रीदा था। आज ऐसी चीज़ पाँच हज़ार में भी नहीं मिलेगी।'

से भी अपना सिर हिलाते। 'च्च च्च, ज़माना ही ख़राब है' जब मैं बच्ची थी तो बुज़ुर्गों की इन बातों से झल्ला जाया करती थी कि...देखो... आज हर चीज़ कितनी महँगी हो गयी है। उन दिनों में बच्चे अपने मन में उमड़ने वाले आक्रोश और खीज को व्यक्त नहीं कर सकते थे, बस भुनभुनाकर रह जाते थे।

मुझे याद है, जब मैं छोटी थी मैं मीठी गोली पाँच पैसे में ख़रीदती थी; बस टिकट पच्चीस पैसे में। (अपनी इन यादों से अब मैं अपने परिवार के बच्चों को खिजाने लगी हूँ।) मेरी बेटी ने एक रुपये के छोटे सिक्के देखे ही नहीं हैं। सम्भवतः उसकी बेटी यही बात पचास रुपये के लिए कहेगी। पैसे की गिरती क्रय शक्ति के कारण ही हमें यह चिन्ता सताती है कि सेवानिवृत्ति के बाद हमारा गुज़ारा कैसे होगा?

सेवानिवृत्ति के बाद आपकी ज़रूरतें और ख़र्चे कैसे होंगे, उपरोक्त गणना इसी प्रश्न के उत्तर तक पहुँचने का माध्यम है। यह मात्र सांकेतिक है। अपनी सेवानिवृत्ति के बाद की सही योजना बनाने के लिए ऑनलाइन कैलकुलेटर का इस्तेमाल करें या प्लानर से मिलकर इसकी योजना बनायें।

फिर मिलेंगे

कुछ साल पहले की बात है...मैं परिवार और मित्रों के साथ ऑरोविलो में ली मॉर्गन कैफ़े में बैठी थी। वातावरण शान्त था। मातृ मन्दिर जाने के बाद मन की शान्ति और बढ़ गयी थी। शान्त वातावरण और कॉफ़ी की चुस्कियों को भेदती अचानक एक आवाज़ आयी–'देखो...यहाँ तो स्वयं मोनिका हलान उपस्थित हैं।'

छह चेहरे आवाज़ की तरफ़ घूम गये। तभी एक व्यक्ति वहाँ आया था। हमें अपनी ओर देखते पाकर वह आगे बोला, 'आज मैं यहाँ आपकी वजह से ही हूँ।'

सम्भवतः, उसने मेरे एन.डी.टी.वी. शो में मुझसे प्रश्न किया था कि क्या वह समय से पहले सेवानिवृत्ति ले सकता है? उसने अपना पोर्टफोलियो और पेंशन राशि बतायी थी।

मेरे दिमाग़ में एक बिजली–सी कौंधी, 'आप फ़ौजी अफ़सर हैं न?' मुझे याद आ रहा था कि एक फ़ौजी अफ़सर वक़्त से पहले सेवानिवृत्ति लेना चाहता है; क्या वह बिना नुक़सान के ऐसा कर सकता है? मेरा जवाब था, 'आपका पैसा पर्याप्त है। चिन्ता मुक्त होकर सेवानिवृत्ति लें।'

आज वह अपनी सपनों की ज़िन्दगी जीता हुआ यहाँ ऑरोविलो में था।

मैं जब भी अपने किसी पाठक या टी.वी. शो के प्रश्नकर्ता से मिलती हूँ, या जो पत्र लिखकर यह बताते हैं कि मेरे सुझावों ने उनकी ज़िन्दगी बदल दी, ...मैं व्यक्तिगत रूप से बहुत सन्तुष्ट हो उठती हूँ। उस दिन मैं हवा में उड़ने लगती हूँ। ज़्यादातर लोग यही कहते हैं, 'आपने हमें ग़लत फ़ैसला करने से बचा लिया। आप ही की वजह से मेरे पोर्टफोलियो में यू.एल.आई.पी. नहीं हैं।' या, 'आपके कारण हम बीमा घोटाले के जाल में फँसने से बच गये।' या, 'आपके लेख पढ़–पढ़कर मैं एक अच्छा निवेशक बन गया हूँ।'

मुझे एक भी व्यक्ति ऐसा नहीं मिला जिसने कहा हो, 'आपने मुझे रातोरात अमीर बना दिया।'

हमारा लक्ष्य है वित्तीय आज़ादी और स्वयं समर्थ होना, न कि अचानक बहुत अमीर बन जाना। आप बहुत अमीर न भी हों, तब भी आप वित्तीय आज़ादी के साथ–साथ सभी तरह की परिस्थितियों पर कंट्रोल रख सकते हैं।

लोग आपको फ़ौरन अमीर बनाने के सपने बेचते हैं, रातोरात अमीर बन जाने का गुप्त मन्त्र बताते हैं, यह एक पुराना, घिसा–पिटा तरीक़ा है। यह तरीक़ा दो बातों से आपको अपने जाल में फँसाता है : लालच और सबसे अलग दीखने की चाह। आपके लालच का बटन दबता है तो बिना कुछ किये बहुत कुछ पा लेने की इच्छा जाग उठती है। यह सन्तुलनहीन लाभ पाने की इच्छा है।

आप यह रास्ता अपनाकर (शायद) एक साल में अपना पैसा दुगना कर लें। या ज़मीन की ख़रीद–फ़रोख़्त में आपका पैसा तिगुना हो जाये। ज़रा गम्भीर होकर सोचें कि अगर किसी के पास रातोरात अमीर होने का ऐसा मन्त्र है, जिसे वह अमीर बनने के लालच में फँसे लोगों को बेचता है, तो वह सपने बेचकर पैसे कमाने में क्यों लगा हुआ है? ख़ुद अमीर क्यों नहीं बन जाता?

लालच के अलावा आपकी दूसरी कमज़ोर नब्ज़ है : सबसे अलग दीखने की इच्छा। हम सब ख़ुद को दूसरों से ज़्यादा ख़ास मानते हैं। शायद हम हैं भी। पर, मूल रूप से, यह इच्छा आप पर तब हावी होती है जब आप इस विश्वास के जाल में फँस जाते हैं कि पैसा बनाने का जो (गुप्त) गुर आपको पता है, वह और कोई नहीं जानता।

सपने बेचने वाला आपके सामने पासा फेंकता है : यह सौदा बस अभी उपलब्ध है। लोग इस बारे में कुछ नहीं जानते। आप अभी, जल्दी यह सौदा नहीं करते, तो मौक़ा आपके हाथ से निकल जायेगा। लालच की छड़ी आपके सामने घुमाकर कुछ बेचने का यह तरीक़ा आपकी मानसिकता को घेर लेता है और आप बिना सोचे–समझे, जल्दीबाज़ी में अपना पैसा दाँव पर लगा देते हैं।

आप ख़ुद से एक सवाल करें–इतना आकर्षक सौदा यह आपको ही क्यों बेचना चाहता है? यह सौदा अगर सचमुच इतना लाभकारी है, तो यह ख़ुद उसे क्यों नहीं ख़रीद लेता? उसके कोई सगे–सम्बन्धी या दोस्त

नहीं हैं जिन्हें वह अमीर बना सकता है...वह सबको छोड़कर आप से ही सौदा क्यों करना चाहता है? 'आप सबसे अलग और श्रेष्ठ हैं,' आपकी इस भूख को पहचानकर वह आपसे यही कहेगा, 'साहब! आप सबसे फ़र्क़ हैं; इसीलिए मैं सिर्फ़ आपको ही यह मन्त्र बेचूँगा।'

यह पुस्तक आपको रातोरात अमीर होने के गुर नहीं सिखाती, न ही कोई ऐसा तरीक़ा बताती है, जो सिर्फ़ आप ही को पता हो। इस किताब में ऐसा कुछ नहीं है जो सिर्फ़ किसी एक व्यक्ति विशेष के लिए हो। आपको सिर्फ़ यह समझाया गया है कि पैसे को कैसे सँभाले; एक ऐसा सिस्टम जो पैसे को लेकर आये दिन होने वाली चिन्ता से आपको मुक्त कर दे।

यह पुस्तक आपको वह ज्ञान/समझ देती है, जिससे आप पैसे सम्बन्धी फ़ैसले ख़ुद कर सकेंगे; जो फ़ैसले आपके आने वाले कल में आपके लिए बहुत महत्त्वपूर्ण सिद्ध होंगे। वित्तीय उत्पादों द्वारा आप ख़ुद को वित्तीय रूप से सुरक्षित कर लें, किताब इसमें आपकी मदद करती है। अगर आप इस किताब की सलाह और ज्ञान को समझ गये हैं, तो आपको स्पष्ट हो गया होगा कि ऊँचे रिटर्न के पीछे भागना सही क़दम नहीं है। सही उत्पाद चुनकर अपने वित्तीय लक्ष्य को पूरा करने का तरीक़ा अपनाने में ही अक्लमन्दी है।

इस किताब में पैसा प्रबन्धन का कोई ऐसा गुप्त मन्त्र नहीं है कि ज़्यादा लोगों को उसका पता लगेगा तो वह उड़ जायेगा। इसमें खुला सन्देश है। इस रास्ते पर जितने ज़्यादा लोग चलेंगे, रास्ता उतना ही समतल और परिष्कृत होता जायेगा। बढ़ती माँग से वित्तीय सेक्टर पर दबाव बढ़ेगा कि वे पारदर्शी और निष्कपट वित्तीय उत्पाद बनायें और बेचें। वित्त योजना प्रक्रिया बहुत ख़तरनाक रास्तों से गुज़रती है। आप इसे समझ गये हैं तो अपने परिवार और मित्रों को इस बारे में बतायें, ताकि वे पैसे के ऊँचे-ऊँचे वायदों के जाल में न फँसें।

अन्त में, इस पुस्तक में मैंने जो भी सुझाव दिये हैं, मैंने उन सबको स्वयं आज़माया है। आपात् फंड्स, स्वास्थ्य कवर से लेकर गो-फ्री-मनी तक की व्यवस्था मैंने अपनी सेवानिवृत्ति की उम्र से दस साल पहले ही समुचित ढंग से कर ली है। सिस्टम आपको उबाऊ लग सकता है, पर यह काम करता है।

आपके पत्रों, टेलीफ़ोन कॉल्स, सड़क, एयरपोर्ट या कैफ़े आदि में हुई मुलाक़ातों से मेरा ज्ञान बढ़ा है। मैं चाहूँगी कि आपके साथ मेरा वार्तालाप

यूँ ही चलता रहे। किताब के अगले संस्करण को और बेहतर बनाने में मुझे मदद मिलेगी। आप प्रश्न ज़रूर पूछें, जिन क्षेत्रों में आपको मदद चाहिए, उन्हें सुझायें। मैं वार्त्तालाप जारी रखूँगी।

आप मुझसे ट्विटर पर जुड़ सकते हैं...@monikahalan या मेरे फ़ेसबुक पृष्ठ https://www.facebook.com/monikahalan

अभिस्वीकृति

मेरे गुरु, द मदर और श्री ऑरोबिन्दो, आपने मुझे खोजा, आभार! *मिंट* अख़बार की मेरी अद्वितीय टीम का आभार। मेरी कामना है कि ज़्यादा से ज़्यादा टीमलीडर्स को आप जैसे साथी मिलें।

श्री आर. सुकुमार, सर्वश्रेष्ठ सम्पादक...जिनके साथ मैंने काम किया। आपने जो विश्वास मुझमें रखा, वह दुर्लभ है। आपकी आभारी हूँ। हार्पर कॉलिन्स की शानदार टीम। काम के प्रति समर्पित आप लोगों के साथ काम करना मेरी ख़ुशक़िस्मती है। सम्पादक जोसफ़ एंटनी के बारीक़ सम्पादन से यह किताब निखरी है। उनका और सारी टीम का आभार।

मेरे माता–पिता, मृदुला और योगेश हालन, जिन्होंने हमेशा मेरा साथ दिया। उनके अतीत से ही मेरा भविष्य का रूप सम्भव हुआ।

मेरे पति, गौतम चिकरमने का आभार, जिन्हें मुझमें विश्वास रहा कि मैं इस काम के योग्य हूँ। मेरी बेटी मीरा। तुम्हारे जन्म ने मेरी ज़िन्दगी बदल दी। प्यार भरा आभार।

अनुक्रमणिका

ऑ

क

ख

ग

घ

ज

ड

थ

ध

न

प

फ

ब

म

य

र

ल

व

श

स

❑❑

मृदुला हालन : परिचय

मृदुला हालन एक कुशल और प्रतिष्ठित लेखिका तथा विचारक हैं। साथ ही अंग्रेज़ी से हिन्दी में छह पुस्तकों तथा हिन्दी से अंग्रेज़ी में एक पुस्तक की अनुवादक भी हैं। उन्होंने हिन्दी की 'धर्मयुग' जैसी अधिकांश मुख्यधारा की प्रमुख पत्रिकाओं के लिए लिखा है। उन्होंने महिला लेखिका संघ की अध्यक्ष तथा विश्वविद्यालय की शिक्षिका के रूप में भी काम किया है। वह नयी दिल्ली में रहती हैं।